3·1운동 100년

역사의 현장 Ⅱ

3·1운동 100년
역사의 현장 II

1판 1쇄 인쇄 2020년 3월 2일
1판 1쇄 발행 2020년 3월 16일

지은이 동아일보 특별취재팀
발행인 임채청

펴낸곳 동아일보사 | **등록** 1968.11.9(1-75) | **주소** 서울시 종로구 청계천로 1 (03187)
편집 02-361-0949 | **팩스** 02-361-1041
인쇄 중앙문화인쇄

ISBN 979-11-87194-78-1 04910 | 979-11 87194-76-7(세트)

3·1운동 100년

역사의 현장 II

동아일보 특별취재팀

동아일보사

민족의 미래를 밝히는
희망의 등불

지금으로부터 100년 전인 1919년 3월, 한반도 전역에서 거대한 용암과도 같은 민족의 에너지가 분출됐습니다. 남쪽의 제주도에서 북쪽의 함경도에 이르기까지 1,690여 차례에 걸쳐 대한독립 만세를 외치는 3·1운동이 전개됐습니다. 3·1운동은 비단 국내에서만 그치지 않았습니다. 일본 제국주의의 심장부였던 도쿄와 오사카, 중국 상하이와 북만주, 러시아 블라디보스토크와 우수리스크 등 연해주 일대, 더 멀리는 미국 샌프란시스코와 멕시코 등 한국인 동포들이 집단으로 거주하는 곳이라면 어디든 국내 3·1 운동과 호흡을 같이했습니다.

한국에서 연인원 최대 103만여 명(국사편찬위 삼일운동 데이터베이스)이 참여한 이 거족적 대일 항쟁에 대해 일제는 총격 발포 등으로 무자비하게 탄압했습니다. 그러나 한국인들은 일제의 야만적인 총검 앞에서도 굴하지 않았고, 마침내 중국 상하이에서 대한민국임시정부 출범이라는 소중한 결실을 보았습니다. 한국인들을 위력으로만 굴복시킬 수 없다고 판단한 일제는 우리 민족을 회유하기 위해 이른바 '문화정치'를 내세우기도 했습니다.

이처럼 100년 전의 3·1운동은 한민족의 강한 정체성, 나아가 민주주의 의식을 국내외에 과시한 '한국적 굴기(崛起)'의 원형이라 할 수 있습니다. 또한 3·1운동은 종교, 신분, 성별, 지역 등을 초월해 모든 한국인이 한마음으로 뭉쳐 일으킨 민족운동으로, 세계 역사에서도 그 유례를 찾아보기 힘듭니다.

이 책은 동아일보 기자들이 2년여에 걸쳐 3·1운동에 뛰어든 순국선열 및 애국지사들의 숭고한 삶과 역사적 현장을 직접 찾아다니면서 발굴한 귀중한 기록입니다. 3·1운동의 묻혀진 진실과 함께 전국 방방곡곡에서 선조들이 보여준 감동스러운 장면이 생생하게 펼쳐져 있습니다. 또한 이 책은 3·1운동이 단순한 과거사가 아니라 현재, 나아가 우리의 미래를 밝혀줄 지표라는 점을 제

시하고 있습니다. 독립운동가 후손의 한 사람으로서 이 책이 위
대한 한국인들의 미래를 밝혀주는 밝은 등불이 되길 기대합니다.

국립 대한민국임시정부기념관건립위원회 위원장
3·1운동100주년 서울시기념사업위원회 위원장

지금도 살아 숨 쉬는
3·1운동의 역사

3·1절 99돌을 맞이하던 2018년 3월 1일, 동아일보 '3·1운동 특별취재팀' 기자들은 2년여에 걸친 독립만세운동 대장정의 길에 나섰습니다. '3·1운동 100년 역사의 현장'이라는 주제로 3·1운동이 전개된 국내외 각지의 현장을 일일이 답사하고, 독립운동가 후손을 인터뷰하는 등 100년이 지난 지금에도 살아 숨 쉬는 3·1운동의 역사를 취재해 신문에 연재해왔습니다.

이제 순국선열과 애국지사의 삶이 배어 있는 현장을 찾아가는 긴 여정을 마치고, 그간 연재했던 글을 모아 책으로 엮었습니다. 책에서는 지면의 한계로 다 싣지 못한 얘기들을 더하고, 관련 전문가들의 최신 연구 업적을 보태 글의 완성도를 높이고자 했습니다.

돌이켜보건대, 일제의 총검과 가혹한 탄압을 뚫고 삼천리 방방곡곡을 뒤덮은 선조들의 만세 함성이 지금도 귓전에 메아리치는 듯합니다. 당시 13도 220개 군의 행정 체제였던 한반도에서 무려 211개 군(95.9%)이 만세운동에 참가했습니다. 그야말로 한반도 전 지역에서 만세운동이 벌어진 것이나 다름없습니다.

일제는 평화적인 시위로 진행된 3·1운동을 총칼로 짓밟았습니다. 이 과정에서 7,500여 명이 살해됐고 1만 6,000여 명이 부상했습니다. 하지만 한민족의 독립 열망을 확신시켜준 3·1운동은 결코 헛되지 않았습니다. 3·1운동의 열기는 한 달 뒤 중국 상하이에서 대한민국 임시정부 수립으로 이어졌고, 중국과 인도 등의 독립운동에도 큰 영향을 미쳤습니다. 민족의 표현기관을 자임한 〈동아일보〉의 창간(1920년) 역시 3·1운동이 가져온 결과물이었습니다.

취재팀은 독립운동가들과 그 후손의 가혹했던 삶을 취재하며 적잖은 눈물을 흘려야 했습니다. 아직도 우리 사회가 그들에게 진 빚을 다 갚지 못하고 있다는 사실에 가슴이 아팠습니다.

선조들이 흘린 피와 눈물의 역사인 3·1운동은 우리에게 묻고 있습니다. 우리는 선열들의 기대에 어긋남이 없는 그런 나라를 만들어가고 있는 건가요? 우리 민족은 70년 넘도록 분단됐고, 지역, 계층, 이념 간 갈등의 골도 메워지지 않고 있습니다. 그래서 더욱 절실히 느껴지는 게 통합의 3·1정신입니다. 취재팀이 이 책을 발간하는 이유이기도 합니다. 독자 여러분에게 그날의 함성이 들려지고, 뜨거운 조국 독립의 열망이 전달되기를 간절히 기원합니다.

동아일보 특별취재팀

제2부 | 영남

제3부 | 호남

제4부 | 충청·강원·제주

제5부 | 북한

제1부

서울·경기

횃불

어두운 밤하늘을 달군 방화수류정의 붉은 횃불

1919년 3월 1일 오후 8시경. 경기 수원 광교산 줄기가 뻗어 내려 자그마한 둔덕을 이룬 방화수류정(訪花隨柳亭)에 횃불이 등장했다. 바로 옆 용연(龍淵)이라는 이름의 연못 수면은 이리저리 움직이는 불빛 가닥들로 마치 용이 꿈틀거리듯 일렁였다. 조선 정조가 지은 화성(華城)의 구조물 중 가장 아름다운 곳으로 꼽히는 방화수류정이 수원 3·1독립운동의 발원지가 되는 순간이었다.

　방화수류정의 횃불은 3·1항쟁에서 처음으로 등장한 야간 '불꽃 시위'였다. 소규모로 시작한 횃불운동이 경기도를 가장 격렬한 3·1항쟁 현장으로 탈바꿈시킬 줄은 그때까지 아무도 몰랐다. 애

경기 수원 화성 동북쪽
성벽에 있는 방화수류정.

초부터 횃불 시위를 계획한 것은 아니었다. 경성(서울)의 3·1독립
선언서 발표 시각과 맞추어 이날 정오 수원면 삼일학당 교정에서
독립선언서를 낭독하고 방화수류정-북문(장안문)-종로 네거리-남
문(팔달문)까지 거리 행진을 펼칠 예정이었다. 그런데 수원경찰서
의 일경에게 미리 탐지됐다는 첩보가 있어 밤의 횃불 시위로 급히
바뀌었다.(이제재,《수원의 옛문화》)

'기록에는 없는' 최초의 횃불운동

수원의 3·1만세운동은 일제의 공식 기록에서는 확인되지 않는
다. 이 때문에 수원 만세운동이 더 늦게 시작됐다는 주장도 있다.
하지만 3·1항쟁의 생생한 현장을 기록으로 남긴 이병헌은《3·1

운동비사》에서 짧지만 분명하게 이에 대해 언급하고 있다.

3월 1일 (수원) 북문 안 용두각(방화수류정)에 수백 명이 모였는데 경찰이 이곳에 무슨 일로 모였느냐고 하면서 집으로 돌아가라고 하니 군중은 이리저리 피하는 척하다가 별안간 만세를 불렀다. 그러자 순사는 깜짝 놀라 경찰서로 달려가 버렸다. 만세 소리를 듣고 각처에서 모여든 군중이 수천 명이었다.

수원 지역 독립운동을 연구해온 한신대 김준혁 교수도 "독립운동가 가족 및 관련 인물 면담, 민간 기록 등을 연구한 결과, 서울 이남 지역에서 수원이 유일하게 서울과 같은 날 3·1운동을 시작했으며 또 처음으로 횃불 만세운동도 등장했다"고 말했다.

수원 독립운동의 시작점인 방화수류정은 산의 용맥(龍脈)이 꾸불텅꾸불텅 내려오다가 물을 만나는 지점에서 불끈 솟은 바위 언덕인 용두(龍頭)를 이룬 곳에 세워져 있다. 용두각(龍頭閣)이라는 이름이 붙은 이유다. 화성 건축 보고서인 《화성성역의궤》는 "이곳(방화수류정)에 이르면 산과 들이 만나고 물이 돌아 흘러 대천에 이르니 여기야말로 동북 모퉁이의 요해처"라고 소개하고 있다.

방화수류정은 경관 감상용 정자이면서 화성의 동북방을 지키는 요새인 동북각루(東北角樓)이기도 하다. 동북방은 주역 팔괘의 간(艮) 방위에 해당한다. 만물이 그치는 곳(終於艮)이자 새로 시작하는 곳(始於艮)을 의미한다. 주역과 풍수지리에 해박한 정조가 이곳을 즐겨 찾아 새로운 나라를 구상하고, 1919년 3월 1일 수원 독립만세운동의 첫머리로 이곳이 선택된 일이 결코 우연은 아니었다.

횃불 시위는 시내와 장터에서 만세운동을 펼칠 때 일제 군경의 무차별적 폭력 탄압으로 발생하는 희생을 최소화하는 효과가 있었다. 이에 따라 1919년 3월 하순부터 전국에 본격적으로 전파됐다.

일제 조선군 참모부가 작성한 경성 상황 보고서는 "(3월) 23일부터 경성 시내 및 부근 12개소에서 횃불을 올리고 200명에서 400명의 군중이 행동하였다"고 기록했다. 경기도의 경우 3월 23일부터 4월 14일까지 수원군, 고양군, 시흥군, 광주군, 부천군, 개성군, 강화군, 장단군, 파주군, 김포군, 양주군, 진위군, 이천군, 여주군 등에서 산상 횃불 시위가 이루어졌다.(김정인 외,《국내 3·1 운동: 중부·북부》)

일제 지휘부는 "경성 부근의 소요는 지방에 미칠 영향이 크므로 절대적으로 진압할 필요가 있다"며 횃불 시위를 심상찮게 보았다. 실제로 횃불 시위는 독립만세운동을 시간적, 공간적으로 넓혀가는 위력을 발휘했다. 주로 낮에 진행되던 시위를 밤까지 확장하고, 평지에서 벌어지던 운동을 산으로 넓혀갔다. 그 효과도 놀라웠다. 경기도 21개 부·군이 모두 참여해 3월과 4월에 걸쳐 225회 시위, 연인원 15만여 명 동원이라는 기록을 세우며 전국에서 가장 활발한 독립운동의 공간이 됐다.(이지원, 〈경기도 지방의 3·1운동〉)

그 선생에 그 제자

3월 1일 방화수류정 시위로 수원경찰서에 체포된 이들은 수원지역 학교 교사와 학생들이 대부분이었다. 수원상업강습소의 김노적(1895~1963), 박선태(1901~1938) 등의 교사들이 20세 안팎의 청년 학생들과 함께 이 운동을 주도했다.(이동근, 〈1910년대 수원지역의 사회경제적 상황과 3·1운동의 전개과정〉)

모두 수원면 거주자였던 이들은 체포를 각오했기에 일경에 저항 없이 붙들려갔다. 취조 과정에서 수원 만세운동을 계획하고 지도한 인물이 민족대표 48인 중 한 명인 김세환(1888~1945)이라는 사실이 드러났다. 수원면 삼일여학교 학감인 김세환은 학교 건물에 한반도 지도를 조각해 학생들의 민족의식을 고취한 열정적인 교육운동가였다.

김세환은 경성 YMCA 간사였던 박희도와의 인연을 계기로 1919년 2월 10일경부터 3·1운동 준비 모임에 관여했다. 이후 충남과 수원 지역 기독교 조직 책임자가 돼 독립선언서에 서명할 인사들을 모으는 중책을 맡았다. 김세환은 3월 1일 경성의 만세운동에 참여했다가 13일 체포됐다.

법정에 선 김세환은 민족대표로서 당당함을 잃지 않았다. 재판장이 "일·한 합방에 대해 어떠한 감상을 가졌나"라고 질문하자 "아무리 세계 대세로 합방이 됐다 하더라도 항상 가슴속에 원한을 품고 있었다"고 대답했다. 이어 "조선 사람은 권리를 찾고, 일본 사람은 권리를 돌려보낼 시기가 올 줄 안다"고 덧붙였다. 그는 또 "금후로도 조선 독립을 위해 활동할 것인가"라는 질문에 조금의 망설임도 없이 "그렇다"고 대답했다. 김세환은 1년 반의 옥고를 치르다가 증거불충분으로 석방됐지만 수감 생활의 후유증으로 광복 직후인 1945년 9월 16일 생을 마감했다.

김세환이 수원상업강습소 소장이던 시절 제자였던 김노적과 박선태 등도 일제의 가혹한 탄압에 굴복하지 않아 "그 선생에 그 제자"라는 소리를 들었다. 수원 방화수류정 만세운동을 실질적으로 지도한 김노적은 '수괴'로 지목돼 혹독한 고문을 당했다. 수원 경찰서에 끌려간 뒤 고등계 형사의 고문으로 갈비뼈 4개와 왼팔이 부러지고 두개골이 함몰될 정도로 매질을 당했다.

모진 고문에도 항일 의지를 이어가다

김노적은 감옥에서 풀려난 뒤에도 같은 마을(수원면 산누리) 출신이자 후배인 박선태와 함께 구국민단(救國民團) 활동을 했다. 수원에 거주하면서 경성으로 통학하고 있는 학생들 중심으로 구성된 구국민단은 1920년 6월 결성된 뒤 상하이에서 발행하는 〈독립신문〉 배포, 수감된 독립운동가 가족 구조, 임시정부 자금 지원 활동 등을 했다. 구국민단은 그해 8월 일경에 발각돼 박선태를 비롯한 간부진(이득수, 임순남, 최문순, 이선경 등)은 징역형을 받았다. 간부로 등록되지 않은 김노적은 중앙고보 학생 신분으로 사회운동에 참여했다는 이유로 퇴학 처분을 받았다.

김노적은 이후에도 항일독립운동의 끈을 놓지 않았다. 일제의 전쟁 광기가 극성을 부리던 1940년, 성치 못한 몸을 이끌고 한국 광복군에 자원입대했다. 그리고 1945년 광복을 맞이해 임시정부 주석 김구 일행과 함께 조국으로 돌아왔다. 김노적은 고향에 도착해 가족을 찾기에 앞서 수원의 상징인 팔달산에 올라가 시내를 굽어본 뒤 땅에 엎드려 두 손으로 흙을 움켜쥔 채 대성통곡했다. 좌우에서 이를 지켜본 옛 3·1운동 동지들도 따라 울었다.(이제재, 《수원의 옛문화》)

하지만 광복 후에도 김노적의 고난은 계속됐다. 그의 둘째 아들 김지형 씨는 "어머니는 먹을 것이 떨어지면 이웃집에 동냥을

김노적 선생.

다니며 어린 4남매를 키우고 가계를 책임지셨다. 광복 후 집에 오
신 아버지는 건강이 계속 나빠져 사회생활을 제대로 하실 수 없
었다. 그러다 6·25전쟁 중에 기진맥진한 어머니마저 돌아가셨
다. 막내 여동생을 보육원에 맡겨야 할 정도로 어렵게 생활했다"
고 증언했다.

   김노적은 1963년 식물인간이나 다름없는 상태로 있다가 수원
남수동 초가집에서 운명했다. 그는 지금까지도 독립운동가로 정
식으로 인정받지 못하고 있다. 수감 기록이나 독립운동 현장 사
진 같은 구체적인 증거가 없어서다.

기생
붉은 입술에서 터져 나온 만세 함성

고향은 경성, 1897년생, 본명은 순이(順伊), 10대 나이에 '향기로운 꽃'이란 이름으로 기적(妓籍)에 오른 수원 기생 김향화(金香花). 갸름한 얼굴에 주근깨가 운치를 더하고, 맵시 동동한 중등 키에, 성품은 순하고 귀염성이 있다. 검무, 승무, 정재무, 가사, 시조, 경성잡가, 서관소리, 양금치기 등 기예에 막힘이 없는 데다 탁음이 섞인 듯한 애원성(哀怨聲)의 목청은 사람의 마음을 구슬프게 한다.

1918년 간행된《조선미인보감》중 김향화에 관한 묘사다.

3·1항쟁이 일어난 1919년, 스물두 살이던 김향화는 수원 지역 요릿집에서 가장 즐겨 찾는 일등(1패) 예기(藝妓)였다. 당시 수원군 수원면 남수리의 수원예기조합(수원기생조합) 취체역(주식회사 이사)도 맡고 있었다.

논개 후손들의 기개에 영향을 받은 김향화

그해 3월 독립만세운동으로 온 나라가 들썩였다. 독립만세운동을 '불온한 소요사건'으로 몰아가기에 급급했던 조선총독부의 기관지 〈매일신보〉는 25일자 3면에 기생까지 독립운동에 나섰다는 기사를 실었다. '기생이 앞(장)서서 형세가 자못 불온'하다는 제하의 이 기사는 6일 전인 3월 19일 경남 진주에서 기생들이 만세운동을 벌이다가 6명이 체포됐으며, 이후에도 진주에는 여전히 불온한 기운이 가득하다고 보도했다.

하지만 실상은 달랐다. 진주 만세운동은 진주읍 장날인 3월 18일 학생, 농민, 장꾼, 심지어 걸인들까지 나선 범국민적 운동이었다. 이튿날인 19일에는 일제가 '기생독립단'이라고 표현한 진주 기생들이 시위에 동참해 태극기를 앞세우고 "대한 독립 만세"를 외쳤다. 악대를 선두로 한 기생독립단은 군중과 함께 남강 변두리를 둘러 논개의 자취가 남아 있는 촉석루를 향해 행진했다.

진주 기생들은 임진왜란 당시 왜장을 끌어안고 남강에 몸을 던진 선배 의기(義妓) 논개를 본받고자 했다.

"우리가 죽어도 나라가 독립이 되면 한이 없다"고 외치던 기생 6명은 일제에 검거됐다. 기생까지 독립만세운동에 참여했다는 사실만으로도 진주는 독립에 대한 열망의 기운이 식을 줄 몰랐다.(독립운동사편찬위원회,《독립운동사》3)

수원을 대표하던 기생인 김향화는 진주 기생들의 행동에 자부심과 책임감을 동시에 느꼈다. 한 달여 뒤 수원에서 독립만세운동이 펼쳐졌다. 청년 학생들의 방화수류정 횃불 시위(3월 1일)와 시장 상인 및 노동자들의 잇따른 만세운동이 모두 수원예기조합의 지척 거리에서 벌어졌다. 이를 지켜본 김향화는 만세운동에 참여하기로 마음을 굳혔다. 서도홍, 이금희, 손산홍 등 수원에서

수원 만세운동을 주도한
김향화를 묘사한 《조선미인보감》.
(사진 제공: 수원박물관)

활동하는 30여 명의 동료 기생이 그와 뜻을 같이했고, 태극기를 제작하는 등 준비에 나섰다.

화성행궁에서 자행된 성병 검사

거사 날은 3월 29일 토요일로 정해졌다. 수원 기생들이 정기 위생 검사를 받는 날이었다. 말이 정기검진이지 치부를 드러내고 성병 검사를 받는 치욕스러운 과정이었다. 일제는 의도적으로 조선시대의 전통적 관기(官妓) 신분이던 예기와 매음녀인 창기(娼妓)를 동일하게 취급하면서 공창제를 강행했다.

전통적 기생, 즉 예기들은 비록 천하게 대우받긴 했지만 관(官)에 소속된 신분이었다. 경성과 평양 등 전국 각지의 예기들이 고종의 승하를 애달파하며 예를 갖췄던 것도 스스로가 궁인(宮人)이라는 인식에서 비롯된 행동이었다. 기생들이 위생 검사를 받는 자혜의원도 정조 임금이 지은 화성행궁의 정전(正殿)인 봉수당(奉壽堂)에 있었다. 봉수당은 효성이 지극한 정조가 1795년 어머니 혜경궁 홍씨의 회갑연을 치른 유서 깊은 곳이다. 봉수당 진찬연에는 궁중 관기를 비롯해 화성부 소속의 지방 관기 13명이 참여해 자리를 빛냈다. 화성부 지방 관기는 바로 김향화가 이사로 있는 수원예기조합의 '탯줄' 같은 곳이며, 나라님이 머물던 화성행궁은 수원 기생들의 친정집이나 마찬가지였다. 이런 의미가 담긴 화성행궁에 일제는 의도적으로 식민지 행정기구와 병원을 설치하는 방식으로 조선을 짓밟았다.(이동근, 〈1910년대 기생의 존재양상과 3·1운동〉)

이를 잘 알고 있던 김향화는 이곳을 거사 장소로 정했다. 오전 11시 30분, 그는 30여 명의 기생을 이끌고 자혜의원 뜰 앞에서 미리 준비한 태극기를 휘두르며 "대한 독립 만세"를 외쳤다. 의원 측이 내쫓자 이들은 멈추지 않고 바로 경찰서 앞으로 나아갔다.

병원 바로 앞은 총검을 든 순사들이 지키고 있는 수원경찰서(화성행궁 북군영 터)였다. 당시 수원의 일경들은 신경이 날카롭게 곤두서 있었다. 바로 전날까지 수원면 곳곳에서 20~30명 단위로 만세운동이 펼쳐진 데다 인근 사강리에서는 시위를 진압하러 간 수원경찰서 사법계 주임 노구치 고조 순사부장이 총을 쏘며 진압

일제강점기 기생들의
위생 검사를 실시하는
자혜의원으로 사용된
화성행궁의 봉수당(복원).

작전을 펼치다가 시위대의 돌에 맞아 죽었기 때문이다.

이런 상황인데도 수원 기생들은 대범하게 수원경찰서 앞에서 만세운동을 벌였다. 그리고 무자비하게 진압됐다. 30여 명 중 19명은 10대 소녀들이었다. 이들은 만세운동 뒤에 죽음의 공포와 끔찍한 고문이 기다리고 있다는 사실을 알았지만 기꺼이 투신했다.

'사상기생'의 등장

이들의 만세운동은 당시 수원사람들에게 큰 충격을 주었다. 기생들이 체포된 날 밤, 300명의 학생과 상인, 노동자 등이 수원면(현 수원시내) 거리로 나왔다. 시위대는 기생들의 석방을 요구하며 만세운동을 벌였다. 수원경찰서 병력과 소방대원 등이 총출동해 진압에 나섰다. 시위는 밤늦게까지 격렬하게 이어졌고, 관공서와 민가 6채가 파괴되고 16명이 구속되며 일단락되는 듯했다.

그러나 이튿날인 30일에도 거리 곳곳에는 팽팽한 긴장감이 감돌았다. 경기도 장관은 "(이날은) 수원 장날로서 일반으로 살기를 띠고 위험의 경향이 있으므로 보병 제79연대로부터 병원(兵員)을 파견할 터"라며 상황을 예의 주시했다. 실제로 수원의 만세운동은 인근 면리로 확대됐고, 3·1항쟁의 최고 격전지로 변해가는 중이었다.

수원 기생들의 만세운동은 이전 진주 기생들의 운동 방식과 달랐다. 진주 기생들이 지역민들의 만세운동에 합류하는 방식이라면 수원 기생들은 독자적으로 결행하며 시위를 주도했다. 이후 전국 각지의 기생들이 자발적으로 만세운동에 참여하고 운동을 주도하는 일이 잇따랐다. 3월 31일 경기도 안성에서는 변매화 등의 기생들이 만세운동을 선도해 1천여 명의 군중이 호응했다. 4월 1일 황해도 해주에서는 기생들이 독립 만세 결사대를 조직하고 손가락을 깨물어 낸 피로 만든 태극기를 흔들며 시위를 이끌었다. 4월 2일 경남 통영에서도 만세운동이 치열하게 진행됐는데 기생 이소선과 정막래 등은 3천여 시위대열에 앞장섰다.

수원 만세운동 주동자로 체포된 김향화는 2개월여에 걸친 감금과 고문 끝에 경성지방법원 수원지청 검사 분국에서 재판을 받고 징역 6개월 형을 선고받았다. 이후 김향화는 경성의 서대문감옥에서 유관순 등 여성 독립운동가들과 함께 감방 생활을 하다가, 만기를 1개월 앞두고 가출옥했다. 수원 기생들의 독립운동을 연구해온 이동근 학예사는 "그가 형기를 다 채우기 전에 가석방된 것은 고문 같은 가혹 행위로 인해 수감 생활을 할 수 없을 만큼 몸이 상했기 때문일 것"이라고 말했다.

일제는 김향화처럼 독립만세운동에 참가한 기생들을 '사상기생'이라고 불렀다. 3·1운동의 기운이 잦아들던 1919년 9월, 경성의 치안 책임자로 부임한 지바 료는 한국인 기생들을 만나보곤

혀를 내둘렀다.

"우리가 처음 부임하였을 때 경성 화류계는 술이나 마시고 춤이나 추고 놀아나는 기색을 전혀 보이지 않았다. 800명의 기생은 화류계 여자라기보다는 독립투사였다. 기생들의 빨간 입술에서는 불꽃이 튀었고, 놀러 오는 조선 청년들의 가슴속에 독립사상을 불 지르고 있었다."(지바 료, 《조선독립운동비화》)

실제로 당시 일본 경찰은 경성 시내 100여 곳의 요정을 '불온한 소굴'로 보았다. 지바 료는 "총독부가 아무리 좋은 정치를 하고, 군대와 경찰이 아무리 호령을 해도 사회의 이면에 불온한 소굴이 남아 있는 한 조선 사회의 치안 유지는 성공할 듯싶지 않다"며 한탄했다. 불온한 소굴의 주인공인 기생들은 이미 각성한 신여성이자 독립운동가였던 셈이다.

8호 여감방

여자들, 선봉에 서다

1919년 11월 경성 서대문감옥의 여옥사 8호 감방은 벌써 한겨울인 듯 냉기가 돌았다. 햇볕이 들지 않는 데다 바닥은 빙판처럼 차가웠기 때문이다. 하지만 18명의 수감자들은 추위에 떨면서도 의연함을 잃지 않았다.

이들은 모두 전국 각지에서 독립만세운동을 이끌던 '여전사'들이었다. 개성(당시 경기도 소속)에서 3·1항쟁을 주도한 어윤희, 권애라, 신관빈, 심명철, 수원에서 기생 만세운동을 일으킨 김향화, 천안 아우내장터(현 병천)의 만세운동으로 공주감옥에 수감됐다가 8월에 이감돼 온 유관순 등이었다. 수감자들은 학생, 교사, 기생, 시각장애인, 출산부, 교회 '전도부인' 등 제각각이었다. 하지만 모두들 3·1항쟁의 주역이라는 자부심으로 강한 유대감을 형성했다.

옥중 투쟁본부가 된 여옥사 8호 감방

겨울 감방이라고 해서 독립운동의 열기마저 식은 것은 아니었다. 해가 바뀌어 1920년 3·1독립만세운동 1주년이 다가오자 8호 수감자들은 또다시 만세운동을 계획했다. 나이가 가장 많은 맏언니이자 감방장인 어윤희(1881~1961)를 중심으로 일사불란하게 준비 작업에 들어갔다. 이들은 벽을 두들겨 신호를 주고받는 '통방', 즉 타벽통보법을 통해 옆방 동료들과 정보를 주고받았다.

당시 여옥사는 2개 동에 모두 17개 감방이 갖춰져 있었던 것으로 파악된다. 주로 구치감(미결감)으로 사용되던 여옥사 8호실 옆으로는 비밀결사체 대동단의 여성 대표를 맡아 독립운동에 참여한 이신애와 유관순의 스승인 이화학당 교사 박인덕, 정신여학교 학생 이아주 등이 수감돼 있었다.

1920년 3월 1일 오후 1시경, 여옥사는 물론이고 서대문감옥 전체가 순식간에 만세운동 현장으로 바뀌었다. 일반 잡범까지 포함해 3천 명이 넘는 수감자들이 일제히 "대한 독립 만세"를 외치

서울 서대문구
서대문형무소역사관에
복원된 여옥사.

면서 변기 뚜껑으로 철판을 두드리고 문짝을 발길질하기 시작했
다. 이날 만세운동을 주도한 여옥사 8호실은 투철한 항일정신으
로 무장한 여성 투사들로 인해 '옥중 투쟁본부'라는 별칭도 붙었
다.(김삼웅,《서대문형무소 근현대사》)

개성의 여장부 '어부인'

8호실 수감자들 중에선 개성 지역 여성들이 다수를 차지해 눈
길을 끈다. 개성의 만세운동이 거사 준비 단계부터 진행에 이르
기까지 모두 여성들의 손에 의해 이뤄진 결과다.

경성에서 직선거리로 불과 60킬로미터 남짓한 개성은 교회 조
직을 통해 일찌감치 경성의 3·1운동 계획을 알고 있었다. 33인

민족대표 중 한 명인 오화영 목사가 보낸 독립선언서가 2월 말 이미 개성에 도착해 있었다. 하지만 개성에 연고를 둔 오화영마저 "개성에서는 너무나 일하는 사람이 없으므로 선언서도 조금만 보내겠다"고 한탄할 정도로 독립만세운동의 열기는 식어 있었다.

독립선언서를 대중에게 배포하겠다고 나서는 남성들도 없었다. 당시 '불온한 문서'로 여겨졌던 터라 보관 책임을 서로 떠넘기면서 한동안 독립선언서는 교회 예배당 지하 어두운 곳에 방치돼 있었다.

이때 '어부인'이라고 불리던 어윤희가 나섰다. 그는 독립선언서 배포와 만세운동 계획을 전해 듣고 흔쾌히 자청했다. 동학군이던 남편이 일본군과의 전투에서 전사하면서 열여섯 살 소녀 과부가 된 어윤희는 34세에 개성 미리흠여학교에서 신학문을 배웠고, 이후 교회 전도사로 활동하던 여장부였다. 그는 권애라, 신관빈, 심명철과 함께 교회의 부인들, 호수돈여학교와 미리흠여학교 학생들을 규합해 거리에서 만세운동을 벌이기로 했다.(박용옥, 《여성운동》)

거사는 경성과 같은 날 같은 시각에 맞춘 3월 1일 오후 2시로 정해졌다. 어윤희 등은 읍내 만월정(滿月町), 북본정(北本町), 동본정(東本町)의 각 거리에서 조선독립선언서를 당당하게 팔에 걸고 배포하면서 3·1항쟁의 시작을 알렸다.(경성지방법원 판결문, 1919년 4월 11일)

여성들의 주도로 시작된 만세운동은 개성 장안을 독립에 대한 열기로 들끓게 했다. 어윤희 등의 애국 행동을 지켜본 호수돈여학교 학생들은 미리 자퇴서를 학교에 제출해놓고 시위를 시작했다. 이들은 조국의 독립을 위해 목숨을 바칠 각오로 결사대까지 조직했다. 미리흠여학교 출신의 시각장애인 심명철은 학생들과 함께 만세운동 대열에 서서 열변을 토했다.(박용옥,《한국 여성항일운동사 연구》)

이후 어윤희 등 4명은 주동자로 지목돼 일본 경찰에 연행됐다. 어윤희는 경성지방법원 검사국에 끌려가 신문을 받으면서도 의기를 굽히지 않았다. "저 앙큼한 년을 봐라! 다 알고 있는데도 거짓말을 하는구나. 저년을 발가벗겨라" 하고 호통치는 검사에게 어윤희는 "내 몸에 누가 손을 대느냐? 발가벗은 내 몸뚱이를 보기가 그렇게 소원이거든 내 손으로 옷을 벗으리다" 하고는 옷을 훌훌 벗어버렸다. "자, 실컷 보시오. 당신 어머니도 나 같을 거고

개성 4인방. 어윤희, 심명철, 권애라, 신관빈.

당신 부인도 나와 같을 거요." 어윤희의 서슬 퍼런 소리에 검사가
오히려 똑바로 쳐다보지도 못했다. 또 심명철은 "장애인이 무슨
독립만세운동을 하느냐"는 추궁에 "내 눈이 멀었다고 내 마음도
먼 줄 아느냐!"며 당당히 맞섰다.(최은희,《조국을 찾기까지》)

실패로 돌아간 여성 황국신민화

일제는 개성과 수원을 포함해 전국 각지에서 여성들이 만세운
동에 주도적으로 나서고, 특히 어린 10대 여학생들까지 참여한
사실에 큰 충격을 받았다. 그동안 일제가 공을 들여온 식민지 교
육정책이 사실상 실패했음을 보여주는 상징적 사건이었기 때문
이다.

일제는 조선의 식민지화 과정에서 여성을 겨냥한 정책에 각별
히 신경을 썼다. 1907년 초대 통감 이토 히로부미가 조선을 용
이하게 통치하기 위해서는 조선의 부녀자들을 허물어뜨려야 한
다는 지침을 내린 탓이었다. 이후 일제 총독부 관리들은 여성들
의 황국신민화 정책에 주력했다. 복종형 교육으로 길러진 여성들
을 통해 그 자녀들은 저절로 일본의 충실한 황국신민이 될 수 있
으며, 조선인의 민족정신도 자연스럽게 말살할 수 있다는 논리였
다. 일제는 이런 방식으로 지속적인 교육정책을 펼쳤고, 의도하

는 목적을 어느 정도 달성한 것으로 판단했다. 하지만 3·1항쟁에서 여학생들이 주도적으로 나서면서 일제의 기대는 송두리째 무너지고 말았다. 오히려 여성들은 일경의 강경 진압으로 남성들이 만세운동을 주저할 때마다 먼저 나설 정도였다. 외국인 선교사들은 경성의 공립 여고보 학생들이 거리의 군중 가운데서 용감하고도 눈에 잘 띄는 지도자들이라고 소개하기도 했다.

일제는 처음에 여학생들이 자발적으로 만세 시위에 나선 사실을 믿으려 하지 않았다. 그들은 검거한 학생들을 신문하면서 배후 조종자를 찾으려 수단과 방법을 가리지 않았다. 여학생들을 발가벗긴 채 기절하도록 때리고, 깨어나면 수치심을 느끼도록 세워놓은 거울 앞에서 고양이처럼 기어 다니도록 했다. 또 찬물 끼얹기와 인두 담금질을 번갈아 하거나 음모(陰毛)를 뜯어내는 등 비인간적인 악행을 가했다.

한국 여성들의 독립만세운동은 외국 언론과 선교사들을 통해 해외에도 알려졌다. 영국의 인도 식민통치에 저항한 민족운동가 자와할랄 네루는 당시 16세의 딸 인디라 간디(1917~1984)에게 보내는 편지에서 "한민족은 자신들의 이상을 위해 희생하고 순국했다"며 특히 여성들의 활약을 강조했다.(자와할랄 네루, 《세계사 편력》)

여성들이 3·1항쟁에서 차지하는 비중은 적잖았다. 우선 비폭력 저항운동의 상징적 존재로 부각됐고, 참여도도 높았다. 여학생의 경우 경성 시내 소재 10개 여학교의 학생 1,929명 중 99.8퍼센트인 1,926명이 만세운동에 참여했을 정도다. 또 1919년 한 해에 전개된 만세운동으로 검거된 여성은 471명에 달했다. 당시 사회적 연약 계층으로 취급받던 여성들이 참여한 3·1독립만세운동은 이후 대한민국 임시 헌장에 '남녀노소 모든 국민이 평등하다'는 원칙을 명문화하는 결과로 이어졌다. 한국 최초의 남녀평등주의는 이렇게 탄생했다.

진위대(鎭衛隊)

죽음을 각오하다

1919년 3월 6일 경성의 마포와 서해안을 이어주는 뱃길 한강의 양화진나루(현 서울 마포구 합정동 양화진성지공원 일대)에는 크고 작은 배들과 전국에서 몰려든 사람들로 북적였다. 이어 정박 중이던 기선(汽船)이 출항을 알리는 소리를 내자 소란은 더해졌다. 이때 한 청년이 강화도행 기선 승객들 사이로 숨어들었다.

입술을 굳게 다문 날카로운 눈매의 이 청년은 연희전문학교 2학년생 황도문(1897~1950)이었다. 3월 1일 탑동공원(탑골공원) 만세운동과 3월 5일 남대문역(서울역) 학생 연합 시위에 참가했던 그는 일본 경찰의 포위망을 피해 나선 길이었다. 품속에 문서를 숨기고 있던 황도문은 고향인 강화도에 무사히 도착하기를 빌었다. 조선총독부가 '불온한 문서'로 지목한 것들로, 민족대표 33인 명의의 3·1독립선언서와 독립만세운동을 촉구하는 내용을 담은 지하신문인 〈국민회보〉와 〈조선독립신문〉 등이었다. 마침내 강화군 길상면 선두리에 도착한 황도문은 곧장 이웃 마을에 살던 은세공업자이자 절친한 선배인 유봉진(1886~1956)을 찾았다.

군인에서 의병으로

유봉진은 원래 대한제국 강화진위대 소속 군인이었다. 그의 아버지(유홍준) 또한 강화진위대의 장교를 지냈다. 1900년대 초 유봉진이 근무하던 시기 강화진위대는 1천여 병력을 보유한 대부대였다. 강화도는 수도 한양으로 통하는 해로를 지키는 길목이자 전략적 요충지였다. 당시 군 지휘자는 나중에 대한민국 임시정부 국무총리를 지낸 이동휘(1873~1935)였다. 참령(參領, 대대장) 이동휘의 지휘를 받던 강화진위대는 근대식 군사훈련을 하고 양총(洋銃) 등 신식 무기로 무장한 정예부대였다.

하지만 제대로 힘을 쓸 수가 없었다. 일제가 1905년 을사늑약 체결 후 대한제국 식민지화에 가장 걸림돌이 될 군대부터 감축했기 때문이다. 무장(武將) 이동휘와 그의 부대원들이 할 수 있는 일은 없었다. 군복을 벗은 이동휘는 인재 양성만이 나라를 살릴 길이라고 판단하고 '일동일교(一洞一校, 마을마다 학교를 하나씩 세움)' 운동을 펼쳤다. 이동휘와 의형제를 맺은 유봉진도 이에 적극 동참했다. 일동일교 운동 전개 2년 만인 1907년 강화도엔 무려 72개의 사립학교가 세워졌다.

그해에 스물한 살의 청년이던 유봉진은 뜻하지 않게 다시 총을 쥐었다. '정미(丁未)의병'이 일어났기 때문이었다. 1907년 7월 일제는 고종 황제를 강제 퇴위시키고 대한제국 군대를 해산하는 조치를 취했다. 8월 9일 "나라님의 명(命)"이란 말 한마디로 총을 뺏기고 군복을 벗는 치욕을 당한 진위대 군인들은 반발했다. 이들은 무기고로 가서 총과 탄환을 챙겼다.(강화사편찬위원회,《강화사》)

진위대 부교(副校, 하사관) 출신의 연기우와 지홍윤, 참교(參校) 출신의 유명규 등은 항일 의병부대를 조직하기로 결의했다. 무기를 탈취한 민간인들까지 합세하면서 300여 명으로 구성된 민·군 연합 의병부대가 탄생했다. 의병부대는 친일 집단 일진회의 간부인 강화군수(정경수) 처단, 주재소(파출소)의 일본인 순경 사살, 친일 공무원 축출 등의 활동을 펼치며 강화도를 장악해갔다.

1907년 8월 11일, 강화도가 의병부대에 점령당했다는 소식을 접한 일본군 사령부는 수원의 1개 소대 병력을 출동시켰다. 기관총 2문을 이끌고 물때에 맞추어 갑곶 돈대에 들어온 일본군과 의

1905년 강화진위대
장교들의 기념사진.
앞줄 가운데가
참령 이동휘.

병들 간에 치열한 전투가 벌어졌다. 매복한 의병들은 일본군 6명 사망, 부상자 8명이라는 전과를 올렸다.(〈대한매일신보〉 1907년 8월 13일자) 이에 일본군은 인천과 용산의 병력까지 동원했고, 의병부대는 결국 일본군의 막강한 화력에 밀려 후퇴하고 만다. 이후 의병부대는 경기도 지역으로 이동하거나 강화도 산악으로 숨어들어 장기전을 펼쳤다.

길상결사대

유봉진은 갑곶 전투 이후 일제의 감시망을 피해 감리교회 권사 신분으로 숨죽여 살고 있다가 황도문의 방문에 다시 항일의 불씨를 키워나갔다. 당시 33세로 젊지 않은 나이였던 유봉진이 아내

조인애에게 3·1만세운동에 목숨을 내놓겠다고 말하자, 묵묵히 듣던 아내도 만세운동에 동참하겠다는 뜻을 밝혔다.

유봉진은 이후 강화도 길상면의 감리교도들을 중심으로 '길상 결사대'를 조직했다. 그가 결사대장을 맡고, 황도문, 황유부, 염성오, 장윤백, 조종렬, 조종환 등 교회 지도급 인사들이 동참했다. 유봉진은 강화 본도는 물론이고 부속 섬까지 일일이 찾아다니며 시위 참여를 독려했다. 또 속옷 상의에 '유봉진 독립결사대'라고 쓴 글씨를 펼쳐 보이며 동지들을 규합했다.

거사일인 3월 18일 강화읍 장날이 밝자 장터는 사람들로 붐볐다. 결사대원들은 주민들과 장꾼들 속에 섞였다. 오후 2시, 웃장터와 아랫장터에서 동시다발적으로 만세운동이 시작되자 두 장터를 관통하는 돌다리로 사람들이 구름처럼 모여들었다. 그 수는 순식간에 수천 명을 넘어섰다.

장터를 순찰 중이던 일제 군경은 시위를 주도하던 조기신, 유희철, 장상용 등 결사대원들을 체포하며 시위를 진압하려 애썼다. 그때 '결사대 유봉진'이라는 글씨가 쓰인 태극기를 어깨에 두른 유봉진이 백마를 타고 나타났다. 그는 종루(현재 강화읍 관청리 김상용순절비가 있는 곳)에 올라 종을 쳐 군중을 불러 모았다. 일경은 유봉진도 체포하려 했지만 이번에는 수천 명의 군중이 용납하지 않았다.

유봉진과 시위대는 한국인 순사들과 강화군수 이봉종에게도

"조선 독립 만세"를 부를 것을 요구했다. 분위기에 압도된 군수는 만세를 불렀다.

다음 목표는 경찰서였다. 시위대는 경찰서를 완전히 포위한 뒤 잡아간 결사대원들을 석방하고 시위 군중에게 칼을 빼어 든 순사보 김덕찬을 내놓으라고 위협했다. 경찰은 결국 결사대원들을 풀어주었다. 유봉진은 이에 다음 날에도 운동을 이어가자는 연설을 끝으로 시위를 끝냈다.

> "파리강화회의에서는 조선인이 독립을 희망하는지 아닌지를 보고 있으므로 우리들은 독립 만세를 불러야 한다. 내일 정오에는 온수리에 모여서 만세를 부르며 점차 각 면을 돌면서 만세를 불러야 한다."

만세운동의 중심지였던 선두교회. (사진 출처: 기독교대한감리회, 《사진연감》)

당시 일제가 작성한 보고서와 시위 통계자료에 따르면 군청 앞에 모인 군중은 5천~6천 명, 시장에 모인 전체 군중은 1만 명(혹은 2만 명)에 달했다. 한 집회에서 1만 명이 넘는 인원이 참여한 만세운동은 강화 만세운동과 3월 5일 경성 학생 시위, 3월 23일 경남 합천군 시위뿐이다.

큰 규모였지만 강화 만세운동에서는 희생자가 한 명도 발생하지 않았다. 유봉진이 군중의 폭력적 행동을 적극 제지한 덕분이다. 그는 정미의병 때의 경험에 비추어 폭력은 또 다른 폭력을 불러올 뿐임을 알았으며, 그로 인해 군중이 희생당할 것을 우려했다.

저항 의식이 남달랐던 강화도

유봉진은 만세운동 직후 일본 군경의 체포를 피해 초피산에 숨었다. 초피산은 크지 않은 산이지만 산세가 험해 인적이 드물었다. 일경은 유봉진의 부모까지 잡아가 모질게 핍박했다. 결국 유봉진은 자진 출두해서 1년 6개월 형을 선고받았다. 그의 아내 역시 같은 혐의로 6개월 형을 선고받았다.

그러나 일본 군경의 강력한 탄압에도 강화도의 3·1항쟁 만세 소리는 꺼지지 않았다. 1919년 3월과 4월에 걸쳐 만세 함성이 고을마다 메아리쳤고, 야간에는 횃불 시위도 전개됐다. 이은용 이사장(강화인문연구소 소장)은 활기차게 만세운동을 펼친 강화도의 저력에 대해 "원래부터 강화도는 외세 침략에 맞서는 저항 의식이 남달랐던 지역이었다"고 설명했다. 1866년 프랑스군의 강화도 점령(병인양요), 1871년 미국 함대의 침략(신미양요), 1876년 강화도 연무당에서 맺은 일본과의 강화도조약 등을 잇달아 겪으면서 강화인들은 국토 수호 의지를 강하게 다져왔다는 것이다. 그는 이어 "개항 이후 강화도만큼은 일본 자본과 상인들이 거의 침투하지 못했던 것도, 의병운동과 3·1운동이 한 축으로 연결돼 줄기차게 항일투쟁을 한 것도 이 같은 역사적 배경 때문"이라고 말했다.

훈장과 학동

위대한 보통 사람들의 자발적 만세운동

경기도 가평의 서당에서 한문을 가르치는 훈장 이규봉(1873~1961)은 모처럼 한양(경성)을 찾았다. 1919년 3월 3일 거행되는 고종의 인산(因山)을 참관하기 위해서였다. 청계천 수표교 근처 지인의 집에 여장을 풀고 시내를 둘러보던 그는 국상(國喪) 분위기 외에 무언가 수상쩍은 기류가 흐르고 있음을 느꼈다.

3·1만세운동 소식을 미리 듣지 못한 이규봉은 백주 대낮에 태극기가 휘날리고 독립 만세 소리가 진동하는 경성의 상황이 불안하기도 하고 궁금하기도 했다. 가평에서 일본 순사들의 엄격한 감시와 통제를 받으며 마을 이장 일도 맡고 있던 그로서는 독립

이나 된 듯 흥분한 경성 사람들을 이해하기 힘들었다.

그는 경성에서 활동하고 있는 가평 출신의 제자들을 수소문했다. 그러다 북촌 화개동(화동, 현 종로구 정독도서관 인근) 언덕배기에 제자 정한교가 살고 있다는 소식을 접하고 밤길을 재촉해 그의 집을 찾았다.

정한교는 스승의 느닷없는 방문에 깜짝 놀랐다. 당시 정한교는 가평 출신의 동지 신태련, 민영순과 함께 만세운동의 축배를 들고 있었다. 세 사람은 손병희가 이끄는 천도교 내 청년 일꾼들로 3·1독립선언서를 제작하고 배포하는 중책을 무사히 완수했음을 자축하고 있었다. 세 사람은 가평에서 어린 시절을 보내며 이규봉에게서 한학을 배운 제자들이었다. 이규봉은 이들로부터 국내외 정세와 만세운동의 자초지종을 들으며 마음이 든든해짐을 느꼈다.

> "선생님, 이번에 선포한 독립만세운동은 산간벽촌까지 퍼져
> 나가 조선 독립의 기틀을 이룩해야 합니다. 저희들은 경성
> 에서 중책을 맡고 있어서 고향으로 갈 형편이 못 되니 선생
> 님께 가평을 부탁드립니다."

가평에서도 만세운동을 일으켜야 하며, 스승 이규봉이 이 일을 이끌어야 한다는 제자들의 간절한 부탁이었다. 이규봉은 목숨을

걸고 만세운동을 하는 제자들의 요구를 못 들은 척하기도 난감하고, 쉰 살을 바라보는 유생(儒生)의 몸으로 대사를 치른 뒤 감옥살이를 감당할 자신도 없었다. 담뱃대를 입에 문 채 한동안 말이 없던 이규봉은 마침내 결단을 내렸다.

"자네들의 뜻이 정 그렇다면 내 한번 일을 추진해보겠네. 그러려면 문적(文籍)이 있어야 할 테니 선언서와 〈독립신문〉을 구해주면 좋겠네."

그러자 민영순이 기다렸다는 듯 신고 있던 양말 속에 감추어둔 선언서를 꺼냈다. 이규봉은 독립선언서 2장과 〈독립신문〉 1부를 챙긴 뒤 3월 3일 제자의 집을 나섰다. 그는 동대문 밖 숭인동에서 고종의 장례를 지켜보고 나서 이내 고향으로 발길을 옮겼다.(신현정, 《가평독립운동사》) 가평의 3·1만세운동은 이처럼 스승과 제자의 우연찮은 만남으로 시작됐다.

아들과 제자의 힘을 빌려

경성 동대문에서 이규봉이 사는 가평군 북면 목동리까지는 육로로 약 200리(80킬로미터) 길이었다. 이규봉은 구리(당시 양주군)

를 지나면서 북쪽으로 방향을 틀어 천마산 마치고개를 넘어 가평군에 들어섰다. 경성을 출발한 지 사흘 만에 고향 땅을 밟았지만, '위국대사(爲國大事)의 과제'를 책임진 그의 발걸음은 결코 가볍지 않았다.

그가 경성을 다녀왔다는 소식이 온 마을에 퍼졌다. 가평군에서 가장 북쪽에 위치한 북면 목동리 싸리재에서 서당을 운영하는 장남 이윤석(1894~1953)과 제자 정흥교(이명 정흥룡, 1900~1965)가 달려와 안부 인사를 했다. 이규봉이 그간의 경과를 말하자 두 사람은 이구동성으로 젊은 자신들에게 일을 맡겨달라고 말했다. 이규봉은 그제야 한시름 덜 수 있었다.

일은 일사천리로 진행됐다. 이윤석과 정흥교는 지역을 분담해 만세운동 소식을 비밀리에 전파했다. 경성의 3·1만세운동이 천도교와 기독교의 합작으로 전개됐다는 소식은 가평 종교인들의 마음을 움직였다.

북면의 천도교 간부 박화윤은 "손병희 선생이 민족대표가 돼 독립선언을 주관했고 곧이어 일헌(日憲)에 체포됐다"는 말을 듣자 그 자리에서 무릎을 꿇고 눈물을 흘렸다. 사실 박화윤은 이미 경성의 천도교인으로부터 독립선언서 1장과 함께 만세운동을 주도하라는 지시를 받았지만 엄두를 내지 못하고 있던 차였다. 박화윤의 주도로 북면 일대의 천도교도들이 일제히 운동에 참여하기로 했다. 기독교 측 역시 마찬가지였다. 가평읍 대곡리에서 예

가평군청 앞에서 재현된
3·1만세운동.
(사진 제공: 가평군)

수교를 믿는 장기남이 전폭적으로 나서서 예수교도들을 동원하
기로 했다.

　종교인들뿐만 아니었다. 북면의 마을 여성들은 야밤을 이용해
청·적색의 물감과 풀, 창호지로 소형 태극기 1,800여 장을 제작
했다. 이규봉의 서당 제자들도 합류했다. 최종화는 등사기를 동
원해 독립선언서를 인쇄했고, 인쇄한 독립선언서는 보안을 위해
일련번호와 함께 배부자의 이름까지 새겨져 각 지역으로 퍼져나
갔다. 또 다른 제자 김정호(가평우편소 우편배달부)는 우편배낭에
담은 태극기를 각 가정에 미리 배포하며 만세운동 참여를 일일이
독려했다.(신현정,《가평독립운동사》)

위대한 보통 사람들의 투쟁

거사일은 3월 15일로 정해졌다. 일제는 3월 6일 이규봉이 돌아온 후 열흘가량 주민들 사이에 흐르는 수상한 낌새를 눈치채고는 밤낮으로 경계를 강화했다. 하지만 결정적인 단서를 잡지 못한 채 시간만 흘려보냈다.

거사일 아침, 이규봉은 의관을 정제하고 길을 나섰다. 1차 집결지인 북면 면사무소에는 이미 수백 명이 모여 있었다. 이규봉의 장남 이윤석이 대형 태극기를 받쳐 들고, 최종화와 장기영, 최인화, 정홍교, 이만석 등 주도자 10여 명은 머리에 '조선 독립 만세'라고 쓴 휘장을 두른 채 선두에 섰다. 시위대가 남쪽으로 10여 킬로미터 떨어진 가평읍 군청에 이를 때까지 누구도 감히 제지하지 못했다.

마침내 김정호, 최기홍, 장귀남, 김창현, 권임상, 이도봉 등 가평읍 주도자 6명이 이끌던 군중과 군청 앞에서 합류한 시위대는 이윤석의 독립선언서 낭독과 이규봉의 만세삼창 등을 통해 공식 행사에 돌입했다. 가평공립학교(현 가평초등학교)에서 학생들을 가르치던 한국인 교사들이 만세 소리를 듣고서는 학생들을 인솔해 동참했다. 어른 아이 할 것 없이 동참한 만세운동은 절정으로 치달았다. 일제 헌병과 면장 등이 나와 해산을 요구했으나 3,200여 명에 달하는 군중의 위세를 꺾을 수 없었다.(경기도사편찬위원회,

《경기도 항일독립운동사》)

　15일의 시위가 끝난 밤, 이윤석 등 10여 명의 주도자는 헌병 주재소에 붙들려 갔다. 군중은 가만있지 않았다. 이튿날이 되자 시위대 200명이 북면에서 가평읍으로 넘어가는 당고개에서 일제 경찰과 충돌했다. 체포된 이들의 석방을 요구하는 시위대는 각목과 투석으로 맞섰고, 헌병대원들은 총칼로 위협했다. 진압 헌병을 상대로 격렬한 격투가 벌어지기도 했다. 그러나 총칼로 가해지는 위협 앞에 시위대는 기세를 꺾지 않을 수 없었다.(가평군사편찬위원회, 《가평군지》)

　3월 15일과 16일 이틀 동안 시위로 붙잡힌 가평군민은 무려 70여 명이었다. 이규봉과 이윤석 부자를 비롯해 이규붕(이규봉의 동생), 최인화(이규봉의 사위) 등 일가족도 체포돼 헌병 주재소에 갇혔다. 그런데 면의 '어른'으로 존경받던 이규봉은 헌병 보조원으로 활동하던 한국인 제자들이 몰래 주재소에서 빼돌려 피신시킨 덕에 화를 피할 수 있었다. 수감된 이들 중 28명이 징역 3년에서 6개월에 이르는 형을 선고받아 서대문감옥에 수감됐고 나머지는 가평경찰서에서 태형을 받고 풀려났다. 이규봉의 아들 이윤석은 서대문감옥에서 옥살이를 한 뒤 독립운동가 남궁억과 함께 전개한 '무궁화 사건'(1933년 일제의 벚꽃에 대항해 무궁화를 심어 민족정신을 앙양하고자 한 운동)으로 또다시 옥고를 치렀다.

　가평군의 독립만세운동 현장 취재에 동행한 가평군청의 최근

가평 3·1운동을 기획하고
독립선언서 인쇄와
태극기 제작을 했던
이규봉 선생의 서당터로
추정되는 곳(원 안)에는
민가가 들어서 있을 뿐,
아무런 표지도 없다.

락 학예사는 "누구의 지시나 도움도 없이, 지역민들이 스스로 만
세운동을 조직하고 실천했다는 점이 가평군 3·1운동의 특징"이
라고 말했다. '위대한 보통 사람들'의 저력을 보여준 사례라는 것
이다. 그러나 이 같은 역사적 의미에 비하면 현재 현장 보존은 전
혀 되어 있지 않다. 가평 3·1운동의 핵심 근거지였던 북면 이규
봉과 이윤석의 서당(집)은 흔적조차 찾을 수 없다. 3·1운동을 전
개한 장소에는 현대식 건물이 들어서 있다.

해방구

돌과 몽둥이를 들다

1919년 2월 하순 경기도 안성 원곡면의 농부 이덕순은 장남 결혼식에 쓸 혼숫감을 마련하기 위해 경성에 왔다가 고종 황제가 독살당했다는 소문을 들었다. 이덕순은 걷잡을 수 없는 분노를 느꼈다. 불의에 굽히지 않는 성격인 그는 사흘간 경성에 머물면서 정보를 수집하고, 독립운동 관계자들과 접촉하면서 지방에서도 무언가 해야 한다는 결단을 내렸다. 시골에서 농사를 짓던 평범한 사내는 그렇게 독립만세운동에 눈을 뜨게 된다.(이정은,《3·1운동의 지방시위에 관한 연구》)

"오늘 밤 다 모이라"

이덕순은 서당이나 학교에 다니지 못해 글을 읽을 줄 몰랐다. 게다가 독립만세운동은 혼자 감당할 일도 아니었다. 그는 경성의 3·1독립만세운동이 계획대로 진행되는 것을 보고 3차례에 걸쳐 18명의 원곡면 주민들을 경성으로 데리고 갔다. 원곡면 사람들은 경성 만세운동을 보면서 적잖은 충격을 받았다.

이후 이덕순은 장남 혼인 잔치와 동리 회갑연 등에 사람들이 모일 때마다 만세운동 분위기를 고조시켜나갔다. 동리별로 만세운동 책임자까지 정했다. 칠곡리의 이유석(서당)과 홍창섭(농업), 내가천리의 이덕순(농업)과 최은식(농업), 외가천리의 이근수(대서업)와 이희용(농업 겸 주막업), 죽백리의 이양섭(농업) 등이었다. 이들 모두 원곡면의 보통 사람들이었다.

지휘부는 체계적이고 조직적으로 움직였고, 동리별로 주민들을 모아 원곡면사무소로 몰려가 산발적으로 독립 만세를 외치기도 했다. 일제 경찰이 배치되지 않은 원곡면에서는 면사무소가 유일한 일제 통치기관이었다. 이는 대대적인 만세운동을 위한 예고편이었다.

거사일로 정한 4월 1일이 밝았다. 3·1항쟁이 시작된 지 꼭 한 달이자 음력으로는 3월 1일이었다. 원곡면의 만세운동 지휘부는 총동원령을 내렸다.

"오늘 밤 면사무소에서 독립 만세를 부르니 저녁 식사 후 다 모이라."

4월 초하루 저녁은 달도 뜨지 않는 때라 '기습 작전'에도 유리했다. 오후 8시 원곡면 6개 리에서 1천여 명이 외가천리에 있는 면사무소로 삽시간에 모였다. 당시 원곡면 주민이 4,700여 명이니 어린이를 빼면 주민 4명 중 1명이 만세운동에 참여한 셈이었다. 면사무소는 순식간에 시위대에 제압당했다. 시위 주도자 중 한 명인 이유석이 "면장을 끌어내 국기를 쥐여 선두에 세우고 일동이 만세를 부르면서 양성(면)주재소로 가자"(이정은,《3·1운동의 지방시위에 관한 연구》)고 말했다.

원곡면 시위 주도자들은 처음부터 순사 주재소가 있는 양성면에서 실력 행사를 할 계획이었다. 전국 각지에서 벌어지는 맨손 시위대를 총과 칼, 쇠갈고리 등으로 진압하는 일제의 행태를 보고 내린 결정이었다. 원곡면 만세운동의 전개 과정은 민족대표나 종교계, 학생 및 지식층의 손을 떠나 일반 대중이 스스로 판단하고 결정하는 수준까지 진화했음을 보여준 증거였다.

통신망을 차단하라

원곡면 시위대가 나무 몽둥이를 들고, 바지에는 작은 돌을 잔뜩 넣은 채 양성면으로 들어선 시각은 밤 10시경. 그때 양성면에서는 별도로 만세운동이 진행되고 있었다. 사방에서 올라간 봉화를 신호로 각 동리에서 떼를 지어 시위에 나선 군중은 양성면 동항리의 순사 주재소와 면사무소, 양성보통학교(현 양성초등학교) 앞에서 만세를 부르고 막 해산하려던 참이었다. 하지만 횃불을 앞세운 원곡면 시위대가 우렁차게 만세를 부르며 다가오자 다시 발걸음을 돌려 시위에 나섰다. 두 지역이 합쳐지자 시위대 수는 2천 명으로 불어났다.

연합 시위대는 주재소로 몰려갔다. 주재소 순사부장 다카노 효조는 막 한숨을 돌리려다 또다시 주민들이 몰려와 만세를 부르자 위압적으로 해산을 명령했다. 순사부장이 시위 주동자의 이름을 적으려 할 때 이덕순이 순사부장의 장죽을 뺏어 한 대 후려쳤다. 시위대는 벌벌 떠는 순사부장을 붙잡아 조선 두루마기를 입힌 뒤 태극기를 손에 쥐게 하고 독립 만세를 부르게 했다.

주재소를 불태운 시위대는 이어 "전선을 끊어야 한다"며 양성 우편소로 몰려갔다. 안성읍 방면으로 연결되는 전신·전화 겸용 통신망을 차단하기 위해서였다. 시위대는 우편소 사무실에 들어가 사무용품과 일장기를 걷어 불에 태웠다. 면사무소도 무사하지 못했다.

원곡면과 양성면의 일본인들은 모두 쫓겨났다. 다만 시위대는 한 가지 원칙만큼은 분명하게 지켰다. 사람은 살상하지 않는다는 것이었다. 일본인이건 일제의 꼭두각시 노릇을 하는 조선인이건 사람의 생명을 해칠 생각은 하지 않았다.(안성3·1운동연구소,《안성 3·1독립운동》)

자정을 지난 4월 2일 새벽 2시경. 원곡·양성면은 일제 통치기구도, 일본인도 전혀 찾아볼 수 없는 완전한 해방구가 돼 있었다.(윤우,《안성 4·1독립항쟁》) 이때 "다리를 끊으러 가자, 다리!"라는 외침이 나왔다. 안성읍의 일본 수비대가 들어오지 못하도록 다리를 차단하자는 것이었다. 당시 안성읍에서 양성면으로 들어오려면 안성천의 지류인 한천에 놓인 한 길 반 높이의 다리를 이용해야 했다. 마침내 시위대가 다리를 끊자, 일본 수비대는 양성면으로 진입하는 데 애를 먹어야 했다. 이덕순 등 시위 주도자들은 통신망과 도로 차단에 이어 철로까지 차단할 계획을 세웠다.

"우리는 무기가 없고 적은 무기를 갖고 있으니까 철도 침목 핀을 뽑아버리면 군대를 막을 수 있다. 하려면 철저히 하자. 하다 말면 개죽음 당한다." (안성3·1운동연구소,《안성 3·1독립운동》)

하지만 4월 2일 아침 원곡면에서 서남쪽으로 7킬로미터 떨어

안성시 원곡면 만세광장에
설치된 12인의 인물 동상.

진 평택의 경부선 철도를 차단하려는 계획은 무산됐다. 중무장한 일본 수비대가 쳐들어온다는 소식에 원곡면 시위대는 급히 피신할 수밖에 없었다.

뒤이은 일제의 잔인한 보복

이처럼 안성은 일제가 황해도 수안, 평북 의주와 함께 '3대 폭동지'로 지목할 정도로 격렬한 항일기지였다. 일제가 민족대표 33인을 내란죄로 엮기 위해 폭동 근거로 든 곳 중 하나가 바로 안성이다.

안성경찰서가 있던 안성읍내에서도 3월 하순 이후 만세운동이 계속됐다. 원곡·양성면의 대규모 시위 하루 전인 3월 31일에는 변매화 등 안성기생조합 기생들이 시위를 벌이는 것을 시작으로 3천 명의 군중이 밤늦게까지 읍내 안성군청과 경찰서, 안성면사무소를 돌아다니며 등불 행진을 했다. 그 이튿날인 4월 1일에도 500명 규모의 만세 시위가 이어졌다. 이때 일본 헌병의 발포로 안성읍 시위대 2명이 사망하기도 했다. 일경이 안성읍내의 시위를 막느라 원곡·양성 쪽으로는 신경 쓸 겨를이 없을 정도였다. 일제는 4월 3일부터 보병부대(조선주차군 제20사단 보병 제40여단)를 3차례에 걸쳐 투입하고 나서야 겨우 안성의 만세운동을 진압할 수 있었다.

이후 이어진 일제의 보복은 가혹했다. 일경은 시위 주동자들의 집을 모두 불태웠고, 야간 수색까지 벌여가며 피신한 시위 참여자들을 검거하기 시작했다. 검거가 부진하자 기만책까지 썼다. 일경은 원곡면장을 내세워 "농사철임을 감안해 경찰서장의 연설을 듣고 나면 시위에 참가한 사람들을 사면해 농사를 짓게 해주겠다"고 약속했다. 그러면서 16세 이상 60세까지 남자들은 4월 19일 원곡보통학교 뒷산에 모이라고 설득했다.

시위 참여자들의 가족과 친지들은 이 말을 믿었다. 그러나 당일 지정 장소에 모이자 군인들이 이들을 포위했다. 이어 일경과 헌병들이 참나무를 베어 만든 몽둥이를 들어 닥치는 대로 때리고, 저항하거나 도망치는 사람에게는 총까지 쏘았다. 일부는 상투를 묶인 채 30여 리 길이 넘는 안성경찰서까지 질질 끌려갔다.

시위 주동자들도 대부분 체포됐다. 경찰서에서 몽둥이로 무차별 구타를 당해 숨지는 사람도 속출했다. 원곡·양성면의 희생자는 현장에서 순국한 3명, 부상해 순국한 7명, 경찰서에서 순국한 5명, 서대문감옥에서 순국한 9명 등 24명에 이르렀고, 이 밖에도 127명이 옥고를 치렀다.

엄혹한 일제 치하에서 일제 통치기관을 내쫓는 행위는 무모한 시도가 아니었을까? 이에 대해 김태수 안성3·1운동기념관장은 "일제 군경에 발포 명령이 떨어진 것을 알면서도 안성 사람들은 목숨을 내놓고 정당한 실력 행사를 한 것"이라며 "잠시지만 일제 공권력을 무력화하는 승리를 거둔 양성·원곡면의 항쟁은 우리 겨레의 꺾이지 않는 정의감과 애국심을 보여준 의거다"라고 말했다.

원곡면과 양성면을 잇는 만세고개에 세워진
기념비 앞에서 만난 독립운동가 후손
이경우 씨(왼쪽)와 김태수 안성3·1운동기념관장.

발굴

잊혀진 독립운동가들

1919년 3월 29일 오전 9시경, 용인군 수지면 고기2리 샛말(현재 광교산 중턱)의 구장(이장 격) 이덕균이 집집마다 1명씩 대표로 나온 주민들과 함께 태극기를 손에 들고 "조선 독립 만세"를 외치며 가두행진을 벌였다. 고기1리 손기마을 주민 안종각이 만세운동을 제안하면서 태극기를 준비하자, 구장이자 마을 훈장이던 이덕균이 적극 호응해 시위가 본격화한 차였다.

고기리 주민 100여 명으로 시작된 시위 행렬은 동막리, 동천리, 풍덕천리를 지나면서 600여 명으로 늘어났다. 다시 수지면사무소에 도착했을 때는 시위대는 1천여 명이나 됐다. 시위대는 기세를 몰아 군청과 일본인들의 집단 거주지가 있는 읍삼면사무소(이후 구성면사무소)로 나아갔다.

시위대의 발걸음은 오후 2시경 일본 헌병대 총부리 앞에 멈췄다. 만세운동 주동자인 안종각과 최우돌이 일제의 총격을 맞아 현장에서 절명하고 참가자들이 무더기로 붙잡혔기 때문이다. 일제는 이후 구장 이덕균을 체포해 1년 6개월 형을 선고했다.

독립운동가의 후손을 찾아서

그러고 나서 수면 밑으로 가라앉은 머내 만세운동은 100년여 만에 '머내여지도'라는 지역 소모임 단체에 의해 다시 빛을 보게 됐다. 머내(용인시 수지구 동천동과 고기동의 옛 지명) 지역의 역사와 지리를 탐구하기 위해 10명의 주민이 모여 만든 모임인데, 김정호의 '대동여지도(大東興地圖)'에서 이름을 따왔다. 그러니까 머내의 여지도라는 뜻이다. 머내여지도 회원들은 일제의 재판 기록(이덕균 1심 판결문, 1919년 4월 29일)을 조사하고, 판결문에 등장하지 않지만 태형을 선고받은 독립운동가 16명의 후손들을 찾아 나섰다. 그리고 그중 4명의 후손을 만나 인터뷰했다.

이 가운데 독립운동가 홍재택(1870~1951)의 손자 홍봉득 씨가 있었다. 그에 따르면 대대로 무관을 배출한 집안 출신의 홍재택은 '궁술대회'라는 친목 모임 등을 개최하며 독립운동을 위한 힘을 길렀다. 그리고 인근 지방에서 일어난 3·1항쟁 소식을 접하고는 바로 만세운동을 결행하기로 마음먹었다. 이웃인 안종각과 함께 구장 이덕균을 설득하는 한편 동리마다 역할을 맡기고, 일경과의 물리적 충돌에 대비하는 준비까지 갖췄다. 그만큼 머내 만세운동이 사전에 치밀하게 계획된 거사였다는 의미다. 거사의 주모자 중 한 사람인 홍재택은 만세운동 이후 일경의 검거를 피해 집으로 몸을 피했다가 이튿날 새벽 체포됐다.

홍재택은 일제로부터 태형 90대를 맞고 엉덩이 살이 터져 일어서지도 앉지도 못하는 지경이 됐다. 이후 그는 일제의 특별감시 대상이 됐다. 1945년 광복이 되기 3개월 전 당시 75세였던 그를 찾아온 일경은 낮술을 먹었다는 트집을 잡으면서 욕을 하고 말채찍으로 정수리를 후려치는 수모를 주기도 했다. 당시 왜경은 조선인이었다.

고기리 구장을 지낸 이덕균의 손자 이석순 씨의 증언도 심금을 울린다.

"할아버지는 만세운동을 스스로 입에 올린 적이 없었습니다. 할아버지는 애국심과 사명감으로 독립운동을 했지만, 일제 치하에서 '범죄자'로 낙인찍히고 탄압받은 게 드러내놓고 자랑할 거리는 아니라고 생각했던 것 같습니다. 저는 훗

날 아버지로부터 '할아버지가 만세운동 때 쓰고 가셨던 남
바위(일종의 방한모)에 총알 자국이 여러 개 있었다'는 말을
듣고서야 그 사실을 알게 됐습니다. 그 후 독립운동에 관한
기록을 찾아보면서 당시 만세운동을 함께한 분들의 후손들
에게 연락도 해봤어요. 그런데 만나자고 해도 만나주는 사
람이 없었고, 선대가 3·1운동을 한 것을 전혀 모르는 사람이
대부분이었습니다. 독립운동가 후손들이 대체로 사는 형편
이 좋지가 않아요."

당시 한 집에 한 명꼴로 만세운동에 참여한 고기리 사람들은
대부분 농부였다. 현지에서 농사를 짓고 있는 머내여지도 회원
김효경 씨는 "만세운동이 일어난 3월 29일 무렵은 겨우내 곡기에
굶주린 농군들이 퇴비를 져 나르는 등 한 해 농사 준비에 한창 몸
과 마음이 바쁠 때"라며 당시 만세운동 참가자들의 심정을 다음
과 같이 헤아렸다.

"이미 한 달 가까이 진행된 이웃 지역의 만세운동을 보며 시
위에 가담하는 일이 얼마나 위험한지 충분히 알고 있었을
겁니다. 그런데도 농사를 밀쳐놓고 목숨을 건 행진에 나섰
어요. 만세운동 후 집집마다 모진 태형을 받고 몸을 가누지
못하던 가장들은 그해 씨앗을 제때 뿌리지 못해 한 해 농사

만세운동이 시작된
고기초등학교에서
머내여지도 회원들이 당시
상황에 대해 이야기를
나누고 있다.

까지 망쳐버려 '가난한 입'들을 그저 바라보아야만 했죠. 그

심정이 오죽했을까요."

머내 만세운동을 재현하다

2018년 11월 14일, 수지구청 문서고에서 〈범죄인 명부〉가 발견

됐다. 일제강점기 때 작성된 1천 쪽가량의 이 수기(手記) 명부에

는 머내 만세운동에 참여한 16명의 이름이 '보안법 위반'이라는

죄명과 함께 고스란히 수록돼 있었다. 용인헌병 분대가 '태 90'이

라는 즉결 처분을 내렸다는 사실과 '범죄자'의 직업, 연령, 주소

등도 담겨 있었다.

현재 머내 만세운동으로 국가의 포상을 받은 이는 이덕균, 안

종각 2명뿐이다. 그러나 이번에 발견된 명부로 16명의 미포상 독립운동가와 3·29만세운동 당시 현장에서 순국한 최우돌도 포상을 받을 길이 열린 것이다.

머내여지도 회원이자 경기동부보훈지청 보훈혁신자문단 위원장인 김창희 씨는 "16명에 대한 기록이 발견됨에 따라 국가 서훈을 받을 길이 열렸다"며 "소중한 기록이 지역공동체인 민간단체, 국가 기관, 지자체의 공동 노력으로 세상에 드러났다는 점에서 의미가 깊다"고 말했다.

머내여지도 회원들의 독립운동가 후손 찾기 노력은 이처럼 조금씩 결실을 맺기 시작했다. 머내 지역인 동천동과 고기동의 주민이 참여해 '3·29머내 만세운동 기념 걷기대회'를 열기도 했다.

'3·29머내 만세운동 기념 걷기대회'. (사진 제공: 3·29머내 만세운동 기념행사 준비 모임)

3·1운동 100년 – 역사의 현장 2

당시 판결문과 후손들의 증언을 토대로 만세 행렬길을 찾아냈기에 가능한 일이었다. 머내여지도 회원들은 앞으로도 고기초등학교(수지구 고기동)를 비롯해 중요한 지점에 머내 만세운동 표석을 세우는 등 또 다른 임무를 추진해나갈 계획이다.

장터

한 손엔 격문, 한 손엔 태극기

긔미년(己未年) 삼일운동 당시에 입감되야 삼 년 동안 복역을 하던 중 그만 정신에 이상이 생기여 만기출옥한 후에도 시내 간동(諫洞) 십삼 번디 자택에서 료양하던 이신규(李藎珪) 씨는 작십삼일 오전 여덟시 이십분에 마침내 돌아오지 못할 길을 떠났다는데 씨는 일즉 경신학교를 졸업하고 연희전문학교에도 재직한 일이 잇섯다더라.

〈동아일보〉 1926년 11월 25일자 2면에 '이신규 씨 장서(長逝)'라는 제목의 기사가 실렸다. 스물일곱 살 청년의 부고 소식이었다. 그는 7년 전 경성지방법원 경사부의 징역 선고를 받고 3년 동안 옥고를 치렀다. 재판 기록에 따르면 많은 군중과 함께 정치적 불온 행동을 함으로써 경기도 양평군의 안녕을 방해했다는 게 이유였다.

치밀한 작전에 맞춘 갈산장터 만세운동

경성에서 연희전문학교 서기로 일하던 이신규(1899~1926)가 고향 양평으로 떠난 날은 1919년 3월 23일이었다. 독립선언서 수십 장과 대한독립회 명의로 된 격문 수십 장을 갖고서였다. 앞서 3월 10일 양평군 서종면에서 만세운동이 벌어지긴 했지만, 그때뿐인 듯 보였다. 경성지방법원은 이신규가 고향을 찾은 데 대해 "조선 각지에서 조선독립 시위운동이 치열함에도 불구하고 오직 경기도 양평군만 평온하여 시위운동을 시작하지 않음을 유감으로 여겼다"고 기록했다.

하지만 실제로는 치밀한 계획이 진행되고 있었다. 양평에서의 첫 만세운동을 치르고 경험을 얻은 서종면 젊은이들이 양평 각지의 주민들과 연락을 취하면서 장날인 3월 24일에 장이 서는 갈산면(현재의 양평읍)에서 대규모 거사를 준비하고 있었다. 전날인 23일엔 청운면과 단월면에서 광목에 '조선독립기'라고 쓴 깃발을 든 200여 명이 합동 시가행진을 하기도 했다.

3월 24일 갈산장터의 만세운동은 조직적이었다. 운동의 본부는 양평 중서부에 있는 칼산에 두었고, 양평 각지의 주민들이 긴밀하게 연락해 임무를 나눴다. 떠드렁산과 역전 뒷산, 군청 뒷산에 잠복한 사람들은 읍내로 들어가는 사람들에게 태극기를 나눠주기로 했다. 만세운동을 피해 도망가려는 사람을 발견하면 징을 울리도록 했고, 이들을 향해 돌을 던져 도망치지 못하도록 하는 대기조도 있었다. 몽양 여운형 기념사업회 장원석 사무국장의 설명에 따르면 "연합으로 이뤄진 운동"이었다.

서종리에 거주하던 청년 김영일(1896~?)은 태극기를 준비하는 역할을 맡았다. 태극 문양을 제대로 그리기 위해 그는 대접을 가져다가 엎어놓고 원을 만들어 태극기 100여 개를 제작했다. 이렇게 만든 태극기를 치롱(싸릿가지로 만든 독 같은 것)에 넣고 돌멩이 몇 개로 눌러놓은 것을 등에 지고 김영일과 동네 사람들은 읍내 장터로 떠났다.(양평문화원,《양평 3·1운동사》) 경성에서 온 이신규가 다다른 곳이기도 했다.

지금에 각 경찰서에서 형벌을 당하는 형제자매를 미련한 무리처럼 보고, 또 태황제(고종) 폐하를 암살하였다. 2천만 동포는 나라 없고 임금 없는 백성이 된 지 이에 10년의 능욕을 당하였다. 나라 없는 노예가 되어 사는 것보다는 오히려 조선 독립 만세를 부르고 총칼 밑에서 죽는 것만 못하다. 독립의 시기는 왔다. 이 시기를 놓치면 다시는 만나기 어렵다. 맹렬히 분기하여 민족자결을 하고 독립기를 높이 게양하여 형별 속에 있는 형제자매를 구하고 역적의 무리를 잘게 토막 쳐 우리들의 마음속을 상쾌하게 하지 않을 수는 없다. 우리 동포여! 이 시기를 놓치지 말고 독립기를 번득이고 맹렬히 분기하여 독립하라.

장터에 모인 1천여 명의 사람들은 한 손에 뜨거운 문장으로 가득한 격문을, 다른 한 손에 태극기를 받아들었다. "독립 만세!"를 외치는 군중의 함성이 절로 터져 나와 장터에 울려 퍼졌다.(독립운동사편찬위원회,《독립운동사》2)

탄탄한 기획에 따라 진행된 만세운동의 파급력은 커서, 닷새 뒤 강상면 교평리의 나루터에 모여 양평읍장에 가려던 사람들 사이에선 "조선 독립을 세계 각국에서 이미 승인하였다"는 얘기가 무성했다. 송학리에 거주하던 신석영(1881~1960)은 나루터에 누군가가 세워놓은 태극기를 들고 "여러분, 우리나라가 독립이 되었으니 기쁘지 않소!" 하면서 "대한 독립 만세"를 외쳤다. 군중 100여 명이 여기에 호응해 만세를 부르자 나루터 주변은 순식간에 만세운동의 장으로 바뀌었다. 만세를 선동했다는 죄목으로 체포된 신석영은 재판장에서도 "우리나라가 독립이 되었다고 기쁨에 넘쳐 만세를 부른 것이 왜 잘못이냐"면서 자신의 주장을 조금도 굽히지 않았다. 스무 살 이신규와 곽영준(1899~1932), 스물한 살 한봉철(1898~1936), 스물세 살 한창호(1896~?) 모두 갈산 장터에서 양평군민들을 선동하여 많은 군중과 독립 만세를 부르며 시위했다는 죄목으로 징역형을 받은 이들이다.

20대 청춘들이 앞장서서 불을 지른 것은 양평 만세운동의 도드라진 지점이기도 하다. 이렇게 분출된 양평 3·1운동은 2만 1천 명 이상 참여하면서 강상면(3월 29일), 용문면(3월 30일), 강하면(3월 31일), 양서면(4월 1일), 고읍면(현재 옥천면, 4월 3일), 양동면(4월 7일), 지제면(현재 지평면)과 개군면(4월 11일)으로 이어졌다. 당시 양평 인구는 6만 9천여 명, 호수는 통계상 1만 3천 호였다. 집집마다 1명 이상 참여한 셈이다. 82명이 검거되고 사상자가 다수 발생하는 등 시위는 매우 치열하게 펼쳐졌다.

열혈 청년들도 눈부셨지만 나라를 위해 몸 바친 노익장의 활약도 빼놓을 수 없다. 대한제국군 오위장[伍衛將, 입직(入直)과 행순(行巡, 도성 내외를 순찰하는 일) 및 시위(侍衛) 등의 임무를 수행하던 오위의 으뜸 벼슬] 출신이었던 최대현(1862~1931)이 대표적이다. 1907년 일제에 의해 군대가 해산되자 그는 의병을 일으켜 부하 700여 명을 거느리고 경기도 일대에서 항일 무장투쟁을 전개했다. 그러다 만세운동이 일어나자 3월 31일 고향인 양평군 강하면사무소 앞에서 면민 300여 명과 함께 "조선 독립 만세"를 외쳤

2016년 양평물맑은시장(옛 길산장터)에서 치러진 3·1절 기념행사. (사진 제공: 양평군)

다. 다음 날엔 양서면 도곡리 면사무소와 헌병 주재소 부근에 모인 2천여 명과 함께, 4월 3일엔 강상, 강하, 양서, 고읍 4개 면 주민 4천여 명이 만세 시위를 전개할 때 태극기를 휘날리면서 조선 독립 만세를 절규했다. 그는 이후 군중을 이끌고 옥천면 옹암리와 용암리 사이의 언덕까지 행진하는 등 만세운동을 주도하다가 체포됐다. 일흔에 가까운 고령이었음에도 4개 면을 넘나들면서 만세운동을 벌인 것이다. 특히 양서면에서의 독립만세운동 때 함께했던 아들 최윤식이 일제 경찰의 총격을 받고 세상을 떠났지만 최대현은 활동을 멈추지 않았다.(양평문화원,《양평 3·1운동사》)

응답하라 1919

현재 양평읍의 만세터는 양평물맑은시장 한가운데 조성돼 있다. 변도상 양평 3·1운동기념사업회장은 "주말이면 이곳에 장도 서고 공연도 열린다"고 전했다. '광장'이 '여러 사람이 뜻을 같이 하여 만나거나 모일 수 있는 자리'라는 뜻을 떠올리면, 만세터는 100년 전에도 현재도 광장의 역할을 톡톡히 하고 있는 셈이다.

변 회장의 조부는 독립운동가 변준호(1895~1966)다. 고국에서 3·1운동이 벌어졌을 때 변준호는 미국 샌프란시스코에서 독립운동 지원 단체에서 일하고 있었다. 아내와 아들을 고국에 두고 유학을 떠났다는 조부는 세상을 떠날 때까지 귀국하지 못했다.

윤광선 광복회 양평·이천연합지회장 역시 조부가 독립운동가였다는 것을 1990년에야 알게 됐다. 경기 광명에 거주하던 독립운동 자료 수집가가 그에게 조부에 관한 자료를 보내왔다고 했다. 조부 윤기영(1871~1941)은 의병 출신 최대현과 함께 강하면, 양서면, 옥천면 등지에서 만세운동을 전개했다. 옥천면에서 양근읍으로 향하던 조부는 현장에서 일본 경찰에 체포돼 보안법 위반으로 태형 90대를 받았다. 윤기영은 후유증으로 병고에 시달리다가 생을 마쳤다.

16대째 양평에서 살고 있는 여학구 옹의 조부는 여광현 (1885~1962)으로 강상면과 옥천면, 양서면에서 만세운동을 벌였던 독립운동가다. 여광현은 몽양 여운형의 친조카다. 여운형의 고향인 양평에는 그의 친척들이 거주하고 있었고 여운형의 영향을 받아 독립운동에 뛰어들었다. 여광현과 여운긍 등은 양평 곳곳을 다니면서 독립만세운동을 벌이다 일본 경찰에 체포돼 태형을 선고받았다. 여학구 옹은 어렸을 적 늘 병석에 누워 있는 할아버지를 지금도 또렷하게 기억하고 있다고 했다.

독립운동가의 후손들.
윤기영의 손자인 광복회
지회장 윤광선 씨,
여광현의 손자 여학구 옹,
변준호의 손자 변도상
양평 3·1운동기념사업회장
(왼쪽부터).

저항과 학살

참혹했던 그날

경기 화성시 만세길(2019년 4월 개통)은 우정읍 주곡리에 있는 차희식(1870~1939)의 집에서 시작된다. 그는 1919년 4월 3일 경성에서 일어난 만세운동 소식을 접한 뒤 몽둥이를 들고 인근 주민들과 함께 면사무소 건물을 습격했다. 이후 시위대는 마을을 돌면서 점점 늘어났다. 횃불 시위가 있던 개죽산, 옛 장안면사무소 터, 주민 700여 명이 올라 만세를 불렀던 쌍봉산과 옛 우정면사무소 터를 지나 화수리 주재소 터에 다다를 무렵엔 2천여 명에 달했다. 이곳에서 시위대는 일본 순사 가와바타 도요타로를 처단했다. 가와바타가 총을 쐈고, 시위대 중 1명이 사망한 직후였다.

일제의 만행을 증언하다

만세길은 총 31킬로미터. 100년 전 시위대가 걸었던 이 길은 화성(옛 수원군) 향남읍 제암리로 이어져 큰 의미를 지닌다. 제암리에서 자행된 일제의 양민 학살은 3·1운동사를 정리할 때 빠지지 않고 기록되는 사건이다. 1972년 독립운동사편찬위원회가 출간한 《독립운동사: 3·1운동사》는 '제암리에서의 일제의 만행'이라는 제목의 글에서 이렇게 소개하고 있다.

> 일본 군인 아리타 중위가 인솔하는 부대 약 20명이 이곳을 포위하고 동리 남자는 예배당으로 모이라 하였다. 영문을 모르고 예배당에 모인 군중은 불안과 공포에 떨었다. 일제의 군경은 문을 밖과 안으로 잠그고 못까지 박은 후 석유를 뿌리고 불을 질렀다. 불길이 예배당을 휩싸자 그 안에 있는 사람들은 뛰어나오려고 아비규환 생지옥을 연상케 하였다. 다행히 뛰어나오는 사람이 있으면 밖에서 대기하던 일제 군경이 총으로 쏘아 죽였다. …… 천인이 공노할 일제의 만행으로 23명이 희생되었다.

아리타 도시오는 제암리 학살 사건을 지휘한 혐의로 군법회의에 회부됐지만 재판은 요식 행위처럼 진행됐고, 그는 '임무 수행을 했을 뿐 범의(犯意)가 없었다'는 이유로 무죄판결을 받았다.

1982년 8월 4일자 〈동아일보〉 3면에 실린 전동례 할머니의 지상(紙上) 증언에선 그날의 참혹함이 더욱 생생하다.

마을에서는 아직도 꺼지지 않은 불꽃이 밤하늘을 밝혔으며 곡식 타는 냄새, 시체 타는 냄새가 밤새 바람에 실려 왔고 서까래가 내려앉고 기둥이 쿵쿵 넘어지는 소리가 끊이지 않았다. …… 나는 죽어서 하늘나라에 계신 남편과 다시 만날 때까지 몸서리치는 그날의 악몽을 잊지 못할 것이다.

발굴 작업 중 나온 뼈를 붙잡고 눈물을 흘리는 전동례 할머니. 1982년 9월 25일자 〈동아일보〉 1면에 실린 사진.

전동례 할머니의 증언에 따라 그해 9월 발굴 작업이 진행됐고 23위의 유골이 수습됐다. 이들의 합장묘는 경기 화성시 향남읍 제암길의 '제암리 3·1운동 순국기념관' 뒷동산에 조성되었다. 기념관에는 화성 일대에서 전개된 3·1만세운동의 배경을 알려주는 사진, 희생자 유가족들의 증언을 담은 인터뷰 영상, 유해 발굴지에서 출토된 유물 등이 전시돼 있다. 원미현 제암리 3·1운동 순국기념관 교육사는 "화성의 만세운동은 제암리 사건 이후 급격하게 줄어들었다"고 설명했다. 학살 사건이 미친 충격과 공포가 엄청났다는 뜻이다.

격렬한 저항정신이 빚은 무력 투쟁

제암리 사건 전 주민들에 의해 처단된 순사는 가와바타뿐만이 아니었다. 3월 28일 송산면 사강리의 사강시장 장날에 모인 1천여 명의 사람들이 송산면사무소 부근에서 만세를 불렀다. 해산을 명령했던 일본 순사 노구치 고조는 사람들이 불응하자 시위를 주도했던 홍면옥(1884~?)에게 총격을 가했다. 이를 보고 분노하는 주민들에게 노구치는 위기감을 느껴 도주했지만 곧 붙잡혀 처단됐다. 사흘 뒤엔 향남면 발안시장에서 1천여 명이 모여 만세를 불렀다.

화성 곳곳에서 만세운동이 벌어진 것은 2주 정도로, 그리 길지 않았다. 하지만 그 기간에 면사무소 2곳, 경찰관 주재소 1곳이 완전히 파괴됐고 일본인 순사 노구치와 가와바타가 처단됐다. 그만큼 화성의 무력 저항이 거셌다는 뜻이다.

이혜영 화성시 독립기념사업팀 학예사(전 제암리 3·1운동 순국기념관 선임연구원)는 "만세길의 경우 시위대의 이동 거리가 31킬로미터에 달한다. 마을마다 사람들이 미리 준비해서 합류했다는 뜻"이라고 설명했다. 일제는 조직적이고 공세적인 독립운동이 다른 지역으로 확산하는 것을 차단해야 한다고 봤다.

제암리에서 주민들을 학살한 아리타는 곧바로 인근 고주리로 향했다. 제암리의 참변이 알려져 고주리 주민들은 대부분 산속으로 피신했지만, 천도교도였던 김흥렬 일가는 집에 남아 있었다. '그놈들도 사람인데 죄 없는 사람들을 함부로 죽이지는 못하겠지'라는 생각이었다. 그러나 집에 들이닥친 수비대는 가족 6명을 결박해 짚단과 나무로 덮고는 석유를 뿌리고 생화장을 하는 끔찍한 살육을 저질렀다.(박환, 《경기지역 3·1독립운동사》) 모두 하루 만에 일어난 일이기에 화성시는 이 참극을 '제암리·고주리 학살 사건'으로 넓혀 부르고 있다.

이혜영 학예사는 화성 일대의 주민들이 일제에 맞서 격렬한 무력 투쟁을 벌인 데 대해 "경제적 상황과 사회적 여건, 지역적 특성이 맞물린 것"이라고 설명했다. 조선시대부터 선진적 영농의 중심지였기에 일제의 집중적인 수탈과 탄압 대상이 되면서 그만큼 저항 의식도 컸다는 것이다.

더욱이 화성은 근대 문물을 받아들이는 과정도 빨랐다. 학교와 교회 등 서양의 종교와 교육제도가 인천을 통해 들어왔고 서울과 비슷한 시기에 자리 잡았다. 학살 사건이 벌어진 제암교회는 제암리에 살던 안종후가 1905년 8월 자신의 집 사랑방에서 예배를 드린 것이 시작이 됐다. 이후 화성 곳곳에 예배당이 지어졌고, 기독교 지도자들은 구국동지회 등 비밀결사를 조직해 지역 내 항일 의식과 민족의식을 고취했다. 앞서 1880년대에는 이 지역에 천도교가 본격적으로 전래됐고 1910년대에 수원군과 장안면 등에 천도교의 교리강습소가 설치되면서 기독교와 함께 이 지역 3·1운동의 기반이 되었다.(박환,《경기지역 3·1독립운동사》)

주목할 점은 구시대의 유산으로 여겨진 씨족 중심의 연대의식도 저항을 북돋웠다는 사실이다. 독립운동가 후손들의 증언에 따르면 사강시장에서 주민들이 분개해서 노구치 순사를 쫓아간 것은 순사가 총을 쏜 대상 때문이다.(홍면옥 외,《나의 독립운동가 아버지를 말하다》) 송산면, 우정·장안면, 제암리 등은 조선 후기 전형적인 집성촌 마을이었고 당시 노구치가 총상을 입힌 홍면옥은 마을 지도자였다. 일상의 삶을 함께 영위하면서 존경해온 어르신이 총탄에 쓰러지자 이를 목격한 주민들의 분노가 거세게 불붙었다. 결국 서구 문물과 사상에 예민하게 반응하면서 혈연 네트워크가 작동된 '신·구의 시너지'가 격렬한 만세운동을 일으켰다는 게 전문가들의 분석이다.

참상 알린 선교사들의 활약

제암리 학살 사건이 국제적인 관심을 모은 데는 참상을 담은 사진 기록물이 큰 역할을 했다. 화성 일대에 대한 일본의 대대적인 진압 소식을 들은 커티스 미국 부영사와 테일러 AP통신 기자, 언더우드 선교사는 현장을 확인하기 위해 수촌리로 향했다. 도중에 제암리 사건의 현장을 목격한 이들은 사건의 경위를 조사하고 폐허가 된 마을을 카메라에 담았다. 뒤이어 스코필드 선교사도 제암리를 방문해 부상자를 치료하고 난민 구호에 나섰다. 스코필드 선교사가 사진과 함께 작성한 보고서 〈제암리의 대학살〉은 중국 상하이에서 발행되던 신문과 미국의 장로회 기관지에 게재되면서 해외에 알려졌다.

불에 타서 잿더미가 된 채 항아리만 남은 가옥, 남편을 잃고 망연자실해하는 아내와 아버지를 잃은 딸의 모습, 아이를 업은 채 폐허가 된 마을을 서성이는 여인 등을 담은 사진들에선 제암리의 상처가 고스란히 전해진다.

그해에 임시정부 파리위원부가 발간한 책자 《한국의 독립과

제암리 3·1운동
순국기념관 입구에 있는
학살의 터에 희생자들을
기리는 기념탑이 서 있다.

평화》에도 제암리 비극을 담은 사진들이 실렸다. 임시정부는 이 발간물에서 제암리 사건을 일제의 대표적 탄압 사례로 조명하면서, 사건의 실상과 독립운동의 당위성을 세계 각국에 알리고자 힘썼다.

충격적인 만행이 벌어진 데 대해 해외 여론은 분개했고, 사태를 무마하고자 일제는 학살의 주범인 아리타 도시오 중위를 군법회의에 회부했다. 그러나 이는 요식 행위였을 뿐, 아리타는 무죄를 선고받았다.

초월

일장기 위에 덧그린 태극기

三角山(삼각산) 마루에 새벽빗 비췰제/ 네 보앗냐 보아 그리
던 太極旗(태극기)를/ 네가 보앗나냐 죽온 줄 알앗던/ 우리
太極旗(태극기)를 오늘 다시 보앗네/ 自由(자유)의 바람에 太
極旗(태극기) 날니네/ 二千萬 同胞(이천만 동포)야 萬歲(만세)
를 불러라/ 다시 산 太極旗(태극기)를 爲(위)해 萬歲萬歲(만세
만세)/ 다시 산 大韓國(대한국)

2011년부터 서울 은평구 진관사 입구에는 서 있는 태극기 비
(碑)에는 태극기와 〈독립신문〉(30호)에 실린 시 '태극기'의 일부가

새겨져 있다. 이곳에 태극기 비가 들어선 데는 사연이 있다.

2009년 5월 26일 오전 9시경 사찰 내 칠성각을 보수하던 현장에서 급한 연락이 왔다. "스님, 벽을 뜯었는데 한지에 쌓인 보퉁이가 나왔습니다." 진관사 스님들이 모인 가운데 보퉁이는 조심스럽게 풀렸다. 보자기처럼 보인 것은 귀퉁이가 불에 타고, 군데군데 얼룩이 있어 몹시 낡았지만 분명 태극기였다. 크기는 가로 89센티미터, 세로 70센티미터였고, 태극의 지름은 32센티미터였다. 일장기 위에 덧그려져 독립 의지를 담았기에 의미가 더 컸다. 이른바 '진관사 태극기'다.

그 안에는 1919년 3·1운동 직후의 〈조선독립신문〉 32호 등 5

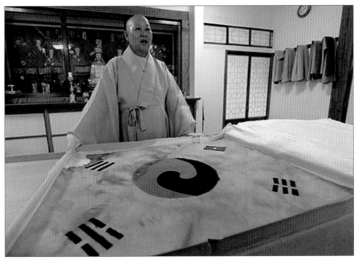

진관사 태극기 영인본을 살펴보며 2009년 발견 당시 상황을 전하는 진관사 주지 계호 스님.

점, 〈자유신종보(自由晨鍾報)〉 6점, 상하이 임시정부 기관지 〈독립신문〉 4점, 단재 신채호 선생이 상하이에서 발행한 〈신대한(新大韓)〉 3점, 민족을 배반하고 부역하는 친일파를 준엄하게 꾸짖는 경고문 등이 들어 있었다.

진관사와 백초월 스님

작은 암자 벽 속에 독립운동 자료를 숨긴 이는 일제강점기 만해 한용운과 백용성 스님을 계승해 독립운동을 펼친 백초월(白初月, 1878~1944) 스님이었다. 진관사 태극기의 발견은 대중적으로 널리 알려져 있지 않던 초월 스님을 조명하는 계기가 됐다.

진관사 주지 계호 스님은 이 태극기로 이어진 초월 스님과의 만남에 관해 "6·25전쟁 때 대웅전을 비롯한 대부분의 전각이 소실되고 칠성각 등 일부 전각만 남았다. 만약 칠성각마저 전쟁으로 불탔다면 초월 스님의 염원은 알려지지 않았을 수 있다. 부처님의 오묘한 법(法)과 초월 스님의 원력(願力)이 만든 기적이다"라고 말했다.

진관사와 마포포교당(불교방송 뒤 극락암)은 일제강점기 불교계 독립운동의 거점이었다. 신용하 서울대 명예교수는 진관사 독립운동 자료에 대해 "진관사는 마포에 포교당이 있어 중국 및 국내

각처와의 연결이 용이했다"며 "서울에 있었을 것으로 추정된 임시정부의 불교계 연락 본부가 진관사였을 가능성이 크다"고 말했다.

만해가 초월을 불교계를 대표할 민족대표 33인의 한 명으로 꼽았다는 증언도 있다. 초월의 일대기와 사상을 연구해온 김광식 동국대 특임 교수가 만해의 제자였던 김관호에게서 전해 들었다는 얘기다. "만해는 백용성 스님, 수덕사 만공 스님, 범어사 오성월 스님, 당시 청주에 있던 백초월 스님 등 5, 6명을 불교계를 대표할 33인 후보로 생각했다. 하지만 독립선언이 짧은 시간에 일제의 눈을 피해 매우 은밀하게 진행됐기 때문에 지방에 있던 이들과는 연결이 쉽지 않아 백용성 스님만 포함됐다."

일제의 문서는 지방 사찰에서 수행하던 초월이 경성으로 올라와 독립운동에 투신한 시점을 1919년 4월로 전한다. 초월의 독립운동은 임시정부 및 독립군을 위해 전개한 군자금 모금과 〈혁신공보(革新公報)〉 발간을 중심으로 한 민족의식 고취로 나눌 수 있다. 초월은 불교 중앙학림(동국대 전신)에 한국민단본부라는 비밀결사를 조직해 상하이 임시정부와 연락을 취하는 한편 〈혁신공보〉를 발간해 사장을 맡았다.

초월의 행적은 불교계가 주도한 항일운동 곳곳에서 드러난다. 먼저 3·1운동 이후인 그해 11월 25일 단군 건국기념일(개천절)을 기해 만세운동을 전개했다. 종로 삼청동에 태극기와 단군 기념

진관사 입구 도로에서부터
사찰 근처까지
'백초월길'이 조성돼 있다.

깃발이 내걸리고, 대한민국 임시정부에 대한 축하문, 선언서, 포
고문이 배포됐다. 1920년 2월에는 제자 이중각을 통해 일본 유학
생들이 주도한 3·1운동 1주년 기념 시위에 관여하다 3월 도쿄에
서 잡혀 경성지방법원으로 이송됐다. 이때 모진 고문으로 건강이
나빠졌다. 이후에도 여러 차례 경찰서 유치장에 갇히기도 했으나
그때마다 정신이상자로 행세해 풀려났다. 상하이 임시정부를 지
원할 목적으로 의용승군 창설과 임시정부 국채 발행을 시도하기
도 했다.

"번갯불 번쩍할 때 바늘귀를 꿰어야 한다"

초월의 속명은 백인영으로 1878년 2월 17일 경남 고성군 영오면 성곡리에서 부친 백하진(白河鎭)과 모친 김해 김씨의 세 아들 중 둘째로 태어났다. 그는 13세 때인 1891년 지리산 영원사로 입산 출가했다.

출가 당시 법명은 동조(東照), 초월은 법호다. 그는 구국당(龜國堂), 구당(龜堂)의 별호뿐 아니라 최승(最勝), 의수(義洙), 의호(義浩) 등 다양한 이명 및 가명으로 활동했다. 진관사 템플스테이를 담당하는 선우 스님은 "구국당의 별호에서 구할 구(救) 자가 아니라 거북 구(龜) 자를 쓰거나 이명·가명이 많은 것은 일경의 눈을 피하기 위한 장치로 보인다"고 설명했다. 1991년 6월 초월의 고향에는 구국당 인영 백초월대선사 순국비가 건립됐다.

초월은 20대 중반에 이미 대강백, 큰스님의 반열에 오른 지성인이었다. 1915년에 불교계가 힘을 모아 개교한 중앙학림 초대 강사로 내정됐을 정도다. 요즘으로 치면 학장이나 다름없는 역할이었다. 영원사 역대 조실(祖室, 사찰의 큰스님)을 총정리한 《조실안록(祖室案錄)》에 따르면 초월은 1903년 겨울부터 1904년 초까지 영원사 조실이었다. 그의 나이 25세 때였다.

초월은 1921년 마포포교당을 근거로 활동하면서 일심교(一心敎) 강령을 구상했다. 일심교는 화엄경에서 얻은 깨달음과 항일운동 전략이 어우러진 결정체로 '일심만능 군교통일 세계평화(一心萬能 群敎統一 世界平和)'를 내세웠으며, 비밀결사인 일심회(一心會)의 토대가 됐다. 진관사와 마포포교당은 그 중심이었고,

전국에서 초월의 뜻에 동조한 동지들이 결속해 자금 모금이 이루어졌다. 통도사 주지 김구하, 천은사 주지 하용화, 화엄사 총무 이인월, 화엄사 승려 김영렬 등이 자금 모금에 협조했다. 특히 범어사의 오성월, 김경산이 많은 자금을 제공한 것으로 알려졌다.

미치광이 행세로 일제의 집요한 감시를 피한 얘기는 너무나 유명하다. 동학사 강사 시절 초월은 방 안에 죽은 거북이를 보자기에 싸두고 아침저녁으로 거북이를 바라보며 참선했다. 일경이 그의 방에 들이닥치면 거북이에게 알 수 없는 말을 하거나 거북이 노래를 불렀다.

초월은 그를 따르는 학인들에게 독립의식을 강하게 고취했다. "번갯불 번쩍할 때 바늘귀를 꿰어야 한다"라는 말을 자주 했는데, 독립운동에 나설 때 좌고우면(左顧右眄)하지 말고 즉시 가담하라는 의미였다.

1938년, 봉천행 화물열차에 '대한 독립 만세'라고 낙서한 사건이 터진다. 이 사건의 배후로 지목된 초월은 2년 6개월 형을 판결받았고, 다시 독립운동 자금 때문에 감옥에 갇혀 1944년 6월 29일 청주교도소에서 순국했다. 만해가 입적한 날과 같다. 초월에게는 1986년 건국포장, 1990년 애국장이 추서됐다.

김광식 교수는 "만해와 용성을 따라가다 보면 초월을 만날 수밖에 없다"라며 "초월은 20여 년간 이어진 체포와 투옥, 구금, 감시에도 항일운동 일선에서 벗어난 적이 없는 인물"이라고 평했다. 독립기념관이 1989년 발행한 《항일 의열투쟁사》는 "불교계 승려들의 독립투쟁 가운데서도 백초월은 한용운·백용성의 활동에 뒤지지 않는 존재다. 항일독립운동에 걸출한 활동을 하다 옥사 순국한 세 사람의 의열사를 들 때 신채호·김동삼과 함께 백초월을 넣는 이도 있다"며 높이 평가했다.

오늘날, 초월과 인연이 있는 경남 고성과 함양군, 서울 은평구 등 3개 지자체가 합동으로 스님을 기리는 선양사업을 진행하고 있다. 현재 진관사 초입부터 사찰까지는 약 1킬로미터의 백초월 길이 이어져 있다. 일제강점기 진관사는 지금보다 훨씬 깊은 산중에 있었을 것이다. 초월은 그 숲길을 오르내리며 마음속에 꺼

웹툰으로 공개된 이현세 화백의 '초월' 이미지. 주인공 파란을 중심으로 백초월 스님의 항일독립운동을 조명했다. (사진 제공: 이현세 화백)

지지 않는 항일독립의 불꽃을 피웠을 터다. 일경에 연행돼 고문을 받을 당시 그는 이렇게 일갈했다고 한다.

"이놈아 밥을 치면 떡밖에 더 되겠느냐. 아무리 행패를 부리더라도, 계란 가지고 삼각산을 쳐도 삼각산이 없어질 리 없다. …… 너희 왜놈들이 미쳐서 남의 나라 땅을 강점하고 있는 것이지 내가 왜 미쳤단 말이냐, 너희가 미쳤지."

봉화

면장은 나와서 만세를 부르라

경기 파주시 교하초등학교 교정에 3·1운동 100주년을 맞은 2019년 독립운동 기념비가 세워졌다. 파주시는 3·1운동 60주년을 1년 앞둔 1978년 3월 1일 광탄면에 3·1운동 발상비를, 조리읍 봉일천리에 3·1운동 기념비를 각각 세웠다. 교하초등학교의 기념비는 느지막이 서는 셈이다. 하지만 이곳은 100년 전 파주시 일대에서 펼쳐진 만세운동들의 도화선이 된 장소다.

"흰옷 입은 농민들로 산은 하얗게 변했다"

3월 10일 와석면 교하리(현재 교하동) 공립보통학교 운동장
에서 그곳에 집합한 그곳 학생 100여 명을 동원하여 "대한
독립 만세"를 부르고 시위운동을 계획하였다. (국사편찬위원회, 《한
국독립운동사》 2권)

대부분의 중학교가 도회지에 밀집돼 있는 파주에서는 보통학
교가 젊은이들을 만날 수 있는 거의 유일한 장소였다. 학생들이
교하공립보통학교에 모여 조선 독립 만세를 외칠 수 있었던 이
유다.

만세 함성이 교정 너머로 널리 울려 퍼졌지만 이날의 시위가
파주 곳곳으로 번지는 데는 시간이 걸렸다. 첫 시위 뒤 보름 만인
3월 25일, 교하리의 열여섯 살 학생 김수덕과 스물네 살 농민 김
선명이 구세군 교인인 염규호와 임명애를 찾아와 "조선독립운동
에 관한 의논을 하고자 하니 방을 빌려달라"고 청하면서 시위는
본격적으로 전개됐다.

한 방에 모인 넷은 머리를 맞댔고, "독립운동을 하려면 격문을
배포해 사람들을 모을 필요가 있다"는 데 의견을 모았다. 염규호
가 원고를 작성했고, 김수덕이 등사판으로 격문을 인쇄했다. "동
리 산으로 일동은 모이라. 집합하지 않는 자의 집에는 방화할 것

이다"라는 내용이었다.

인쇄된 60여 장 격문은 마을 곳곳에 뿌려졌다. 이틀 뒤인 3월 27일 약속된 시위 장소에 모인 사람들은 700여 명에 달했다. 시위대는 대열을 지어 면사무소를 에워싸고 면서기들에게 업무 중단을 요구하며 유리창을 깨뜨렸다. 시위대의 거사를 보고 합류하는 사람들이 늘어났다. 1,500여 명으로 불어난 시위대는 교하 헌병 주재소로 행진했다. 놀란 일제 헌병들은 파주 헌병 분소에 병력 지원을 요청하고, 시위대를 향해 총구를 겨누었다. 이 과정에서 주민 한 명이 목숨을 잃었다.

이날 파주에서 만세운동이 일어난 곳은 와석면뿐만이 아니었다. 인근 청석면에서도 격렬한 시위가 벌어졌다. 《한국독립운동사》는 전날인 3월 26일 청석면 일대 높은 산들에 "봉홧불이 널려져 있고 곳곳에서 만세 부르는 소리에 천지가 진동했다"고 소개하고 있다. 다음 날의 만세운동을 예고하는 봉화였다.

3월 27일 청석면 심학산에 백의(白衣)의 군중이 모여들었다. 수백 명의 농민이 오르자 산은 하얗게 변했다. 교하공립보통학교 학생들이 선두에서 태극기를 들었고, 군중이 뒤를 따르면서 면사무소로 행진했다. "면장은 나와서 만세를 부르라"는 군중의 외침에 면장이 나와서는 "진정하라"고 했다. 시위대 중 몇 명이 돌을 던졌고 면사무소 건물의 기와와 유리창이 깨졌다. 면장도 같이 만세를 부르다가 "해산해서 집으로 돌아가라"고 권했지만, 시위대는 듣지 않고 교하 헌병 주재소로 향했다. 그러다 일제 병력에 의해 와석면의 시위자가 죽었다는 소식을 접한 이들은 행진을 중단하고 훗날을 도모하기로 했다.

19인 동지회가 주도한 공릉장 만세운동

파주시 광탄면 신산리에는 독립운동가 심상각(1888~1954)의 묘가 있고 생가도 보존돼 있다. 3·1운동에 참가했던 심상각은 중국 상하이로 망명해 상하이농업전문학교에서 신교육을 받으면서 상하이 임시정부에서 독립운동을 펼쳤다. 10여 년의 임시정부 활동을 뒤로하고 귀국한 그는 신간회에 가입해 활동하다가 고향 광탄면에 광탄보통학교를 설립했고, 이후 교장에 취임해 교육에 헌신했다.

심상각은 파주 3·1운동 당시 '19인 동지회' 멤버 가운데 한 명이었다. 19인 동지회는 3월 28일 공릉장에서 펼쳐진 파주 최대 규모의 시위를 주도한 이들이다. 심상각과 김웅권, 권중환, 심의봉 등 주민들로 구성된 19인 동지회는 시위를 앞두고 치밀한 계획을 세웠다. "3월 10일 교하공립보통학교 시위 때만 해도 학생과 지식인의 선도적인 투쟁으로 이뤄졌지만, 3월 말 시위가 파주 곳곳에서 재개됐을 때는 농민 등 기층 세력이 전면에 부상한 수

평적 만세운동이었다"는 게 이윤희 파주지역문화연구소장의 설명이다. 실제로 19인 동지회 다수가 농민이었다. 이들은 광탄면 발랑리에 본부를 차렸고 꼼꼼하게 군중 동원 작전을 세웠다. 파주군 지역 주민은 물론이고 고양군민도 참여시키는 큰 계획이었다. 부준효 광복회 파주지회장은 "조직적인 시위를 기획했고, 이 과정에서 다른 지역의 원정 시위대를 참여시켜 폭발력을 높였다는 게 파주 공릉장 시위의 특징"이라고 말했다.

이들의 주도면밀한 전략과 준비 작업으로 당일 광탄면사무소 앞에는 2천여 명에 달하는 군중이 모였다. 마침 전날 광탄면 발랑리 주민들이 인근 동리 주민 수백 명과 함께 광탄면사무소 앞에서 만세 시위를 벌인 터라 분위기가 고조돼 있었다. 시위대가 조리면 공릉시장으로 행진을 시작하자 1천여 명의 주민이 합세하면서 그 숫자가 3천여 명으로 불어났다. 시위대는 조리면사무소 건물과 집기 일부를 부수고 면장과 면서기를 앞세워 공릉시장까지 전진했다. 이어 봉일천 헌병 주재소에서도 시위를 벌였다. 이 과정에서 일제 헌병들의 발포로 6명이 사망했고 수십 명이 부상했다.

《파주독립운동사》와 《파주전투사지》에는 피살자 중 한 명인 김남산의 활동상을 상세하게 적고 있다. 그는 부모의 묘소에서 풀베기를 하던 중 만세운동 소식을 접하고는 일을 동생에게 맡기고 시위에 뛰어들었다. 김남산은 태극기를 들고 선두로 나서 행

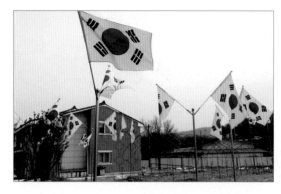

경기 파주시 광탄면 발랑리는 1년 내내 태극기가 나부끼는 '태극마을'로 조성됐다.

진하다 일본 군부대의 총격에 어깨를 맞아 쓰러졌고, 병원에 이송됐으나 숨졌다.

《한국독립운동사》'파주군' 편에 따르면 대대적인 시위가 벌어진 며칠 뒤 "만세 부른 사람을 잡아간다"는 말이 떠돌았다. 혹여 잡혀갈까 봐 순박한 농민들은 집을 비워두고 밖으로 나가 밤을 지낼 정도였다.

만삭의 독립운동가 임명애

1919년 3월 10일 교하공립보통학교에서 파주의 첫 만세 시위가 벌어졌을 때 앞장섰던 사람은 임명애(1886~1938)였다. 구세군 교인이던 그는 운동장에 모인 학생들 앞에서 "조선 독립 만세"를 선창했다. 임명애의 외침에 따라 학생들도 일제히 만세를 불렀다.

임명애의 이름은 독립운동사에서 자주 볼 수 있다. 3월 25일 와석면 시위가 임명애의 집에서 기획됐다. 그해 경성지방법원 판결문에 따르면 임명애는 남편 염규호, 학생 김수덕, 농민 김선명과 함께 보안법 및 출판법 위반으로 징역형을 받는다. "임명애는 공립보통학교 운동장에서 생도들을 선동하여 치안을 방해한 자 …… 격문을 배부해 자기 면민들과 조선 독립운동을 하려고 꾀하여 이날 소관 관청의 허가를 얻지 않고서 불온문서를 인쇄하여 반포함으로써 그 지방의 정일을 깬 자"라는 게 이유였다. 염규호, 김수덕, 김선명은 징역 1년 형에 그쳤지만 임명애는 징역 1년 6개월 형을 받았다는 판결에서 일제가 그만큼 임명애를 위력적으로 보았음을 확인할 수 있다.

임명애가 투옥된 곳은 서대문감옥 8호방이다. 충남 천안 아우내장터의 만세운동을 주도한 유관순과 어윤희, 권애라, 심명철 등 주요 여성 독립운동가가 수형생활을 하던 그 장소다. 수감 당시 만삭이었던 임명애는 복역한 지 한 달 만에 출산을 위해 임시 출소했다가 아이를 낳고 11월에 갓난아이와 함께 재수감됐다. 남편 염규호도 복역 중이었기에 가족이 모두 감방에서 생활하는 셈이 됐다. 8호방의 여성 독립운동가들은 산모에게 밥을 나눠 주고 기저귀를 말려주면서 함께 아기를 돌봤다.

1921년 4월 만기 출소하면서 임명애는 고향에 돌아왔고 1938년 세상을 떠났다. 그가 간절히 원하던 조선 독립은 그의 사후 7년 뒤 이뤄졌다.

2018년 경기 파주시
조리읍 봉일천리에서
재현된 만세운동 장면.
(사진 제공: 파주시)

만학도 여학생

여성들이여 동참하라

경기 김포시독립운동기념관은 한국관광공사가 최근 자녀와 함께 할 수 있는 역사여행 코스로 추천한 12곳 가운데 하나다. 추천 목록에는 서울 서대문형무소역사관, 화성 제암리 3·1운동 순국기념관, 천안 독립기념관, 백범김구기념관 등이 포함돼 있다. 여기에서 짐작할 수 있듯 독립운동을 기리기 위해 기념관을 세운 지역은 흔치 않다.

김포시독립운동기념관은 김포의 대표적인 만세운동이었던 양촌면 오라니장터 시위와 월곶면 군하리장터 시위를 기억하고자 2013년 양촌읍에 건립됐다. 심영섭 오라니장터3·1만세운동기념사업회 사무국장은 "신도시의 영향으로 오라니장터가 예전 같지는 않지만, 해마다 3·1절이면 독립운동기념관에서 기념행사를 열고 우리 지역에서 울려 퍼졌던 만세의 함성을 되살리며 함께 부른다"고 말했다.

맨발로 만세 시위를 주도한 만학도 여학생

이살눔(본명 이경덕, 1886~1948)은 경성에서 이화학당에 다니던 33세 만학도 여학생이었다. 3·1운동이 일어나자 그는 고향 김포 월곶면으로 향했다. 독립선언서 수십 장을 옷 속에 감춘 채였다. 그가 선언서를 각 면의 유지들에게 비밀리에 배포하면서 월곶면 시위가 준비되었다. 이것이 바로 김포에서의 첫 만세운동이었다.

마침 월곶면에서 교회 조사(助事) 일을 맡았던 박용희도 만세 시위를 준비하고 있었다. 월곶면 시위로 체포된 농민 성태영의 신문조서에 "경성 기타에서 '대한 독립 만세'를 불러 조선독립운동을 한다는 것을 전해 듣고 있던 차⋯⋯ 장날 주막에서 술을 마시는데 박용희가 와서 '독립운동을 하라'고 하여서 나도 독립운동을 하기로 결의하고⋯⋯"라는 기록이 나온다. 이들은 이살눔에게 선언서를 받고 동지들을 규합해 태극기를 만들고 의거할 것을 결의했다.

독립운동사편찬위원회의 《독립운동사》에 따르면, 3월 22일 오후 2시 군하리 장날 만세운동에서 이살눔은 수수깡대에 매단 종이 태극기를 휘두르면서 맨발로 만세를 외치고, 특히 여성들을 향해 만세운동에 참여하자고 부르짖었다. 성태영은 군중에게 "조선 독립을 원하는 자는 공자묘(향교)로 모이라"고 외치면서 태극기를 휘둘렀다. 그는 면사무소 앞의 높은 단 위로 올라가 "우리는 독립을 취해야 한다"는 내용으로 군중을 앞에 두고 연설했다. 일본 경찰이 달려와서 성태영을 끌어내리려 하자 백일환이 쏜살같이 달려와 일본 경찰의 따귀를 때리고 바닥에 내동댕이친 뒤 총과 칼을 빼앗았다. 일경의 모자는 진흙탕에 굴렀고 무장해제를 당한 꼴이 됐다. 군중들은 이구동성으로 "야, 그것 장쾌하다" "흠뻑 때려라"라고 소리 질렀고 일본 경찰은 혼비백산해 주재소로 도망쳤다.

백일환과 박용희는 군중 수백 명과 함께 주재소와 면사무소로 행진하며 만세를 불렀다. 백일환은 주재소 마루 밑에 숨어 있던 조선인 순사보 이성창을 끌어내고는 "너도 조선민족이 아니냐? 조선민족이면 누구나 부르는 독립 만세를 불러라" 하며 소리쳤다. 이어 면사무소에 들어가 남아 있던 서기들에게 태극기를 내주면서 "만세삼창을 부르라"고 주문했다. 면서기들이 차례로 만세를 외쳤고, 군중들은 환호하며 같이 만세를 연호했다. 다음 날 〈매일신보〉에는 군하리에서 400여 명이 시위했고 주모자를 검거했다는 소식이 실렸다. 그해 경성지방법원에서 성태영과 백일환은 각각 징역 1년 형과 2년 형을, 이살눔은 징역 6개월 형을 선고받고 옥고를 치른다. 만세를 주도했지만 일제에 체포되지 않았던 박용희는 중국으로 망명해 농장을 경영하면서 군자금을 제공하는 등 독립운동을 이어갔다.

월곶면에 세워진 월곶면민 만세운동 유적비도 그날의 함성을 상세하게 소개하고 있다. 월곶면의 만세 소리는 3월 22일 하루만 울리고 그친 게 아니었다. 일주일 뒤인 29일 다시 한 번 만세운동이 일어났다. 교사 임용우, 잡화상 최복석, 농민 윤영규 등이 주도해 조강리와 갈산리 일대에서 벌인 시위였다. 특히 임용우는 자신의 직장에서 만세운동을 이어갔다. 4월 9일 당시 경기 부천군에 속해 있던 덕적도의 명덕학교의 운동회에서다. 덕적도 바닷가 모래사장에서 열린 운동회에는 마침 동네 사람들이 모여들었

2019년 3월 김포아트빌리지에서는 일제의 총칼과 협박에도 굴하지 않고 만세를 불렀던 선열들의 모습을 되살리는 만세운동 재현 행사가 열렸다. (사진 제공: 김포시청)

다. 임용우는 군중과 함께 목청껏 만세를 외쳤다.

일경의 협박에도 시위를 주도한 훈장 아들

경성에서 3·1운동이 일어난 뒤 양촌면 누산리에 살던 서당 훈장 박승혁은 일경의 협박을 받았다. 경성제1고보에 재학 중이던 아들 박충서가 3월 1일 종로, 덕수궁 대한문, 남대문 등을 돌면서 독립만세운동에 참여했기 때문이다. 박승혁은 상경해 아들 박충서를 고향으로 데리고 왔다.

그러나 귀향한 박충서는 일제의 압박에 순응하지 않았다. 그는 삼촌 박승만, 친지 안성환과 전태순 등과 함께 독립운동 및 시위 계획을 논의했다. 이들은 독립 만세를 부르기 위해 모이라는 내용의 통문과 격문을 작성해 양촌면 각지에 배포했다. 시간은 3월 23일 오후 2시, 장소는 양촌면 오라니장터였다. 수천 명이 모여든 오라니장터에서 박충서는 가슴에 태극기를 품고 모여든 군중을 향해 독립 만세를 외치면서 시위를 주도했다.

2시간 뒤 오라니장터에서는 다시 만세 함성이 울려 퍼졌다. 이번엔 대곶면 초원지리에서 서당을 세우고 학생들을 가르치던 정인섭과 친구 임철모가 주도한 시위였다. 이들은 광목을 사다가 태극기를 만들었다. 그 위에 정인섭이 먹으로 '독립 만세'라고 썼다. 다음 날 정인섭은 오라니장터의 군중을 향해 "우리도 대한 독립 만세를 부르자"고 외쳤다. 군중은 만세를 부르면서 주재소로 향했다. 시위가 계속되면서 군중이 불어나고 형세가 험악해졌다. 일제 경찰은 "즉시 해산해라. 계속하면 체포하겠다"라고 위협했지만 선두에 선 정인섭은 응하지 않고 그 자리에서 버티다 체포됐다.

김진수 김포3·1만세운동연구소장은 "김포의 만세운동은 이살눔과 박충서 등 경성 3·1운동에 직접 참여한 지식인 학생들이 주로 주도했다는 특징이 있다"고 말했다. 군하리장터와 오라니장터의 시위는 격문을 쓰는 사람, 격문을 배포하는 사람, 태극기를 휘두르는 사람, 시위대 선두에 서서 주민을 선동하는 사람 등으로 나뉘었는데, 이렇게 역할을 분담해 치밀하게 진행된 것은 경성의 만세운동에 직접 참여한 사람들이 지식과 경험을 바탕으로 조직력을 발휘했다는 평가다. 또 판결문과 자료에 따르면 시위의 주도적 참여 연령층은 20, 30대였던 것으로 나타났다. '젊은 만세운동'이었던 셈이다.

김포 출신 의병들의 본격 활동

김포는 구릉과 평야 지대로 이뤄졌고 바다와 가까운 지역이다. 일반적으로 열세한 장비를 가지고 기습이나 습격 등을 감행해야 하는 전투 형태인 유격전이 어려운 지리적 특성이 있다. 유격전을 펼쳐야 하는 의병으로서는 최악의 조건이지만 인근 강화와 파주, 고양의 의병부대에 소속된 김포 출신 의병들은 맹활약했다. 김포에서 대중적 만세운동이 전개될 수 있었던 바탕에는 이런 의병 활동을 통해 고양된 항일의식이 있었다.

《김포항일독립운동사》에 따르면 김포 출신 의병들은 1907년 군대 해산 이후 활동하기 시작했다. 의병의 효시는 1894년 갑오의병이고, 1904년 러일전쟁을 계기로 일제가 노골적으로 침략 의도를 드러내면서 전국적으로 확산했다. 이 과정에서 1907년 8월 강화 분견대에서 봉기한 해산 군인 일부가 토벌대를 피해 고양, 파주, 김포 등지로 진출하면서 이 지역 의병운동은 본격화됐다.

김포 통진군 출신 강화 분견대 하사였던 유명규는 대표적인 의병이었다. 1907년 7월 유명규는 분견대 군인들과 함께 강화의 무기고를 습격한 뒤 무기를 지역 주민에게 나눠 주고 일본 순사와 일본인을 사살했다. 이들이 강화도를 장악한 뒤 8월 9일 강화 봉기가 일어난다. 정용대(대한제국군 정교 출신) 의병진에 참가한 강상봉은 1908년 경기 풍덕군에서 일본 순사대 8명과 전투를 치렀고, 박래병이 이끄는 의병부대에 속했던 김경운은 김포 통진군에서 군수품 확보에 나서다 일본군 수비대와 맞닥뜨려 교전 중에 체포됐다. 당시 김포군에선 "너희들은 일본인을 너희 조상으로 생각하느냐. 왜적을 죽이던 군도(軍刀)로써 마을을 피로 물들이리라" 하며 친일 행위를 엄중히 경고하는 의병대장의 격문이 거리에 내걸리기도 했다. 침략자 일제와 그에 동조하는 사람들에 대한 의병들의 적개심을 확인할 수 있는 대목이다.

오라니장터의 만세운동을 기리는
양촌 대곶면민 만세운동 유적비.

나루

네놈들도 그와 똑같이 망하리라

행주나루는 서울 강서구 개화동에서 경기 고양군 지도면 행주리
(현재 고양시 덕양구 행주외동)로 건너가던 배들의 선착장이었다. 지
금은 역사적인 유물이 된 행주나루터는 삼국시대부터 어업의 전
통이 이어져 내려온 곳이다. 100년 전 3월 행주나루에서 배를 띄
우고 그 위에서 만세를 부른 것도 그들이 고기를 잡아온 어부들
이었기에 가능했다. 전국에서 유례를 찾기 어려운 선상 만세 시
위가 펼쳐진 이유다.

선혈로 태극기를 그리고 독립 만세를 쓰다

1919년 3월 1일 고양군 연희면 양화진에서 주민 200여 명이 만세 시위를 벌이다가 주둔 헌병대에 의해 10여 명이 체포됐다.(이정은,《고양독립운동사》) 같은 날 용강면 동막리에서도 주민 200여 명이 만세 시위를 벌였다. 경성과 동시에 만세운동이 시작된 것이다. 고양은 지리적으로 경성과 밀접한 지역이었다. 특히 고양군 연희면에 위치한 연희전문학교는 3·1운동 준비에 중요한 역할을 담당했던 학생 대표들이 다니던 학교였기에 주민들의 민족의식은 민감했다.

용강면 동막리에 살던 정호석은 경성에서 3·1운동이 일어났을 때 현장에서 그 장면을 목도했다. 그는 덕수궁 파출소에서 근무하던 조선총독부 순사보였다. 3월 1일이라 열광한 군중은 대한문을 넘쳐 덕수궁 내로 밀물같이 밀려들었다. 나흘 뒤 정호석은 창덕궁 경찰서장에게 몸이 아프다는 핑계를 대고 휴가를 얻어 집으로 갔다. 잡화점에서 45전을 주고 산 광목 한 자를 들고서였다. 아내에게 접시를 가져오게 해서 칼을 뽑아 무명지 손가락을 베려고 했지만 아내와 어머니가 극구 말렸다. 재차 입으로 무명지를 잘라 흐르는 선혈로 양목 2폭에 그리니 하나는 태극기요 하나는 독립만세의 네 글자였다. 그는 대나무 막대기에 광목을 매 깃대를 만들어서는 그것을 가지고 동막리 흥영여학교로 향했다.

정호석이 "대한 독립 만세"를 외쳤을 때 가장 먼저 동참한 사람은 홍영여학교에 다니던 그의 딸이었다. 이어 교직원과 학생 80여 명이 학교에서 나와 함께 만세를 부르면서 공덕리까지 행진했다. 그 후 체포된 정호석은 검사의 질문에 조금도 막힘이 없었다.

"국기를 만든 이유가 무엇인가?"

"파리강화회의에서 약소국을 독립시킨다는 얘기를 신문에서 봤다. 조선도 독립하면 좋겠다고 생각해서 그렇게 했다."

"독립운동을 하게 된 이유가 무엇인가?"

"동포를 구하기 위해서다."

"독립 만세를 부르면 무거운 형벌을 받으리라는 것을 알고 있는가?"

"각오하고서 한 일이기 때문에 목숨이 아깝다고 생각하지 않는다."

2015년 행주나루터에 모인 경기 고양시 주민들이 당시 만세 시위를 재현했다.
(사진 제공: 민족문제연구소)

배 위에서 부른 "대한 독립 만세"

선상 만세 시위가 벌어진 것은 경성에서 3·1운동이 일어난 지 열흘 만이었다. 만세운동이 벌어진 행주나루 인근에는 선교사 언더우드가 1890년 세운 행주교회, 1909년 건립된 행주성당이 있었다. 행주나루는 서해와 강화 지역에서 서울로 들어가는 한강수로의 중심 포구여서 나루를 통해 드나드는 많은 사람들 덕분에 정보가 빠르고도 풍성하게 전달될 수 있었다. 교회와 성당이 일찍이 세워진 것은 주민들이 그만큼 빠르게 신문물을 접하면서 근대화 의식에 눈떴음을 추정할 수 있는 대목이다. 행주나루는 도산 안창호와 단재 신채호 등이 1910년 목선을 타고 중국으로 망명한 곳이기도 하다.

3월 11일 밤, 고양군 지도면 행주리 마을 주민들은 행주산성에 올라 등불을 올리고 야간 시위를 벌였다. 행주산성은 임진왜란 때 권율이 왜군을 대파한 곳으로 항일 승전 역사의 현장이기도 했다. 한자리에 모인 군중은 불빛과 만세 소리에 들이닥친 일본 경찰들을 향해 "옛날 임진년에 이곳에서 왜놈들이 망했다고 하거니와 만일 쫓아오면 네놈들도 그와 똑같이 망하리라"고 외쳤다. 일본군이 추격하자 주민들은 산에서 내려와 나루로 와서는 배를 타고 만세운동을 벌였다. 주민 대부분이 강에서 고기를 잡던 어부들이어서 개인 배를 소유하고 있었다. 이들이 배에서 내려 체포된 것은 일본 경찰이 부인과 자녀 등 가족을 죽이겠다고 협박했기 때문이었다.

중면 일산리 장날 만세운동은 고양 지역 최대 규모 만세운동으로 꼽힌다. 근대문화재가 된 경의선 일산역 인근 5일장이 서는 그곳이다. 경의선 역시 김상옥 의사 등이 중국에서 경성으로 잠입할 때 이용하는 등 독립운동가들의 주요 활동 루트였다. 이곳에서 3월 25일 주민 160여 명이 만세운동을 벌이다가 해산했다. 장날 전날 벌어진 이 시위에 대해 중면 면장은 주민들에게 만세운동에 참여하지 말라고 강경하게 말하면서 헌병 주재소에 주민 동향을 보고했다. 하지만 면장의 태도에 주민들은 반발했고, 다음 날 오히려 더욱 거센 만세운동이 벌어지는 동기가 됐다.

3월 26일 일산리 장날, 한자리에 모인 주민 500여 명은 면사무소 앞으로 몰려가 "대한 독립 만세"를 불렀다. 일본 경찰의 과잉 진압에 굴복하지 않고 근처 일본인 가옥을 향해 돌을 던지는 등 격렬한 시위를 벌였다. 만세운동은 사흘째 되는 날까지 이어져 150여 명이 늦은 밤까지 횃불을 들고 독립 만세를 불렀다.

횃불 만세운동은 같은 날 벽제면 대자리에서도 일어났다. 경성 지방법원의 판결문은 "3월 26일 벽제면 대자리 응봉산(대자산)에 수십 명의 주민들이 올라가 불을 피우고 다음 날까지 만세를 불렀다. …… 3월 27일에는 벽제면 관산리 가장곡산에서 주민 30여 명이 밤을 새우며 만세를 불렀다"고 기록하고 있다. 역촌리 당재의 횃불 시위(3월 22일)와 은평면 신사리의 월암산 시위(3월 23일) 등 산 위에서 시위가 이어진 뒤였다.

고양의 만세운동은 경성에서 가깝다는 지리적 특성으로 인해 지원 헌병이 긴급하게 출동해 시위를 진압했기 때문에 지역사회가 조직적으로 연대하기에는 어려움이 있었다. 그러나 경성의 만세운동에 예민하게 반응한 민중 대부분이 강렬한 저항 의식을 보여줬다.

둑도면 시위가 그랬다. 둑도면은 오늘날 뚝섬을 포함하는 지역이다. 3·1운동 당시 고양군은 지금보다 면적이 크게 넓었다. 동대문 밖이 고양 숭인면이었다. 한지면이 왕십리에서 이태원까지 걸쳐 있었다. 그 너머로 둑도면이 있었다. 서쪽으로 마포까지는 경성부, 애오개부터는 고양군 용강면이었다. 아현북리(지금의 북아현동)는 연희면, 모화관 고개를 넘으면 은평면이었다. 당시 고양군은 경성부를 완전히 둘러싸고 있다.

둑도면 시위는 3월 26일 밤 12시까지 계속됐다. 마차꾼 김완수가 시위대를 지휘하고 노동자였던 신원룡이 선두에 서서 군중을 이끌었다. 시위대가 헌병 주재소 앞에 이르러 태극기를 흔들며 만세를 부를 때 지원 나온 경성 헌병들이 군중을 향해 발포했다. 김완수는 "피하지 말라, 피하지 말라"고 말하면서 군중을 지휘했다. 이때 시위자 중 사망자 1명, 부상자 5명이 발생했다. 일본 측은 헌병 오장(伍長) 1명, 상등병 2명, 소방수 3명이 부상을 입었

행주나루터에
배를 띄우고 선상 만세
시위를 재현하는 모습.
(사진 제공: 민족문제연구소)

다. 이날 만세 시위로 체포된 사람은 모두 100여 명에 이르렀다.
고양군에서 일어난 시위 중 가장 격렬한 것이었다.(이정은,《고양독
립운동사》)

　둑도 시위로 재판을 받게 된 사람들은 마차꾼, 소달구지꾼, 일
용노동자들이 다수였다. 노동자들이 주도한 운동이었다는 얘기
다. 이정은 3·1운동기념사업회장은 "민족대표와 학생층이 중심
이 되어 일어난 시위가 기층 민중에게까지 파급돼 강력한 항일독
립운동의 성격을 드러냈다"고 말했다. 3·1운동과 그 정신이 지
식계급의 운동에서 그치지 않고 민중 속으로, 심지어 일제 관속
에까지 내려갔음을 보여주는 증거다.

독립운동가 장효근

장효근 씨 사회로 의사를 진행하야 만장일치로 고양군 행주
기공사 수리기성회를 조직하고 본사 편집국장 이광수 씨의
강연이 있고 이어서 즉석에서 의연금 157원을 거두고 6시
에 폐회하였다.

〈동아일보〉 1931년 8월 12일자에 실린 기사다. 행주기공사는
1842년 세워진 행주서원을 가리킨다. 시간이 지나면서 훼손된
행주서원의 수리·복원을 주도한 사람은 이날 수리기성회에서 사
회를 본 고양 출신 독립운동가 장효근(1867~1946)이었다. 정동일
고양시 문화재전문위원은 "장효근 선생이 임진왜란 때 일본을 물
리친 권율 장군을 기념하는 행주서원을 새롭게 다듬는 데 앞장선
것은 일제강점기 항일의식의 표출이라고 볼 수 있다"고 말했다.
　장효근은 3·1운동이 일어났을 때 경성의 만세운동 현장에 있
었다. 3월 1일 종로 태화관과 탑동공원에 뿌려진 독립선언서를
인쇄한 사람이 그였다. 3·1운동을 앞둔 2월 27일 최남선이 쓴 독
립선언서의 인쇄 조판이 보성사에 전달됐다. 천도교인으로 천도

교 직영 보성사에서 총무로 일하던 장효근은 직원들과 함께 비밀리에 인쇄기를 돌려 독립선언서 2만 1천 부를 찍어냈다.

3월 1일 만세운동이 일어났을 때 일본 경찰들이 보성사에 들이닥쳐 장효근을 비롯한 직원들을 체포했다. 5개월여 옥고를 치르고 풀려난 장효근은 1922년 제2의 3·1운동을 기획하다 일제에 발각돼 무산된 뒤 고양군 지도면 행주리로 귀향했다. 그는 고향에서도 다양한 계몽 활동을 펼쳐나갔다. 동학사상을 가르치는 서당을 열었고, 소작료를 인하하도록 지주들을 설득했으며, 공립보통학교 설립에 앞장섰다. 천도교인이었음에도 민족의식을 고취하기 위해 행주서원 복원에 앞장서는 등 구국을 위한 다양한 활동을 펼쳤다.(독립운동사편찬위원회,《독립운동사자료집》5권)

1916년부터 1946년 세상을 떠나기까지 쓴《장효근 일기》도 귀중한 자료다. 6·25전쟁 때 생가가 불탔지만 장남이 땅에 묻어놓고 피란해 보존될 수 있었다. 후손들은 독립기념관이 건립됐을 때 이 일기를 기증했고, 2018년 항일독립문화 등록문화재로 지정됐다.

철시(撤市)

내 나라 독립을 위해 한 점도 부끄럽지 않다

인천 동구 창영초등학교는 1907년 세워진 인천 최초의 공립학교이자 인천 3·1운동의 발상지라는 역사적인 의미가 깃든 곳이다. 100년 전 3월 6일 인천공립보통학교 3학년 김명진 등 학생들이 휴교를 주동한 것이 인천 3·1운동의 시작이었다.

만세운동에 나선 초등학생들

초등학생들이 만세운동에 나섰다면 요즘 기준으로는 이해하기 어려울 수 있다. 하지만 1900년대 초 보통학교에는 나이 많은 학생들이 적잖았다. 조혼으로 가정을 이룬 가장들도 학교를 다녔다. 경성에서 들려온 3·1만세운동 소식은 이들 청년 학생의 가슴에 불을 질렀다.

인천은 부산과 원산에 이은 개항장이며 서울과 이어지는 한국 최초의 철도 경인선이 놓인 곳이다. 일찍이 일본영사관과 은행, 교회, 학교 등이 설립됐고 3·1운동 당시 인천부(지금의 시) 인구 2만 211명 중 44.4퍼센트인 8,973명이 일본인이었을 만큼 중요한 거점도시였다.(김정인 외《국내 3·1운동: 중부·북부》)

일제의 지배력이 절대적이었기에 인천에서 3·1운동이 일어나기는 쉽지 않은 상황이었다. 1919년 3월 6일 공립보통학교가 공립상업학교(현재 인천고) 학생들과 함께 동맹 휴학에 나선 것은 닷새 전 일어난 서울의 3·1운동으로 인해 일본 경찰의 경계가 삼엄했던 중에 단행한 일대 사건이었다.

3월 8일 오후 9시, 공립보통학교 3학년 학생으로 당시 19세였던 김명진이 학교로 들어가 2층으로 올라갔다. 같은 학교 학생이던 18세 박철준이 밖에서 망을 보고 있었다. 김명진은 미리 준비한 절단용 가위를 이용해 경찰서로 통하는 학교의 전화선을 자르고 수화기를 박살 냈다.(독립운동사편찬위원회,《독립운동사: 3·1운동사》) 학교 교직원들이 동맹 휴학 상황을 경찰에 보고하는 데 분개해 치른 거사였다. 이 사건으로 가택 침입 및 전신법 위반 혐의 등으로 붙잡힌 김명진은 경찰을 향해 "내 나라 독립을 위해 한 점도 부끄럽지 않다"고 외쳤다.

공립보통학교의 휴학은 일주일 넘게 계속됐다. 경찰이 학부모회의를 소집해 주모자 25명을 처벌하겠다는 강경책을 발표하자 학생들은 3월 14일 어쩔 수 없이 휴학을 접고 학교로 돌아왔다. 그럼에도 전교생 405명 중 85명이 결석하는 등 저항 의식을 숨기지 않았다. 공립보통학교의 휴학은 만세운동에 대한 시민들의 의지를 일깨웠다. 3월 9일 아침 50여 명이 경인가도에 모여 독립 만세를 불렀고 이내 군중이 수백 명으로 불어났다. 이날 오후 5시에는 교회 청년들과 학생들이 만국공원에 모여 시위를 벌이다가 경찰에 강제로 해산당하기도 했다. 다음 날 시내 중심가에서 시민과 학생 200여 명이 독립 만세를 부르면서 시위행진을 하다가 경찰의 출동으로 8명이 구속됐다.

강옥엽 인천광역시 시사편찬위원회 전문위원은 인천 만세운동의 특징 중 하나로 철시(撤市)를 꼽는다. 인천 각지에서 만세 시위가 한창이던 3월 27일 조선인 가게에 어디서 왔는지 알 수 없는 격문과 함께 지하신문인 〈조선독립신문〉이 날아들었다. '만세를 불러라, 철시하라'는 내용이었다. 사흘 뒤인 3월 30일부터 상인들은 철시를 시작하며 일제에 대한 항쟁을 벌였다. 일본인 부윤이 경찰서에 연락해 상점을 개점하도록 협박하면 눈가림으로 문을 열었다가도 곧 닫는 식으로 저항을 계속했다.

일제의 압박에 못 이겨 개점하는 일부 상인들은 시민들의 강력한 경고에 부딪혔다. 잠깐 철시했다 문을 연 우각리(현재 동구 금창동) 17개 점포에 4월 1일 경고문이 날아들기도 했다. '철시하지 않으면 최후의 수단을 쓰겠다'는 내용으로 내리(현재 중구 내동) 주민 김삼수와 임갑득이 작성한 것이었다. 그래도 상점이 문을 닫지 않자 김삼수는 '최후의 통첩'이라는 제목으로 속히 철시하지 않으면 최후의 수단을 취하겠다는 내용의 경고문을 작성했다. 이 경고문을 점포에 넣으려다가 그는 일제 경찰에 발각돼 붙잡힌다. 이 철시 항쟁으로 조선인 상점이 거의 문을 닫아 쓸쓸한 거리가 되어갔으며 무기미한 분위기가 돌고 있었다.(국사편찬위원회,《한국독립운동사》)

인천은 섬이 많은 곳이다. 100년 전 섬 곳곳에서도 만세 함성이

인천 창영초등학교(옛 인천공립보통학교)에
세워진 3·1운동 100주년 기념비.

울려 퍼졌다. 강화도에서는 삼산면(3월 10일), 강화읍내(3월 18일), 갈산면(3월 19일) 등에서 만세 시위가 일어났고 3월 27일엔 강화 전체 9개 지역에서 대규모 만세운동이 펼쳐졌다. 4월 9일 덕적도 명덕학교 운동회 때 교사 임용우 등이 주도해 봉화를 올리고 만 세를 부른 시위는 인근 문갑도와 울도까지 영향을 미쳐 이들 섬 에도 만세운동이 일어났다.

황어장터에서 울려 퍼진 "독립 만세"의 함성

황어장터는 인천 계양구 장기리(당시 부천군 계양면 장기리)에 위 치한 시장으로, 3일장과 8일장이 정기적으로 열리는 곳이었다. 소가 주된 거래 품목이었던 이곳에는 장날이면 1천여 명의 장꾼 들이 모여들었고 500~600마리의 소가 거래됐다. 우시장의 특성 상 일반 장보다 타 지역 장꾼들이 더 많이 모일 수 있었고, 3·1운 동의 특성 중 하나인 공개성과 집합성을 충족할 수 있는 장소였 다.(양윤모, 〈인천에서의 3·1독립운동과 한성임시정부 수립〉)

이곳 황어장터에서 인천 지역 최대 규모의 만세운동이 전개된 것은 1919년 3월 24일이었다. 오후 2시 계양면 오류리 주민 심혁 성(1888~1958)을 비롯한 두세 명이 태극기를 휘두르면서 만세를 불렀다. 박환 수원대 교수는 천도교인으로 황어장터 만세운동을

주도한 심혁성이 천도교 본부 손병희와 교감이 있었던 것으로 파악한다.(박환,《경기지역 3·1독립운동사》)

심혁성은 곧 경찰에 붙잡혔지만 시위대는 거세게 반발했다. 주민들은 순사를 향해 "심혁성을 풀어달라"고 소리쳤다. 매약상 임성춘이 200여 명 군중들에게 "자! 가거라, 가거라" 하고 외치면서 기세를 돋웠다. 군중들은 "심혁성을 내놓아라"라고 소리치면서 순사들을 포위했고 심혁성을 묶은 포승을 풀었다.

이때 분위기를 바꾸는 사건이 일어났다. 일제 경찰들이 칼을 들어 주민 이은선을 찌른 것이다. 이은선은 그 자리에서 순절했고, 시위대는 심혁성을 그대로 둔 채 물러나야 했다. 하지만 기세가 꺾인 건 아니었다. 이은선의 육촌 이담이 거적에 싸인 채 면사무소에 방치된 이은선의 시체를 옮겨 매장한 뒤 그날 밤 면내 각동리에 통문을 돌렸다. '죽은 사람에게 동정하는 자는 집합하라'는 내용이었다. 소식을 접한 주민 200여 명이 계양면사무소 앞에모였다.

이들은 면사무소를 습격해 민적부와 조선인거주 등록부, 과세호수대장 등 일제의 조선인 통치와 관련된 서류들을 불살랐다. 다음 날 오전 11시, 주민 300여 명이 다시 면사무소에 모여 독립만세를 불렀다. 이로 인해 40여 명이 체포됐고 심혁성, 이담, 임성춘 등이 그해 10월 경성지방법원에서 유죄판결을 받았다.

홍진과 13도 대표자회의

성격은 강렬하야 애국심이 강하고 기미만세 때 상해로 건너
가 임시정부에서 독립운동에 헌신⋯⋯.

〈동아일보〉 1946년 9월 10일자에 독립운동가 홍진(1877~1946)
의 별세 소식이 실렸다. 그는 1926년 상하이 임시정부 수반인 국
무령을 지냈고, 임시정부의 의회 기능을 했던 임시의정원 의장을
3차례 지냈다.

홍진과 인천이 각별한 의미를 갖는 것은 그가 중국 상하이로
떠나기 직전 추진한 '13도 대표자회의' 때문이다. 변호사였던 그
는 3·1운동 당시 연락책임자로 활동하면서 한성 임시정부 수립
안에 관여했다.

4월 2일 인천 만국공원(현재 자유공원)에서 홍진과 기독교 전도
사 이규갑, 천도교 지도자 안상덕 등이 참여한 '13도 대표자회의'
는 한성 임시정부 수립을 위해 규합한 최초의 사전 협의였다. 비
밀리에 모인 지역 대표와 종교 대표 20여 명은 국민대회를 조직
하고 임시정부를 만들어 각국에 조선 독립 승인을 요구할 것 등

을 결정했다. 또 4월 23일 정오 서울 종로구 서린동 봉춘관에서 13도 대표자가 모여 임시정부를 선포하고 시위를 개최한다는 계획도 세웠다. 하지만 정보가 누설돼 계획은 무산된다. 대신 전단으로 한성 임시정부의 수립을 선포했고, 참석자들의 주도로 대규모 시위를 벌였다.(양윤모, 〈인천에서의 3·1독립운동과 한성임시정부 수립〉)

광복 뒤 귀국해 비상국민회의 의장으로 선출됐지만 이듬해 심장 질환으로 사망한 홍진은 선산이 있던 인천 문학산 기슭에 묻힌다. 장례위원장은 백범 김구였다.

2019년 인천 계양구 황어장터 기념탑 앞에서 열린 황어장터 만세운동 재현 행사. (사진 제공: 인천 계양구)

구장

우리는 일본으로부터 독립해야만 살 수 있다

늦은 밤 경기 양주 백석면 연곡리에 많은 면민이 모여들었다. 두 사내가 앞에 나섰다. 안종태와 안종규 형제였다. 안종태는 이 자리에서 "우리는 일본으로부터 독립해야만 살 수 있다"고 연설했다. 1919년 3월 27일 밤 시작된 백석면 시위는 다음 날에도 이어졌다. 형제는 주민 600여 명과 함께 10여 리 떨어진 오산리 대들벌로 나아간 뒤 백석면사무소까지 진출해 만세 시위를 벌였다. 《독립운동사: 3·1운동사》에서는 이 만세운동을 두고 "연곡리 사람이 백석면 전체를 동원하여 성공적으로 만세 시위를 한 것"이라며 높이 평가한다.

안종태는 경기도 토목측량기사로 근무하다 일제의 토지 수탈에 분개해 사직하고 고향에서 농사를 짓던 터였다. 안종규 역시 농사를 지으면서 마을 구장(이장) 일을 보던 청년이었다. 만세운동 초기인 3월 초·중순에는 주로 경성이나 도시를 중심으로 청년 학생들과 지식인층 중심의 투쟁이 이뤄졌지만 3월 하순부터는 농촌의 농민들이 만세 시위를 전개해나갔다.(장석흥, 〈양주 근대사와 3·1운동〉) 경기 양주와 포천의 만세 시위는 그 같은 만세운동의 발전 양상을 보여주는 대표적인 사례였다.

마을 구장이 이끈 만세운동

경기 지역의 3·1운동은 21개 부·군 모두에서 일어났다. 일제가 만든 〈조선소요사건 총계일람표〉에 따르면 3·1운동이 일어난 618개 지역 중 경기도가 143개 지역으로 전국에서 가장 많았다. 서울과 인접해 있어서 서울의 만세운동이 빠르게 알려졌던 게 경기도의 만세운동을 확산시키는 동력이 됐다.

양주의 경우 3월 18일 마석우리에서 1천여 명의 주민들이 헌병주재소를 습격하는 대규모 시위가 일어났다. 그전까지는 학생들의 주도로 소규모 시위가 벌어졌지만 이후 만세운동이 대형화하면서 공세적인 양상으로 변모하기 시작했다. 마석우리 시위에서 일본 헌병이 군중을 향해 무차별 발포해 주민 4명이 현장에서 사망하는 참사가 벌어지자, 이후 양주 곳곳에서 벌어진 시위는 치밀한 준비에 따라 전개됐다.

3월 26일 이담면 동두천시장 시위를 앞두고 배재학당 학생 정원이가 중앙과의 연락을 맡고 주민 한원택과 박창배 등이 중심이돼 선언서와 태극기를 준비하는 한편, 각 마을의 동원 책임자를 정하는 등 상세하게 계획을 세운 게 대표적인 사례다. 마석우리에서 벌어진 일제의 잔혹한 탄압 만행을 보고 훨씬 조직적인 준비의 필요성을 느껴 이루어진 것이다.(한국독립운동정보시스템, 〈한국독립운동의 역사〉) 실제로 양주에서 일어난 만세운동들은 준비단계에서 발각돼 사전에 실패한 경우가 없었다. 그만큼 시위가 치밀하게 계획됐음을 알 수 있다.

〈한국독립운동의 역사〉에 따르면 지방의 시위운동은 일제강점기 지방사회를 두 개의 뚜렷한 진영으로 구별시킨다. 면장을 첨병으로 한 수직적인 일제 지방통치 구조가 하나이고, 구장을 중심으로 한 우리 민중의 수평적 공동체 진영이 다른 하나다. 두 진영 사이에 대립 전선이 형성된 뒤 일제의 총칼에 의한 무단적 대응으로 평화적인 독립 의사 표명이 압살되면서 지방 시위의 새로운 특징이 생겨났다. 구장들이 나서서 주민의 의사를 결집해 시위운동을 조직화한 것이다.

안종규가 주도한 백석면 시위가 이런 경우였다. 일제는 1914년

면제를 개편하면서 식민지 행정 말단기구로서 면제를 확립했지만 리(里) 단위의 향촌 사회는 전통적인 면리제 질서를 중심으로 유지되고 있었다. 구장은 향촌 사회의 실무를 관장하면서 마을의 여론을 조절했다. 이런 이유로 구장은 마을 주민의 동원과 연락에 중요한 역할을 할 수 있었다. 백석면 시위에서 구장 안종규가 그의 형 안종태와 함께 독립 달성의 굳건한 의지를 갖고 만세 시위를 전개할 수 있었던 배경이기도 하다.(장석홍, 〈양주 근대사와 3·1운동〉)

백석면에서 시위가 일어난 3월 28일 양주 광적면 가납리에서도 만세운동이 벌어졌다. 가납리 시위는 양주군의 만세운동 중 가장 격렬하게 전개된 사건으로 꼽힌다. 가납리는 가래나무가 많아 '가래비'로도 불린다. 가래비어린이공원에 세워진 가래비 3·1운동 순국기념비 안내문에도 100년 전 뜨거웠던 시위의 현장이 묘사돼 있다.

가납리에선 3월 초부터 만세운동 소식이 전달됐고 만세 시위를 호소하는 사발통문이 나도는 등 분위기가 고조되고 있었다. 광적면 주민들은 3월 28일로 거사 날짜를 정하고 사발통문을 돌리면서 만세운동에 참여할 것을 독려했다. 이날 오후 가납리에 모여든 시위대원 950명이 만세를 불렀다. 시위대는 곧 의정부에서 급파된 헌병들과 면장 이하용을 맞닥뜨렸다. 헌병이 해산을 명령하자 주민 이용화가 "뻔뻔스러운 도적놈들아. 남의 나라 국

2019년 3월 경기 양주
광적면 가납리 일대에서
주민들이 태극기를 흔들고
만세를 불렀다.
(사진 제공: 양주시)

모를 죽이고 삼천리 국토를 강도질한 놈들이 적반하장으로 조국
독립을 하려고 부르는 만세를 부르지 말라, 가거라, 오거라, 건방
진 소리야" 하면서 이들을 꾸짖는다. 면장 이하용이 슬그머니 뒤
로 빠져 도망하자 시위대에선 "면장 놈부터 때려죽여라" 하는 고
함이 터졌고 군중이 몰려가면서 돌팔매를 시작했다. 이때 헌병
대가 발포를 하면서 이용화 등 3명이 현장에서 사망하고 40여 명
이 부상을 입었다.

가서 만세를 부르자!

포천에서 만세 함성이 처음 울린 것은 포천읍의 포천공립보통
학교(현재 포천초등학교)에서였다. 1911년 개교해 포천 지방의 중

요한 교육기관으로 자리 잡은 이곳에선 3월 13일 오전 11시 3, 4 학년 학생들이 주도해 일본 교원의 눈을 피해 1, 2학년 학생들과 함께 학교 뒷산에 올라가 독립 만세를 큰 소리로 외쳤다. 학생들만을 중심으로 이뤄져 대중적인 시위로 발전하지 못했지만, 이 지역에 팽배했던 항일 민족의식을 엿볼 수 있는 시도였다.(김용 달, 〈포천의 3·1운동〉)

이어 3월 24일 영평면에서 1천여 명의 시위대가 만세를 부르고 일제 헌병과 맞서면서 대중적 만세 시위의 불이 댕겨졌다. 닷새 뒤인 3월 29일 소흘면에서는 1천여 명의 군중이 모여 독립 만세를 불렀다. "다음 날 벌어진 대규모 연합 만세운동을 예고하는 전주곡"(김용달, 〈포천의 3·1운동〉)으로 평가받는 시위다. 이는 3월 30일 포천 지방에서 가장 크고 격렬한 독립만세운동이 일어난 것을 의미한다.

《독립운동사: 3·1운동사》에서는 이 장면을 생생하게 소개하고 있다. 이 기록에서 주목받은 시위자 중 한 명이 영중면 거사리의 농민 유중식이다. 그는 3월 29일 밤 "내일 신북면사무소 앞에 군중이 모여 만세를 부르고자 하니 여러 사람과 같이 나오라"는 통문을 전달받는다. 이에 동리 사람들을 모아 놓고 "지금 통문이 돌고 있으니 30일에는 모두 신북면사무소로 가서 만세를 부르자"고 말한다.

다음 날 유중식이 신북면사무소에 도착했을 때의 현장 상황은 만세운동의 열기로 가득 찼다.

> …… 통문으로 소식을 듣고 몰려온 사람이 1천여 명이나 되
> 었다. 그중 어느 학생 차림의 청년이 "여러분! 우리나라는
> 독립되었습니다. 세계 각국이 우리를 원조하고 있소" 하며
> 일장 연설을 하여 군중의 피를 끓게 했다. 뒤이어 누구인가
> "대한 독립 만세"를 외치자 여기에 호응하여 군중은 일시에
> 우렁차게 만세를 불렀다.

  시위는 치열하게 전개됐다. 일제 헌병경찰들이 출동해 시위 주
동자들에게 무차별 총격을 가해 시위자 3명이 죽고 다수가 부상
을 당했다. 시위자들이 투석과 폭행으로 일제에 대항하면서 평화
적 만세운동은 격렬한 폭력 시위로 바뀌었다. 김용달 전 한국독
립운동사연구소장은 "3·1운동에서 의병 출신자가 추진한 만세
시위운동과 주요 의병 항쟁지에서 발생했던 만세 시위운동은 모
두 하나같이 폭력 혁명적인 만세 시위로 전개됐다"며 "뿌리 깊은
의병적 전통의 맥락을 알 수 있는 것"이라고 설명했다. 이는 포
천과 양주의 공통점이기도 하다. 만세운동이 무력 투쟁으로 번진
포천 일대는 한말 의병부대의 주요 항쟁지였고, 양주 또한 지역
주민의 동조와 호응 속에서 의병 항쟁이 마지막까지 전개됐던 곳
이다.

경기 포천 군내면
청성역사공원에 세워진
기미독립선언서비. (사진
제공: 포천시)

장석홍 국민대 교수는 양주의 3·1운동에 대해 "3·1운동 초기 과정에서는 중앙의 '민족대표'와 연결된 도시 중심의 종교 계통 인사들이 주도했는데, 양주의 만세운동에서는 중앙의 종교 조직과 연결되지 않았다"고 설명했다. 김용달 전 한국독립운동사연구소장은 포천의 3·1운동 역시 "학생과 교사, 직업적 종교인으로서의 목사 등 신지식층의 역할이 미약했다는 특징을 갖고 있다"고 밝혔다.

연합

장날을 기하여 모이라

경기 여주시 금사면 이포리에서 군중들이 모여 헌병 주재소를 습격한 날은 1919년 4월 1일이었다. 여주의 첫 대규모 만세 시위였다. 이웃한 이천의 마장면에서 3월 30일 벌어진 만세운동이 이포리 시위가 일어난 날까지 사흘 동안 이어진 셈이다. 마장면 시위역시 이천에서 일어난 첫 만세운동이었다.

지리적으로 가까운 경기도에는 경성의 3·1운동이 빠르게 확산했지만 여주와 이천 지역은 상대적으로 늦었다. 구본만 여주박물관장은 이에 대해 "경기도에서도 여주는 비교적 서울에서 멀리떨어져 있고 철도와 도로 교통이 발달하지 않은 데다 한강이 여주를 가로질러 접근성이 떨어지기 때문"이라고 설명했다. 이천도 상황은 마찬가지였다. 그럼에도 두 지역의 만세운동은 과감하고도 격렬하게 전개됐다.

"평정함은 무기력한 것이니"

여주에서 처음으로 만세운동이 시도된 곳은 주내면 상리였다. 기독교도였던 주민 조병하가 각지의 만세운동 소식을 듣고 이에 부응하지 못하는 현실을 개탄하면서였다. 3월 26일(27일로도 알려져 있다), 조병하는 홍문리의 심승훈을 찾아가 시위운동을 제안했다. 그는 "각지에서 군중이 독립 만세를 부르며 시위운동을 하고 있음에도 우리 지역에서만 평정함은 무기력한 것이니 군중을 모아 독립 만세를 외칠 터이니 참가하라"며 동참을 호소했다.(김형목, 《여주 독립운동사 개관》) 그는 이어 인근 보통학교 학생들을 만나 "경성에서는 학생들이 중심이 돼 독립 만세를 일으키고 있으니 너희들도 주동적인 역할을 하라"고 독려했다. 그의 계획은 사전에 일제에 발각되면서 무위로 끝났고 조병하는 체포돼 징역 1년 형을 받았다. 하지만 이 사건은 이후 여주 각지에서 발생한 만세운동의 촉매제가 됐다.

4월 1일 금사면 이포리에서 만세 시위가 벌어졌을 때 모인 군중은 3천 명에 달했다. 당시 조선주차군 사령관이 육군대신에게 보고한 내용은 다음과 같다.

경기도 여주군내 이포에 약 3천, 안성군내 안서에 1천, 양성에 2천의 군중이 폭행하고 심지어 전주(電柱)를 불 질러 넘어뜨리고 주재소를 불 지르고 우편국과 면사무소를 파괴하고 공용서류나 기물을 파괴하는 등 흉포함이 극에 달하고……(김형목, 《여주 독립운동사 개관》)

당시 이포리 주민은 6천 명 정도로 추산된다. 노약자를 제외하곤 주민 대부분이 시위에 참여한 셈이다. 그만큼 규모도 컸거니와 조선주차군의 보고에 따르면 시위는 격렬했다. 놀란 일제 헌병대가 주재소를 습격한 군중을 향해 발포했지만 다행히 사망자는 나오지 않았다. 주민 10여 명이 체포됐지만 재판까지 가지는 않았다. 그 결과 판결 기록 등이 없어 이포 만세운동의 주동자나 구체적인 시위 양상을 확인하기는 쉽지 않다. 하지만 여주에서 일어난 첫 시위인 데다 참가 인원이 대규모라는 점에서 주목할 만하다. 김형목 독립기념관 연구위원은 "면민을 대규모로 동원할 수 있었다는 사실은 거사가 체계적인 계획에 따라 조직적으로 동원됐음을 의미한다"고 말했다.

이틀 뒤 벌어진 북내면 시위 역시 조직적으로 준비됐다. 주동자는 경성공립농업학교 학생 원필희와 이원기였다. 경성에서 학교를 다니다 휴교령으로 귀향한 이들은 군내 각 면을 돌면서 태극기를 만들어 독립 정신을 북돋우고 선전 계몽 활동에 나섰다. 독립운동사편찬위원회의 《독립운동사: 3·1운동사》에서는 원필희에 대해 3·1운동 당시 민족대표 33인 중 한 사람이자 천도교 지도자였던 손병희를 따랐고 여주군의 독립운동 책임자로 북내면 시위를 이끌었다고 소개하고 있다. 이원기는 "서울에서 여주와 이천 사람들에게 먹일 것으로 돼지 먹이를 저축하여 둔 모양"이라는 야유의 말을 듣고 수치스럽게 생각해 만세운동을 적극적으로 추진했다는 기록이 남아 있다.(김형목, 《여주 독립운동사 개관》)

북내면 시위 계획은 치밀했다. 주동자들은 "4월 5일 여주 읍내 장날을 기하여 읍내 다락문 앞에서 독립운동을 시작할 터이니 그곳으로 모이라"는 내용의 격문을 각 지역으로 발송했다. 격문이 유포되면서 분위기는 무르익었다. 시위 기획자들은 일제에 혼란을 주기 위해 시위 날짜를 이틀 앞당기고 장소도 바꾸었다.

4월 3일 공북학교 운동장에 800여 명이 모였다. 이들은 만세를 부르면서 읍내를 향해 나아갔다. 일제가 주민 수십 명을 체포하자 시위대는 돌을 던지고 곤봉을 휘두르면서 반발했다. 헌병이 총기를 발포했고 주민 3명이 사망했다. 주도자 중 원필희가 일본 헌병에게 붙잡혔고 북내면 보습고개에서 총살될 위기에 처했다. 헌병이 수건으로 원필희의 얼굴을 가리고 총을 쏘려는 순간 원필

금사면 이포리의 만세 시위를 기려
금사파출소 인근에 세워진 표석.

희의 모교 일본인 교장이 달려와 만류해서 총살은 면했다. 하지
만 그는 여주의 일본 헌병대로 끌려가 심한 고문을 당했고, 경성
으로 송치돼 투옥된 뒤 징역 1년 6개월 형을 선고받았다.

7개 면이 연합한 만세 시위

이천에서 만세운동이 처음 벌어진 마장면 시위의 전개 과정은
극적이다. 날이 바뀔 때마다 다른 양상을 보였다. 3월 30일 마장
면 오천리에 1천여 명의 군중이 모여서 만세운동을 벌인 첫날에
는 평화적 시위로 끝났지만 둘째 날부터 상황이 달라졌다. 천도
교인들의 주도로 250여 명이 참여해 장암리에서 일어난 시위는

오천리로 향하면서 세를 불려나갔다. 기세가 오른 시위 군중이 오천리의 일본 헌병 주재소를 습격했고, 헌병들은 일본 군대의 지원을 받아 공포를 쏘면서 시위대를 해산시키려 했다.(한국독립운동정보시스템, 〈한국독립운동의 역사〉) 시위대가 강력 반발하자 당황한 일본군이 군중을 향해 총검을 휘두르면서 시위대원 20여 명이 부상했다.

다음 날 만세운동은 더욱 격화됐다. 오천리 시위 해산 과정에서 자행된 일본군의 잔혹한 진압 사실이 알려지면서 7개 면 연합 시위가 시작됐다. 마장면을 비롯해 신둔면, 백사면, 모가면, 대월면, 호법면, 읍내면에서 동시에 만세운동이 벌어졌다. 4월 1일 마장면 오천리에서 기독교인을 중심으로 한 시위대 350여 명이 헌병 분견소 앞에 모여 전날의 시위를 이어갔고, 신둔면 수광리 신둔면사무소에서도 거센 만세운동이 펼쳐졌다.

신둔면 시위는 당초 4월 2일로 예정됐다. 오천리 시위가 강제 진압당한 3월 31일 밤, 이천 각 면 주민들은 신둔면 수하리에 모여 논의했고, 7개 면이 4월 2일 연합으로 만세운동을 벌이자는 데 합의했다.

신둔면 시위가 당겨진 것은 일제의 삼엄한 감시를 피하려는 의도였다. 면사무소 앞에 모인 500여 명 앞에서 수하리 주민 이상혁이 독립선언서를 낭독했고, 서기창의 선창으로 만세를 부르면서 시위대는 행진에 돌입했다. 시위 행렬은 이천을 향하는 중 남녀노소가 동참하여 군중이 수천 명에 이르렀다. 이날 밤에는 신둔면, 모가면, 백사면, 대월면에서 봉화를 울리며 시위를 계속했으며 이것이 마침내 이천군내 연합 시위로 전개되었다.(삼일동지회,《3·1독립운동실록》)

4월 2일 마장면 덕평리에선 300여 명이 모여 일본군과 대치했고 모가면에선 주민 150여 명이 응봉산에 올라가 만세를 불렀다. 백사면 주민들은 면사무소를 습격해 면장을 강제로 끌어냈고 만세를 부르게 했다. 대월면과 호법면 주민들도 밤에 산에 올라가 봉화를 올렸다. 수백 명이 집결한 읍내면 시위가 절정이었다. 장날인데도 상가가 완전히 철시해 군중의 사기를 북돋웠다. 이용업을 하던 함규성이 시위대 앞에서 만세를 선창하자 사람들이 함께 만세를 불렀다. 일본군의 발포로 7, 8명의 사망자가 나왔고 다수가 부상했다. 시위를 구경하기 위해 대문을 나서다가 잠복 중이던 일본 군경의 총격에 부상하는 사람들도 생겼다.(신배섭,《이천독립운동사》)

김형목 연구위원은 "여주와 이천 모두 시위 기간은 짧았지만 폭발적 양상을 보였다"면서 "여주의 경우 '공동체적' 방식으로 주민들을 동원한 것으로 추정된다"고 말했다. 북내면 시위 당시 주동자들 중 일부는 군중을 모을 욕심에 "출동하지 않으면 방화한다"는 극단적인 발언도 했지만 이는 만세 시위를 전개해야 한다는 의무감과 공동체적 동참의식의 발현이었다는 것이다. 그는

이천 신둔면 시위를 기념해
신둔체육공원에 세운 기미독립선언
신둔면 의거기념비.

또 이천 만세운동에 대해 "당시 만세운동은 일본군이 발포하면
시위대가 해산하는 양상이었지만, 마장면 시위에선 일본군이 발
포했음에도 군중들이 도리어 투석을 하면서 일본군을 공격했다
는 데서 격렬한 저항정신을 확인할 수 있다"고 강조했다.

광포(狂暴)

조선은 독립할 시기에 이르렀다

현덕면은 평택에서 가장 먼저 만세운동이 일어난 곳이다. 안성, 화성, 천안 등 독립운동사에서 주목받은 인근 지역보다도 이른 3월 9일 시작됐다. 기산리와 황산리, 도대리, 방축리의 주민들이 면사무소 뒷산인 옥녀봉에 모여 횃불을 켜 들고 목이 터져라 조선 독립 만세를 외쳤다.(평택시독립운동사편찬위원회,《평택시항일독립운동사》) 일제의 외무성 기록 〈불령단관계잡건〉에서는 평택에서 벌어진 만세 시위에 대해 "가장 광포(狂暴)하다"고 밝히고 있다. 이웃한 곳들에 비해 덜 주목받긴 했지만 평택의 3·1운동은 일찍, 격렬하게 벌어졌고 주변 지역에 큰 영향을 미쳤다.

"한번 마음먹은 것은 그만둘 수 없다"

평택읍 비전리에서 미곡상을 하던 30세 이도상이 독립선언서를 보게 된 것은 동창생 안충수를 통해서였다. 안충수는 고종의 인산일에 참석하기 위해 상경했다가 만세운동을 목격하고 돌아온 친척 안종각으로부터 독립선언서를 넘겨받아 갖고 있었다. 경성 곳곳에서 독립 만세를 외치고 시위가 펼쳐지고 있다는 소식은 이도상의 가슴에 불을 질렀다.

3월 10일 안충수의 집으로 동창생들을 불러 모은 이도상은 태극기를 만들고 독립선언서를 등사하면서 만세운동을 벌이자고 설득했다. 그는 그날 밤 동생 이덕상에게 일체의 가사를 맡기면서 이렇게 말했다.

> "이 기회에 조선 독립을 꾀하기 위하여 명일이 평택 장날이
> 므로 그곳에 가서 동지와 함께 조선 독립을 제창하여 만세
> 를 외칠 작정이다. 그렇게 하면 곧 체포될 것이므로 다시 집
> 에 돌아오지 못할 것이니 늙은 어머니를 봉양하여달라."

동생이 만류하자 이도상은 단호한 목소리로 "한번 마음먹은 것은 그만둘 수 없다"고 말했다.

3월 11일 아침, 만세를 부르자는 격문이 평택정거장 앞에 나붙

었다. 일제 경찰은 즉각 비상경계 태세에 나섰다. 장날인 이날 오후 5시경 평택역 앞 사거리에 군중들이 모였다. 앞장선 이도상은 군중에게 "여러분, 우리 민족과 국가를 위하여 만세 시위를 일으킵시다. 그래야 후일 웃음거리를 면할 것이오. 여러분은 내 뒤를 따르시오"라고 하면서 "조선 독립 만세"를 선창했다. 군중들은 이도상을 이중삼중으로 둘러싼 뒤 만세를 불렀다. 시위에 함께한 학생들도 일제히 모자를 벗어 하늘을 향해 던지면서 큰 소리로 "조선 독립 만세"를 외쳤다. 시위대를 발견한 소방대가 종을 쳤고, 일제 경찰이 출동해 주도자 10여 명을 잡아간 뒤에야 시위대는 해산했다.

평택역전의 시위가 의미 있는 것은 평택 지역이 주변보다 이른 시기에 만세운동이 펼쳐질 수 있는 요인을 확인할 수 있기 때문이다. 독립운동사편찬위원회의 《독립운동사: 3·1운동사》에서는 "원래 평택읍은 서울과 교통이 비교적 빈번하였으므로 서울로부터의 연락·정보가 빨랐다"고 적고 있다. 실제로 1919년 당시 평택역전은 1905년 1월 1일 경부선 평택역이 세워지고 일본인 이민자들이 집단 거주하면서 근대적인 도시로 자리 잡아갔다. 또 주요 관공서와 근대시설, 시장이 형성됐고 일제 식민통치의 중심으로 급부상했다. 김해규 평택지역문화연구소장은 "평택은 철도 교통의 발달로 일반 농촌 지역보다 일찍 서울의 움직임과 만세운동 소식을 접할 수 있었고, 이후 평택 남부 지역의 만세운동이 평

경기 평택에서 처음 만세
시위가 벌어진 현덕면에
세워진 3·1운동 100주년
기념 조형물.

평택3·1운동100주년기념 '그날의 함성'

택역전을 중심으로 전개되는 계기가 되었다"고 설명했다.

이도상의 직업이 미곡상이었던 데서 알 수 있듯 신흥도시 지역
이었기에 당시 평택읍 거주자 상당수가 자영업자들이었다. 일제
의 약탈적 식민지 경제정책에 의해 이익을 빼앗기는 일이 많았
고, 이는 곧 저항 의식의 뿌리가 됐다. 파급력이 컸던 이 장소에
서는 3주 뒤에 다시 만세운동이 벌어진다.

면장이 솔선해서 만세운동을 이끌다

4월 1일 오후 9시, 평택역 대합실로 사람들이 모여들었다. 얼
핏 열차를 타려는 승객들로 보였지만 실은 시위대였다. 10시 반
경, 군중들은 평택역 광장으로 나갔다. 독립 만세의 함성이 울려

퍼졌다. 이 외침을 신호로 평택시 각지의 면민들이 일제히 산 위에 올라 봉화 시위를 벌였다. 이날 평택역에 몰려든 군중은 3천여 명, 만세운동은 밤 12시를 넘기고 이튿날 오전 2시까지 계속됐다. 이날의 시위 상황을 보여주는 경기도 장관의 보고는 다음과 같다.

> 4월 1일 오후 평택시가를 중심으로 하여 1리 내외의 곳인 서남 부용리에 걸쳐 무수한 봉화를 올리며 독립 만세를 연호하였고, 그 모인 10여 개 집단 인원이 평택에 쇄도하여 정세가 불온하므로 해산을 명하였던바, 저항하고 쉽게 해산하지 않으므로 발포하여 오전 2시경 일단 진정하다. 사망자 1명, 부상자 4명 외 경상자가 있는 모양임. (국사편찬위원회, 《한국독립운동사》)

평택읍에 있던 조선인 상점들의 활약도 주목할 만하다. 상점들은 모두 문을 닫고 만세운동에 참여했다. 전날 조선인 상점 2곳에 평택우체국 소인이 찍힌 우편으로 시위에 참여하지 말라는 내용이 담긴 일제의 협박장이 배달된 상황이었지만 위험을 감수하겠다는 굳은 의지의 표현이었다. 상점들이 철시하고 시위에 함께할 것이라는 정보를 입수한 일제 경찰과 군수는 상인 10여 명을 군청으로 불러 모은 뒤 상점 문을 열 것을 설득하다 상인들이 반응을 보이지 않자 강요까지 했다. 하지만 상인들은 이를 완강히 거부하고 상점 문을 열지 않았다.(김해수·장연환, 〈평택 3·1운동의 성격과 특징〉) 그들이 두려워한 것은 일제의 처벌이 아니라 만세의 외침에 참여하지 않았을 때 느껴야 할 부끄러움이었던 것이다.

평택 북부 지역의 주도적인 시위였던 진위면 만세운동도 같은 날 벌어졌다. 전날 면소재지인 봉남리에서 주민 400여 명이 면사무소 앞과 주재소 앞을 돌면서 독립 만세를 외치다 면장을 끌어갔고, 일제의 수비병이 자동차를 몰아 현장에 도착할 때까지 시위는 이어졌다. 4월 1일 진위면 은산리에서 벌어진 만세운동에 대해 《독립운동사》는 다음과 같이 적고 있다.

북면(현재 진위면) 은산리에서는 정재운의 사랑방에서 정경순, 정문학 등이 짚신을 삼다가, 방금 전국 각지에서 만세운동이 일어나고 있는데 우리도 남과 같이 만세운동을 일으켜 사람 구실을 하자고 하여 만세 시위의 계획을 세웠다. 그들은 먼저 동리 사람들에게 계획을 알려 호응을 얻었고, 동리 사람들과 함께 은산리 뒷산에 올라가 우렁찬 만세 시위를 벌였다.

이는 농사꾼들이 집 안에서 일을 하다가 의기투합해 그 자리에서 뛰쳐나갈 만큼 봉남리 지역의 만세운동 열기가 뜨거웠음을 보여주는 증거다. 산에 올랐던 이들이 "봉남리 순사 주재소로 가서 만세를 부르자"고 외쳤고 많은 군중이 시위 행렬을 이뤄 주재소로 향하면서 봉남리의 만세운동은 이틀간 계속됐다.

김해규 소장은 "관료층이 만세운동을 주도했던 것도 평택 지역의 특징적 요소"라고 말한다. 대표적인 사람이 서탄면장 윤기선이다. 진위면에서 시위가 일어난 다음 날인 4월 2일 새벽 윤기선 면장은 면서기 한성수를 시켜 각 마을의 구장들에게 주민을 인솔하고 서탄면사무소로 모이도록 지시한다. 그가 구장들에게 보낸 격문의 내용은 "독립 만세 시위를 일으켜라. 만일 불참하면 큰 환(患)이 있으리라"는 것이었다. 400여 면민이 면사무소 앞에 모였고 면장은 연설에 나섰다.

> "세계의 대세로 보면 조선은 독립할 시기에 이르렀다. 다 같이 경하할 일이며 복 받을 일이다. 이번에 내가 적에게 잡혀가는 일이 있으면 면민 전체를 벌주는 일이니 계속 투쟁하라." (독립운동사편찬위원회, 《독립운동사》)

면장은 일제에 포섭된 관료층으로 분류됐기에 대부분 지역에서 시위대의 공격 대상이 됐다. 하지만 윤기선은 솔선하여 만세운동을 일으키고 선두에 나서서 독립 만세를 불렀다는 점에서 눈여겨볼 만하다.

2019년 봉남리 진위초등학교에 모인 초등학생들이 태극기를 흔들며 만세를 부르는 모습. (사진 제공: 평택시)

    박상복 평택향토사연구소 상임위원은 "평택 지역이 안성, 용인 등 다른 지역과 유기적인 연계를 가지고 만세운동을 전개했다는 점도 짚어야 할 부분"이라고 말한다. 실제로 평택 시위의 전개 과정은 시기와 시위 횟수, 참가 인원 등이 안성이나 용인과 유사하다. 지리적으로 가까웠기 때문에 평택 주민들이 인근 안성, 용인 등지에서 벌어진 시위에 동참하기도 했다. 이웃한 지역들과 서로 영향을 주고받았음을 확인할 수 있는 대목이다.

제2부

영남

혜성단(慧星團)

너는 생사 어느 쪽을 원하느냐

"피고 (김)수길을 징역 2년 6개월에, 피고 (이)종식을 징역 2
년에, 피고 (이)영옥, 동 (이)명건, 동 (허)성도, 동 (이)기명, 동
(이)종헌, 동 (최)재화, 동 (이)수건 및 동 (이)덕생을 각 징역 1
년 6개월에 처한다." (1919년 7월 19일 혜성단원 김수길 등 11명에 대한 당시 대구지
방법원 판결)

경북 지역에서 3·1만세운동이 처음 시작된 곳은 대구였다.
1919년 3월 8일 시작된 대구 만세운동은 3월 말까지 이어졌다.
대구고등보통학교, 계성학교, 신명여학교 등의 학생들이 주축이

됐다. 하지만 일제의 강경 진압과 친일 단체의 준동 탓에 만세운동은 쉽지 않았다.

이때 학생들을 중심으로 결성된 비밀결사단체가 '혜성단(彗星團)'이다. 당시 재판부는 혜성단원인 김수길 등에 대해 '비밀결사를 조직해 대구에 본부를 두고 경성, 상주 기타 각지에 지부를 설치해 동지를 규합하고, 경고 인쇄물을 각 관공서장 앞으로 보낸 죄'로 이같이 판결했다.

일제의 자제단 결성

1919년 조선총독부는 3·1만세운동이 전국적으로 확산되자 이를 억누르기 위해 '자제단(自制團)'이라는 친일단체를 조직했다. 당시 전북도 장관을 지냈던 친일파 이진호(후에 조선인으로는 처음으로 총독부 학무국장을 지냄)는 데라우치 마사타케 조선총독에게 "민간 유지자(維持者)들이 자발적으로 독립운동을 진정할 방법을 마련할 필요가 있다. (만세운동을) 유혹하는 자를 검거할 것을 서약하게 만들자"는 내용을 담은 서한을 보냈다. 친일파들이 독립운동을 자제하자며 스스로 자제단을 만든 것이다.

자제단은 지역에 따라 '자성회(自省會)'라고도 불렸다. 주로 남한 지역에 집중적으로 조직됐다. 설립 목적은 3·1만세운동 참가자 검거, 관련 정보 수집 및 대민(對民) 설득을 통해 민중을 만세운동에서 차단하려는 것이었다. 당연한 이유로 자제단 단원들은 모두 밀고 의무가 있었다. 1919년 4월 6일 결성된 대구 자제단 규약(제3조)은 "만세(운동)에 부화뇌동하지 말도록 부민(府民)을 굳게 타이르고, 만일 불온한 행위를 감행하는 자를 발견하였을 때에는 당장 경무 관헌에 보고하여야 한다"고 규정하고 있다.

당시 대구 자제단 발기인 67명 가운데 신원이 파악된 27명 대부분이 지주, 관리, 자본가 등 친일 인사들이었다. 지주와 자본가들은 다시 자신의 노비와 소작농, 노동자들을 강제로 가입시켰다. 또 이들을 이용해 만세운동 참가자와 조직을 색출했다. 자제단 조직은 1919년 7월까지 울산, 전북, 수원 등 전국으로 확대됐다. 이들은 만세운동을 자제할 것을 촉구하고, 일본 경찰 대신 만세운동을 진압하거나 시위 참여자를 귀가시키는 일을 했다. 초기 전국에서 들불처럼 번진 만세운동에 당황했던 일제가 전열을 가다듬을 수 있었던 데는 이들 자제단의 역할이 있었다.

자제단 지도부는 기회주의적 친일파가 아니라 친일을 종교처럼 신봉한 골수 친일파들이었다. 특히 자제단을 조직했던 박중양(후에 조선총독부 중추원 부의장을 지냄)은 자신의 회고록에서 "한말의 암흑시대가 일제시대 들어 현대 조선으로 개신되었고, 정치의 목표가 인생의 복리를 더하는 것에 있었고, 관공리의 업무도 위민 정치를 집행하는 것 외의 일이 아니었다. 일정시대에 조선인의 고혈을 빨았다고 이야기하는 것은 정치의 연혁을 모르고 일본인을 적대시하는 편견이다"라고 적을 정도로 골수 친일파였다. 그는 자제단 설립으로 훈장을 받고 중추원 부의장까지 지냈다.

"어째서 무고한 동포를 검거했느냐"

자제단에 맞서기 위해 1919년 4월 17일 김수길과 이기명 등 대구 계성학교 재학생들과 졸업생들이 만든 비밀결사 단체가 혜성단이다. 만세운동이 전국적으로 확산되면서 대구에서는 학생들이 주축이 돼 3월 8일과 10일 2차례의 만세 시위가 벌어졌다. 이에 따라 일제는 대구고보, 신명여학교, 계성학교 등에 휴교령을 내렸다. 시내에는 일본군 보병 80연대를 출동시켰다. 이런 삼엄한 분위기 때문에 독립운동은 지하에서 전개할 수밖에 없었다. 그 중심에는 혜성단이 있었다.

혜성단은 당시 대구경찰서장인 시라이 요시사부로 앞으로 "어째서 너는 3월 8일 한국 독립 만세를 부른 무고한 동포를 검거했느냐. 너는 생사 어느 쪽을 원하느냐. 너희들 같은 사람은 경무부장과 함께 암살할 기회가 있을 것이니 각오해야 한다"는 내용의 협박 편지를 보냈다. 또 자제회 설립에 앞장서던 박중양에게는 "시세에 적응하기 위한 자제회를 설립하고, 다수의 사람을 강제

3·1운동 당시
독립선언서를 비밀리에
인쇄했던 계성학교 지하실.

권유하여 입회하게 함은 조선민족으로서 유서(宥恕, 너그럽게 용서
함)해서는 안 되는 놈들이기 때문에 암살해야 한다"는 내용의 경
고장을 보냈다.

혜성단은 대구에 본부를 두고 경성과 만주에도 지부를 설치했
다. 인쇄책으로는 최재화와 김수길, 인쇄물 배달책으로는 허성
도와 이덕생, 이종식, 이종헌, 이기명이 각각 활약했다. 자금 출
납책은 이수건, 만주 출장책은 이영옥 등이었다. 혜성단의 목표
는 유인물 배포를 통해 독립 정신을 고취하고, 다른 한편으로는
민족 자산가들에게 독립운동 자금 헌금을 호소하는 것이었다. 일
반 민중에게는 독립운동 참여를 촉구했고, 공장 노동자들에게는
파업을 요구했다. 상인들에게는 철시 및 일본인과의 거래 중지를
호소했다. 또 궁극적으로 독립을 달성하기 위해서는 국내외가 함
께해야 하기 때문에 만주에서 활동하는 독립운동가들과의 연결
도 모색했다. 혜성단원을 만주에 파견해 항일투쟁을 이어가려 한
이유가 여기에 있다. 이런 혜성단의 활동은 당연히 일본 군경의

눈엣가시였다. 결국 결성 한 달여 만인 5월 중순까지 주축 인물들이 차례로 검거되는 아픔을 맞는다.

동아일보 조사부장을 지낸 이여성(1901~월북)도 혜성단원 출신이었다. 그는 대구에서 혜성단을 조직하고 만세운동을 계획하다 체포돼 3년 형을 받고 복역했다. 후에 일본 릿쿄(立教)대 정치경제학과를 졸업하고 1932년 동아일보에 입사해 조사부장을 맡았다. 조사부장 재직 시절 식민지 조선 민중의 열악한 실상을 숫자로 표현한 《숫자조선연구》(전 5권)를 출간해 식민치하의 아픔을 고발하기도 했다. 신문사 퇴직 후에는 조선 역사화 제작과 복식사 연구에 매진했다. 광복 후 조선건국준비위원회 선전부장을 맡다가 1948년 월북했다.

파리회의에 알리고자 철시 투쟁도 이끌어

혜성단은 기존 만세운동과 함께 시장 상인들을 설득해 철시 투쟁도 이끌어냈다. 1919년 1월부터 6월까지 프랑스 파리에서 열린 파리강화회의에 대한 기대감에서였다. 당시 파리강화회의에서 미국 윌슨 대통령은 어떤 민족도 다른 민족을 간섭해서는 안된다는 민족자결주의를 주창해 국내 3·1운동에 지대한 영향을 끼쳤다. 실제로 당시 유럽에서는 독일이 알자스로렌 지역을 프랑스에 돌려주고, 오스트리아는 헝가리와 체코슬로바키아를 독립시켰다. 또 불가리아는 그리스와 유고슬라비아에 영토의 일부를 돌려줬다. 이런 분위기 때문에 국내외 독립운동가들은 이 회의에 대한 기대가 컸다. 혜성단 또한 당시 대구에 와 있던 서양 신문기자들을 통해 파리강화회의에 대구는 물론 조선의 독립운동을 적극 알리려고 했다.

혜성단원이던 이종식은 그해 4월 7일경 자신의 집에서 "서양 신문기자가 시내를 순찰하는데 우리들이 독립 자유를 원하고 있다는 의지를 보이기 위해 내일 8일은 아침 일찍부터 철시하고 폐점하라"는 내용의 유인물 300통을 작성해 배포했다. 이종식은 유인물에서 "(철시 및 폐점 상황이) 신문기자들 손에서 프랑스 파리열 국강화회의(파리강화회의)에 전달되고, 다시 구미 각국 신문에 게

혜성단을 조직하고 가동하는 데 가장 큰 역할을 한 계성학교 (현 계성중고교). 건물은 계성학교 아담스홀로 대구시 유형문화재 제45호로 등재돼 있다.

재되면 우리들의 목적을 달성할 수 있다. 그러므로 상인들은 일본 상인과 금전 및 물품 거래를 해서는 안 된다. 이번 신문지상에 전해진 총독부의 유고(諭告, 타일러 훈계함), 기타 경찰관의 전달 등은 어느 쪽이나 모두 허구의 사실로 이를 믿어서는 안 된다"고 밝혔다.

사실 혜성단과 국내외 독립운동가들은 제1차 세계대전 후 전승국들의 축제 잔치인 파리평화회의에서 한국의 독립을 보장받을 수 있으리라고는 기대하지 않았다. 당시 일본은 전쟁에서 이긴 연합국 쪽에 서 있었기 때문이다. 그럼에도 불구하고 국내 독립운동가들은 조국에서의 자발적 만세운동이 세계 여론을 움직이는 데 보탬이 된다는 신념으로 죽음을 각오한 항쟁을 전개한 것이다.

계성학교

혜성단 활동에서 **빼놓을** 수 없는 것이 계성학교다. 혜성단원으로 활동하거나 협조하다가 일제에 체포돼 재판에서 형을 선고받은 사람은 모두 13명. 이 중 김수길, 허성도, 이기명, 이영식 등 9명이 계성학교 재학생 및 졸업생이다. 지금 대구에 있는 계성중고등학교의 전신이 바로 계성학교다.

계성학교 출신들의 항일운동은 혜성단이나 대구 지역에 그치지 않았다. 경성의 3·1운동이 대구로 확산되는 과정에서 계성학교 출신들은 핵심적인 역할을 했다. 1919년 3월 8일, 대구 큰 장(서문시장) 장날이던 이날 학생들은 일제의 눈을 피하기 위해 한복을 입거나 장사꾼 차림으로 변복하고 시장 안으로 숨어들어 만세운동을 벌였다. 만세운동으로 계성학교는 휴교 처분을 받았고, 대부분의 교사와 학생이 체포, 투옥됐다.

당시 조선헌병대사령부가 기록한 〈조선소요사건상황: 경상북도 편〉에는 이 같은 상황이 잘 기술돼 있다. 조선헌병대사령부는 "사립학교 중 소요로 인하여 아직까지 휴학하고 있는 곳은 안동군 사립협동학교 및 대구 기독교부속 계성학교 2개교이며, 그 밖에 청도군 사립문명학교, 문경군 금룡사 지방학림, 달성군 동화사 지방학림은 20일 내지 1개월간 휴교하기에 이르렀으나 현재는 모두 개교하였다"고 밝혔다. 계성학교는 이듬해인 1920년 4월에야 개교할 수 있었다. 또《독립운동사 자료집: 3·1운동 재판 기록》경상남북도 편에 따르면 1919년 만세운동으로 일제에 의해 형을 받은 76명 가운데 44명이 계성학교 출신이었다.《계성 100년사》에 따르면 대구에서 만세운동이 벌어지기 하루 전인 1919년 3월 7일 계성학교 전교생이 46명이란 것을 고려할 때 이들의 참여 열기가 얼마나 뜨거웠는지 잘 알 수 있다.

계성학교 출신들의 항일운동은 3·1운동에만 그치지 않고 그 뒤로도 이어졌다. 1929년 11월 3일 광주에서 학생 항일운동이 일어났을 때 계성학교 출신인 이원우와 조활용 등은 농림학교 김을용, 경북여자고보 곽진숙, 권유진 등과 함께 회합을 가지고 항일운동 방법을 논의했다.

이들은 소속 학교 학생들을 달성공원까지 동원할 것과 만세 시위운동의 행진 순서 등을 포함한 세부 계획까지 세웠으나 일제에 발각돼 뜻을 이루지 못하고 만다. 개인적으로 독립운동을 펼친 이들은 일일이 열거하기 힘들 정도다. 3·1운동 당시 계성학교 5학년이던 권성우는 경북 의성군의 의성 장날 궐기하려다 발각돼 대구감옥으로 압송됐다. 그는 6개월 형에 3년 집행유예 처분을 받았는데 이후에도 요인 암살을 기도하다 동료들은 죽고 자신은 만주로 망명한 뒤 광복단원으로 활동했다. 졸업생인 박재현도 1919년 3월 8일과 10일 2차례 만세운동에 참여해 징역 6개월 형을 선고받고 복역했다. 그는 출옥 후 평양 숭실학교에 입학했는데 재학 중 평안남도 도청 폭파 혐의자로 체포됐으며, 이후 밀양 집성 사랑학교에 재직하면서 임시정부의 군자금 모금에 협조하다 다시 체포돼 옥고를 치렀다.

신명여학교

공부도 중요하지만 더 중요한 일이 있다

신명의 딸은 3·1운동의 첫 햇불을 올렸다. 영남의 하늘에, 순정의 기름에 불을 붙여, 적의 총칼 앞에서 높이 치켜든 그 휘황한 햇불. 큰 의로움을 위해서는 죽음조차 두려워하지 않는 그 담대성, 그 헌신성. 그 정신을 이어받아 참되게 살기를 다짐하는 소녀들이 작은 정성을 모아 여기 돌을 세운다. (개교 65주년 기념 1972년 10월 23일 재학생 일동 세움)

대구 중구 신명고등학교·성명여자중학교에는 1919년 3·1운동에서 큰 역할을 했던 이 학교(당시 신명여학교) 교사들과 재학생,

졸업생들을 기리는 기념탑이 세워져 있다. 3·1운동 기념탑을 교내에 세운 학교는 전국에서 신명고등학교가 처음이다.

전교생이 만세운동에 참여

신명여학교는 1902년 5월 선교사 마사 스콧 브루언 여사가 대구에 신명여자소학교를 설립한 것이 모태가 됐다. 신명여자소학교는 대구 지역 최초의 여학교였다. 1907년 신명여자중학교가 설립된 뒤 1912년 신명여자학교로 명칭이 바뀌었고, 1944년 일제에 의해 강제로 대구남산고등여학교로 개명됐다. 그러다 광복 후 1951년 신명여고와 신명여중으로 환원됐다. 이후 재단 분규와 여고의 남녀공학 전환 등으로 교명은 신명고등학교와 성명여중으로 다시 바뀌었다.

신명여학교는 전교생이 만세운동에 참여한 것은 물론 이후에도 여성 독립운동가를 배출하는 등 항일독립운동사에서 큰 활약을 펼쳤다. 대구에서 만세운동은 1919년 3월 8일 대구 서문시장에서 시작됐다. 이때 신명여학교 학생들의 만세운동을 주도적으로 이끈 이가 교사 임봉선(1897~1923)과 이재인, 이선애다. 이들은 학생들에게 "공부도 중요하지만 더 중요한 일은 일제의 압제에 있는 우리나라를 자주독립시키는 것이다. 이것이 급선무요 우리의 살길이니 운동에 동참해야 한다"며 학생들의 참여를 독려했다. 또 비밀리에 태극기를 제작하는 등 준비를 갖춘 뒤 이날 낮 전교생 50여 명과 함께 서문시장 밖에 모였다.

주도적 역할을 한 임봉선은 3·1운동 전해인 1918년 21세의 나이로 신명여학교 교사로 부임했다. 임봉선은 대구에서 만세운동을 일으키기 위해 내려온 평양숭실학교 학생 김무생(1898~?)과 김천교회 전도사 박제원으로부터 서울과 평양의 만세운동 상황을 듣는다. 또 이 과정에서 여성들의 역할이 매우 컸다는 사실을 알고 만세운동 참여를 결심한다. 경북 경산 출생인 김무생은 평양에서 3·1운동에 참가했고, 대구에서도 만세운동에 참여했다가 주모자로 체포돼 징역 2년을 선고받았다.

3월 8일 오후 만세 시위대는 독립선언서를 낭독하고 행진을 시작했다. 이때 임봉선은 머리에 수건을 매고 "대한 독립 만세"를 외치며 50여 명의 신명여학교 학생들을 이끌었다. 당시 시위대는 만세운동이 시작된 큰 시장에서 동산교, 대구경찰서, 경정통, 남성정, 중앙파출소를 거쳐 달성군청(현 대구백화점) 앞까지 진출했다. 이곳에선 일본군 80연대가 기관총을 설치해놓고 대기하고 있었으며, 곧 기마경찰이 시위대로 뛰어들어 무자비한 진압 작전을 펼쳤다. 그 과정에서 임봉선도 만세운동에 참여했던 신명여학교 학생들과 함께 체포됐다. 당시 여학생들은 나이가 어린 점이 참작돼 석방됐지만 임봉선 등 교사들과 졸업생들은 재판에 넘겨졌다. 임봉선과 이재인은 각각 징역 1년 형, 이선애는 6개월을 선고받고 옥고를 치렀다. 임봉선은 이 과정에서 얻은 후유증으로 1923년 26세의 꽃다운 나이로 생을 마감했다.

"천지가 진동하는 것 같았다"

신명여학교 10회 졸업생으로 당시 만세운동에 참여한 고 김학진 할머니(당시 14세, 2002년 97세로 작고)가 남긴 회고록에 따르면 학생들은 기숙사 이 방 저 방을 다니며 천을 구해 태극기와 만세운동에 입고 나갈 옷을 만들었다. 태극기는 크게 만들어 옷가슴에 매달았다. 또 치마는 끈이 어깨에 걸쳐지도록 제작했다. 달리면서 만세를 부르기에도 편하고, 일본 경찰에 체포당할 경우 당할 악형과 모욕에 대비하기 위해서이기도 했다.

이윽고 3월 8일 약속의 날이 오자 학생들은 기숙사를 빠져나갔다. 약속한 장소까지 가는 것이 큰일이었지만 대야에 세수수건을 담아 빨래하러 가는 것처럼 꾸며 학교를 벗어났다. 학생들은 교문 밖 개천에 이르러서 대야를 바닥에 던져버리고 약속 장소를 향해 뛰어갔다. 현장에 도착하니 이미 많은 사람들이 만세를 부르고 있었다. 학생들은 그 행렬 속으로 뛰어들어 함께 만세를 부르기 시작했다. 그러는 동안 인근 주민, 학생들이 구름같이 몰려들어 장엄한 행렬을 이루었고, 얼마 후 대구경찰서에 당도했다. 모인 사람들은 행렬을 멈추고 있는 힘을 다해서 경찰서가 떠나가라는 듯이, 땅이 꺼져라 목이 터져라 "대한 독립 만세"를 불러댔다. 김 할머니는 당시 상황을 "천지가 진동하는 것 같았다"고 술회했다.

이후 시위대가 동성로를 지날 때 일본 군경의 무자비한 진압 작전이 시작됐다. 기마헌병들이 시위대 가운데로 뛰어들며 행렬을 분산시키기 시작했다. 진압은 남녀노소를 가리지 않고 무차별로 이뤄졌다. 어린 소녀들이 당한 피해는 이루 말할 수 없을 정도로 잔인했다. 기마헌병들은 여학생들의 머리채를 잡아채 내동댕이쳤고, 쓰러진 소녀들의 몸 위를 마구 짓밟았다. 특히 만세운동을 주도한 이선애와 임봉선 등은 전신이 피범벅이 될 정도로 가혹 행위를 당했다.

이날 만세운동으로 일제에 체포된 신명여학교 학생들은 약 20여 명이었다. 상당수 청년들은 일본 군경이 체포하지도 않았는데 스스로 손을 들고 자진해서 묶여 갔다. 김 할머니는 "만세운동에 나왔을 때는 체포돼 감옥에 들어갈 것을 각오하고 나왔는데 너무 어려 보였는지 일본 군경들은 나를 거들떠보지도 않았다. 잡아가지도 않아 어떻게 할지 모르고 서 있는데 상급생 언니가 내 손을 잡고 자기 집으로 데리고 가 보호해줬다"고 기록했다.

김 할머니는 "만세운동 이후 검문검색이 심해서 외출도 못 했

는데 전국 방방곡곡에서 만세운동이 일어나 많은 동포들이 체포
돼 감옥에 들어갔다는 굉장한 소식을 들었다"며 "우리 학교 선생
님과 학생들도 다수가 잡혀 들어가 학교는 휴교됐고 기숙사는 텅
비었다"고 당시 상황을 전했다. 또 "할머니와 어머니는 어린 것
이 그 인파 속에서 밟혀 죽지 않고 살아왔으니 감사하다고 반가
워하셨으나, 아버님께서는 후에 말씀하시길 감옥에 안 들어가고
왜 피해 왔느냐고 꾸지람 비슷한 말씀을 하셨다. 나 자신도 생각
하면 더욱 용기를 내 손을 쳐들고 자원해서라도 잡혀가서 나라를
위해 옥고도 좀 겪었어야 했는데 하는 아쉬움이 때때로 일었다"
며 당시 심정을 기록했다.

이 같은 신명여학교의 3·1만세운동은 국권 회복과 여권 신장
을 목적으로 하는 대한애국부인회(회장 김마리아)와 조선여자기독
청년회(회장 김활란)의 활동을 통해 계승·발전됐다. 대한애국부인

대구 3·8만세운동 당시 상황을
회고록에 남긴 고 김학진 할머니.

회는 신명여학교 교사 출신인 유인경과 1회 졸업생인 이금례 등
이 주축이 돼 독립운동 자금 모집, 독립운동원 보호, 독립운동가
유가족 생계 보조 등의 활동을 하다가 일제에 발각돼 조직원 전
원이 체포되는 아픔을 겪는다. 조선여자기독청년회는 1회 졸업
생 임성례, 7회 졸업생 추애경, 9회 졸업생 이영현 등이 주축이
됐는데 여권신장운동, 농촌계몽운동, 절제운동 등을 위주로 활동
했다.

학생들이 주도한 3·1운동 기념탑 건립

이런 신명의 정신은 광복 이후에도 이어져 전국에서 처음으로
학교 안에 3·1운동 기념탑을 세우는 원동력이 됐다. 신명 3·1운
동 기념탑 건립은 1972년 3월 민족 주체사상을 고취하고 애국 정
신을 함양하며 3·1운동 정신을 계승하자는 취지에서 시작됐다.
학생들은 용돈을 절약해 1인당 60원씩 각출해 건립 비용에 보탰
다. 탑 모양 설계는 미술교사이던 김익수 선생이 만든 2개 모델
가운데 하나를 전교생의 투표로 선정했다. 탑에 새겨질 명문(銘
文)은 당대의 시인 박목월이, 글씨는 서예가 강선동 선생이 맡았
다. 또 당시 3·1운동 민족대표 33인 중 유일한 생존자였던 이갑
성 옹이 축전을 보내고 향나무 한 그루를 기증했다.

신명고와 성명여중 교내에 있는
신명 3·1운동 기념탑.

기공식도 건립 취지에 맞춰 그해 8월 15일 광복절에 거행됐다.
건립비 모금에는 당시 김종필 국무총리의 부인인 박영옥 여사도
손을 거들었다. 박 여사는 이 학교 졸업생으로 학생들의 편지를
받고 직접 내려와 20만 원을 찬조했다. 십시일반으로 모두가 힘
을 모은 신명 3·1운동 기념탑은 같은 해 10월 23일 제막식을 갖
고 현재까지 자리를 지키고 있다.

항일운동가 차보석과 백신애

신명여학교 출신의 독립운동가지만 그동안 잘 알려지지 않은 사람이 대한민국 임시정부 국무위원을 지낸 동암 차리석 (1881~1945)의 여동생 차보석(1892~1932)이다. 이화학당을 거쳐 일본 고베(神戶)가사여자전문학교를 졸업한 차보석은 1910년 신명여학교 교사로 부임했다.

차보석은 23세 때 신명여학교를 떠나 평양으로 가서 오빠 차리석과 교육 사업을 펼치다 1919년 3·1운동 직후 상하이로 망명했다. 상하이에서는 흥사단에 참여하고, 1921년에는 재상해유일학생회에서 활약했다. 이후 30세인 1922년 미국으로 건너가 1925년 대한여자애국단 샌프란시스코 단장을 거쳐 대한여자애국단 총단장을 역임했다. 그는 당시 샌프란시스코에서 국어학교 교사를 했는데 학생들에게 한국 혼을 심는 데 특히 심혈을 기울였다. 또 독립운동을 지원하기 위한 자금 모금에도 노력했다. 1931년에는 대한인국민회에 들어가 3·1절 기념식 준비위원으로도 활동했다. 하지만 1932년 3월 21일 불과 40세의 나이에 숨을 거뒀다. 정부는 2016년 고인에게 건국훈장 애족장을 추서했다.

항일 여성 운동가이자 여류 작가인 백신애 선생(1908~1939)도 신명여학교 출신이다. 그는 정미소를 운영하는 부잣집 외동딸로 태어났지만 기득권에 안주하지 않고 민족의 아픔과 고통을 껴안는 저항의 삶을 살았다.

그는 영천공립보통학교에서 교사로 일하다가 1926년 조선여성동우회, 경성여자청년동맹 등에 가입해 활동한 것이 드러나 교직에서 쫓겨났다. 하지만 이후에도 두 단체 활동을 멈추지 않으며 상하이와 시베리아를 넘나들다 일본 경찰에 붙잡혀 무자비한 고문을 당했다.

그는 작품에서 농촌의 궁핍한 삶과 여성에게 침묵과 순종만을 요구하는 가부장적인 가족제도 및 조혼의 폐단 등을 신랄하게 비판했다. 주요 작품으로는 《나의 어머니》《꺼래이》(일제강점기 러시아인들이 조선인을 비하해 부르던 말)《복선이》《호도》 등 소설 23편과 산문 38편을 남겼다. 그는 31세인 1939년 췌장암이 악화해 경성제국대학병원에서 숨을 거뒀다. 현재 백신애기념사업회가 백신애문학상을 매년 시상하고 있다.

범어사

나라 없는 곳에 불법(佛法)도 없다

삼엄한 총검도 정의(正義)의 전진을 막지 못하였고 체포되어 가혹한 고문과 옥고에도 끝내 굴하지 않았으니 그 정기(正 氣) 길이 이 땅에 빛나리라.

부산 금정산 범어사 순환도로인 범어사로를 내려오다 보면 마주치는 3·1운동 유공비의 일부다. 1919년 3·1운동 당시 불교계는 민족대표 33인 가운데 만해, 용성 스님이 이름을 올렸고, 불교계 교육시설인 중앙학림과 지방학림에서 수학하던 학인스님들이 본말사(本末寺)의 전국 조직망을 활용해 독립선언서를 배포하며 운동이 전국적으로 확산될 수 있는 토대를 마련했다. 범어사, 봉선사, 해인사, 통도사, 표충사, 동화사, 도리사, 김용사, 대흥사, 송광사 등 전국 16곳의 사찰이 대규모 만세 시위에 참여했다.

천년고찰에 불어온 3·1운동

신라 문무왕 시절(678년) 의상대사가 창건한 범어사는 해동화엄십찰(海東華嚴十刹)로 꼽히는 영남 지역의 대표적인 사찰이다. 당시 범어사는 일제 사찰령에 따른 불교의 왜색화에 맞서 우리 전통 불교를 되찾자는 운동의 중심지였다. 주지를 지낸 오성월 스님(1865~1943)은 당대 선승(禪僧)으로 유명한 경허 스님을 모셔 오고, 선원과 강원도 열었다. 각지에 근대식 포교당을 설립하고 지방학림인 명정(明正)학교를 세워 교육 활동에도 힘썼다. 범어사의 3·1운동을 적극적으로 지원한 그는 이후 상하이 임시정부에 군자금을 제공해 임시정부 고문으로 추대되기도 했다.

1919년 2월 하순, 만해가 범어사에 왔다. 만해는 오성월, 이담해, 오이산 스님과 만나 거족적으로 봉기할 예정인 만세운동에 대한 의견을 나눴다. 만해를 만난 범어사 스님들은 중앙학림과 지방학림에 다니던 김법린, 김봉환, 김상기 등 7명을 불러 모았다. 그 자리에서 만해의 이야기를 전하고 만세운동에 동참하기로 의견을 모았다. 김법린 등 7명의 범어사 청년 승려들은 곧바로 경성으로 상경했다. 3·1운동 전날 만해에게 독립선언서를 나눠 받은 불교중앙학림 학생들이 인사동에 있는 범어사 포교당에서 모임을 갖고 역할을 나눈 것도 우연은 아니었다. 3·1운동이 성공적으로 진행된 후 김법린과 김상호는 만해의 지시에 따라 범어사로 내려왔다. 이들은 삼엄한 경계를 피하기 위해 농민과 노동자로 변복해 독립선언서를 봇짐 속에 감추고 내려왔다.

범어사에서 인근 유공비를 빼면 3·1운동의 흔적을 찾기는 어렵지만 당시 일화는 구전으로 전해진다. 지금의 범어사율학승가대학원이 들어서 있는 자리가 명정학교 옛터다. 범어사에서 50여 년간 지낸 석공 스님이 3·1운동에 참여한 일능, 준산 스님으로부터 직접 들었다는 얘기가 대표적이다.

주지를 지내며 3·1운동의 핵심 배후로
활동한 오성월 스님. (사진 제공: 김화선)

"범어사 말사인 내원암, 정련암에 일반인들이 잘 모르는 작은 밀실이 있었다. 거사에 참여한 스님들은 이곳에서 태극기를 만든 뒤 손수레에 실어 동래 온천시장까지 몰래 운반했다. 스님들은 3·1운동에 적극적으로 참여했고, 이후에는 독립운동 자금을 마련해 전달하고 연락책도 마다하지 않았다."

검거와 밀고에도 꺾이지 않은 만세운동

경성에서의 3·1운동 소식을 전해 들은 범어사 스님과 지방학림 학생들의 3·1운동 시위는 3차례에 걸쳐 진행됐다. 이들은 결사대를 조직해 독립선언서 5천 장을 등사한 후 3월 6일 오후 범어사에서 선언식을 거행했다. 7일에는 차상명과 김봉환의 주도로 30여 명이 동래시장 중앙에서 선언문을 배포하고 독립 만세를 제창한 뒤 경찰서로 돌진했지만 경찰에 의해 연행됐다.

다음 거사는 동래읍 장날인 3월 18일로 준비됐다. 스님과 청년들이 앞장서고 주민들이 동참하기에 장날이 적당했기 때문이다. 때마침 거사 전날인 17일 명정학교 졸업생들의 송별회가 열렸다. 회합 장소인 범어사에는 40여 명이 모였다. 나라 잃은 설움을 누구보다 깊이 인식하고 있던 젊은 스님과 학생들은 만세운동에 적극 동참하기로 의견을 모았다. 송별회를 마친 후 이들은 밤을 이용해 동래읍으로 향했다. 눈에 띄지 않게 길은 피하고 선리(仙里, 현재 금정중 인근) 뒷산과 동래 향교 뒷산을 넘어 읍내에 잠입했고, 18일 오전 1시경 범어사 동래포교당(부산 법륜사)에 도착했다. 장터에서 가까운 곳에 있었기에 거사를 준비하고 단행하기에 가장 적합했다. 시장기를 달래려고 시장에서 곶감을 사 와 먹고 있을 때였다. 일본 경찰과 헌병 20여 명이 들이닥쳤다. 밀고가 있었던 것이다. 일경은 김영규, 차상명, 김상기, 김한기 등을 검거해 동래경찰서로 연행하고 나머지 대중은 강제로 해산시켰다.

이때만 해도 일경은 범어사의 만세운동을 심각하게 생각하지 않았고, 주동자를 검거하고 해산시키면 더 이상 아무 일이 없을 것으로 예상한 듯하다. 하지만 포교당이 아닌 곳에서 또 다른 이들이 시위를 준비하고 있었다. 지방학림에 다니는 허영호 집이 장터에 있었는데, 그곳에서 1천여 장의 독립선언서와 함께 대형 태극기 1개, 소형 태극기 1천여 개를 준비한 상태였다. 강제 해산당한 그날 저녁 동래읍 서문 인근에서 "독립 만세" 소리가 울려 퍼졌다. 이근우, 김해관, 김재호, 박재삼, 신종기, 윤상은, 박영환 등 40여 명이 만세를 부르며 동래시장까지 이르렀다. 범어사 3·1 운동 유공비에는 당시 상황이 이렇게 기록돼 있다.

우리 고장 범어사에서도 젊은 학도들이 제세의 사명을 자각하고 구국의 비원(悲願)을 불전에 맹세하며 나라와 자유 없는 곳에 진정한 불법(佛法)도 있을 수 없다는 대승정신으로 3월 18일 동래시장 등에서 독립선언문을 산포(散布, 흩어져 퍼짐)하고 만세 소리를 높게 외치니 운집한 군중도 동조하였다.

이날 밤에 전개된 기습 시위는 일경이 미처 대처하지 못했다. 이 시위를 성공적으로 마친 후 자신감을 얻은 이들은 19일 더 큰 규모의 만세운동을 펼치기로 결의했다.

"한 번 죽음은 자유를 얻는 것만 같지 못하다"

19일 운명의 날이 밝았다. 미리 태극기와 독립선언서를 준비한 허영호는 윤상은, 이영우, 황학동 등을 통해 "한 번 죽음은 자유를 얻는 것만 같지 못하다(一死莫如得自由)"라는 내용을 담은 격문 수백 장을 동래시장 입구에서 뿌렸다. 오후 5시, 동래시장 남문에 집결한 범어사 지방학림과 명정학교 학생 수십 명은 "대한독립 만세"를 소리 높여 외치고, 태극기를 흔들었다. 1시간 뒤 또 다른 학생 수십 명이 시장에 모여 같은 시위를 전개했다.

깜짝 놀란 일경은 무자비한 방법으로 참가자들을 검거하기 시작했다. 3월 19일 동래시장 만세운동으로 연행된 인물은 100여

명에 이르며 이 중에서 34명이 재판에 넘겨졌다. 김영식과 박재
삼은 집행유예 6년, 다른 참가자들은 징역 6개월에서 2년 사이를
언도받고 부산과 대구감옥에서 옥고를 치렀다. 핵심 주동자의 한
사람인 김법린은 만세운동 뒤 검거망을 피해 중국 상하이로 탈출
해 해외에서 독립운동을 전개했다.

이 일을 빌미로 일제는 범어사 지방학림과 명정학교를 강제 해
산시켰다. 그 뒤 지방학림은 범어사승가대학(강원)으로, 명정학교
는 부산 금정중학교와 청룡초등학교로 명맥을 이었다.

지방학림과 명정학교 학생들이 어둠을 이용해 동래읍으로 향
했던 선리 뒷산 인근에 자리한 금정중학교에는 1970년에 세운
또 하나의 3·1운동 유공비가 있는데, 이 비는 그날의 역사를 이
렇게 전한다.

금정산 기슭 호국의 전통이 스며 있는 수월도량에서도 제세
의 사명을 통절히 자각하고 구국의 비원을 불전에 맹세하며
분연히 일어서니 이는 곧 나라와 자유 없는 곳에 진정한 불
법도 있을 수 없다는 대승정신의 발로라 할 것이요. …… 모
진 고문과 가혹한 옥고에 시달리면서도 끝내 굴하지 않음은
나라와 자유를 찾으려는 우리의 결심을 저들이 꺾지 못함이
라. 아아 그 뜻 장할시고 세월이 흘러 님들은 가고 또 가고
거룩한 위국 정신과 훌륭한 그 업적은 해방된 조국에서 자

3·1운동 100년 – 역사의 현장 2

유를 누리는 후생들의 가슴에 불멸의 빛이 되고 엄숙한 교
훈이 될 것인바……

불교사 연구자인 김화선 교사(금정중 교무부장)는 이와 관련해
"범어사에는 강원과 선원 등에서 150여 명이 공부하고 있었는데
이는 당시로서는 보기 드문 규모"라며 "3·1운동과 관련해 많은
이들이 혹독한 조사를 받았지만 대중의 신뢰와 존경이 대단했기
때문에 오성월이 핵심 배후라는 걸 아무도 발설하지 않았다"라
고 증언했다. 창씨개명을 이유로 오성월이 독립유공자로 선정되
지 못한 것은 아쉽다는 의견도 이어졌다. 김 교사는 "사찰령하의
일제에서 주지를 맡으려면 창씨개명은 불가피했다"라며 "공적과
당시 상황을 감안한 재평가가 필요하다"고 덧붙였다.

범어사 3·1운동
유공비 앞에서 재현된
만세운동. (사진 제공:
부산시불교연합회)

승려독립선언서

한토(韓土)의 수천 승려는 이천만 동포 급(及) 세계에 대하야
절대로 한토에 재(在)한 일본의 통치를 배척하고 대한민국
의 독립을 주장함을 자(玆)에 선언하노라.

1919년 11월 15일 대한민국 임시정부가 자리한 중국 상하이에
서 '대한승려연합회' 명의로 발표된 독립선언서의 일부다. 선언
서 대표자로 스님 12명의 법명(또는 속명)이 끝부분에 있다. 일반
인에게는 잘 알려져 있지 않지만 이른바 '승려독립선언서'다. 발
표 일자는 '대한민국 원년 11월 15일'로 돼 있다. 이 선언서는 200
자 원고지 9장 분량으로 국한문 혼용, 영문, 한문의 3가지로 정리
돼 있다. 특히 이 선언서에 서명한 12인에는 2명의 범어사 출신
스님이 있는 것으로 확인됐다.

발표 시점은 3·1운동이 들불처럼 번진 뒤 일제의 탄압이 본격
화된 시기였다. 선언서는 "대한의 국민으로서 대한국가의 자유와
독립을 완성하기 위하야 이천 년 영광스러운 역사를 가진 대한불
교를 일본화와 멸절에서 구하기 위하야 아(我) 칠천의 대한승니

(大韓僧尼)는 결속하고 기(起)하였노니……"라며 불교계의 결연한 항일 의지를 보여준다. 선언서는 대한민국 임시정부가 파리강화회의에 제출한 다른 탄원서들과 함께 프랑스 파리법과대 도서관에 보관돼 있었는데, 1969년 국사편찬위원회가 이 자료의 존재를 확인했다.

〈동아일보〉는 1970년 2월 28일자에 '3·1운동 대한승려연합회 선언서: 우리말 원본 발견'이라는 제목으로 선언서의 존재를 가장 먼저 세상에 알렸다. 선언서에 오른 12인의 이름은 오만광(嗚卍光), 이법인(李法印), 김취산(金鷲山), 강풍담(姜楓潭), 최경파(崔鯨波), 박법림(朴法林), 안호산(安湖山), 오동일(嗚東一), 지경산(池擎山), 정운몽(鄭雲夢), 배상우(裵相祐), 김동호(金東昊)다. 하지만 이들이 누구인지는 아직 미스터리로 남아 있다. 일제강점기 상황에서 탄압을 우려해 가명을 쓴 것으로 보인다. 다만 〈불교신문〉의 전신인 〈대한불교〉는 1970년 3월 8일자를 통해 "지금 살아계신 스님들의 증언을 통해 알 수 있는 것은 오만광(오성월, 범어사 주지), 이법인(이회광, 해인사 주지), 김취산(김구하, 통도사 주지), 지경산(김경산, 범어사 고승) 스님"이라고 보도했다.

일신여학교

우리나라를 돌려달라고 시위하는데 무엇이 나쁘냐

우리 일신여학교에서는 이러한 서울 소식을 알고 거사에 필
요한 모든 준비를 완료한 후 꽃 같은 젊은 여학생들이 거리
로 뛰쳐나와 손에 손에 태극기를 흔들며 대한 독립 만세를
하늘 높이 외치니…….

부산진 일신여학교의 후신인 동래여고(부산 금정구 소재) 교정에
있는 기념비에 적힌 비문이다. 여기서 '이러한 서울 소식'은 3·1
만세운동을 뜻한다. 서울 시내를 휩쓴 독립운동 열기는 전국으로
퍼져나갔다. 장거리 이동수단이 변변찮았던 100년 전, 부산까지

는 좀 더 시간이 걸렸다. 서울 파고다공원에서 "조선민족 자주독립 만세" 함성이 울려 퍼진 지 열흘 뒤인 3월 11일, 부산진에 위치한 일신여학교에서 만세 시위가 벌어졌다. 부산·경남 지역 최초였다. 이후 동쪽으로 동래, 구포, 밀양, 울산, 서쪽으로 김해, 창원, 함안, 함양, 합천 등으로 만세 시위가 확산된다.

밑거름이 된 '여성 교육의 힘'

100년 전 여성의 외부 활동이 자유롭지 않던 시절이었다. 이런 상황에서 일신여학교 학생들이 가장 먼저 태극기를 들고 거리로 뛰쳐나갈 수 있었던 원동력은 교육의 힘이었다.

부산 도시철도 1호선 좌천역 3번 출구를 나와 좁은 골목길을 따라 언덕을 오르면 붉은 벽돌의 2층 건물이 눈에 띈다. 1895년 호주장로교선교회 소속 여성 선교사들이 세운 일신여학교의 교사(校舍, 부산시 지정 기념물 제55호)로 오랫동안 사용됐던 곳이다.

일신여학교를 세운 호주 선교사들은 '여성 교육의 힘'을 믿었다. 이들은 1895년 좌천동에 위치한 초가삼간에 3년제 소학교를 설립하고 학생들을 모집했다. 부산·경남 지역 최초의 여성 교육기관이었다. 초대 교장이었던 이저벨라 멘지스(한국명 민지사, 1856~1935)는 학교 설립 취지에 대해 "나라의 수준을 올리기 위해서는 부인들과 어머니들이 반드시 교육을 받아야 한다"고 말했다.(《동래학원100년사》) 학생들은 이곳에서 성경과 영어, 조선어 등을 포함한 근대 교육을 받으며 개화 의식을 길렀고 남녀평등과 민주주의, 자주·자립정신도 익혔다.

일신여학교가 자리 잡은 부산진은 장로교파가 강했던 곳이다. 1909년 통감부 문서에 따르면 일제 헌병대는 "배일(排日) 고취자는 신교, 그중에서도 장로파에 많고 구교(천주교)는 배일의 언동이 적다"고 파악했다. 장로교파가 세운 일신여학교 외국인 교사들은 물론이고 이들과 접촉하는 조선인들도 일제의 사찰 대상이었다. 이 학교 외국인 교장과 선교사들은 연설 등을 통해 학생과 일반 조선인들에게 국력이 강한 미국이 일제를 막아줄 것이고, 교회와 그 부설학교가 보호막이 될 것이라는 생각을 갖게 만들었다.(오미일, 〈부산진 일신여학교의 3·11 독립만세 시위와 여성운동〉)

부산 동구 좌천동에 있는
부산진 일신여학교 기념관.

　　　　　　　　　　3·1운동 100년 – 역사의 현장 2

민족의식 고취에 앞장선 여교사들

《독립운동사》와 《동래학원100년사》 등에 따르면 만세 시위 거사일은 3월 11일로 정해졌다. 앞서 같은 달 2일과 3일 서울에서 학생 대표가 내려와 '경성학생단' 이름으로 부산상업학교, 동래고등보통학교 학생 대표에게 독립선언서를 전달하고 궐기를 종용했다. 연락을 받은 일신여학교도 두 학교와 함께 총궐기하기로 하고 준비에 들어갔다. 연락책은 당시 고등과 3학년이었던 이명시가 맡았다.

주경애 교사는 학생들을 시켜 부산상업학교 학생들과 연락하게 하고 "전국 각지에서 독립운동이 개시됐으니 우리 학교에서도 거행하자"고 동료 교사들을 설득했다. 이어 고등과 학생들에게 태극기를 만들 것을 부탁했다.

3·11만세 시위에 참가했다 체포돼 징역 5개월을 선고받은 김반수(2001년 사망)는 당시 상황을 생전에 이렇게 증언했다.

"10일 밤 10시경 독립운동의 벅찬 감격에 가슴 두근거리며 주경애 선생의 기숙사 방에 모였다. 경찰의 눈을 속이기 위해 전깃불을 끈 뒤 벽장 속에 들어가 이불로 창을 가리고 교대로 망을 보며 촛불을 밝혀 태극기를 만들었다. 태극기를 만든 옷감은 (내) 혼수용으로 부모님이 마련했던 옥양목 한

필이었으나 부족해 마을 포목점에서 구입해 마련했다. 태극의 동그라미는 사발을 뒤집어 그리고, 깃대는 학교 대나무밭에서 구해 100여 개(일본 측 기록은 50개)의 태극기를 준비했다."

당시 주경애와 박시연 교사는 학생들의 민족의식을 일깨웠고, 학생들은 그런 선생님들을 잘 따랐다. 1917년 졸업 후 모교인 일신여학교에 교사로 부임한 박시연은 재학 시절 친구들과 함께 교무실에 걸린 일왕의 사진을 손으로 긁어 눈물을 흘리는 것처럼 만들 정도로 반일정신이 강했다.

두 교사에 앞서 일신여학교에는 평양 숭의여학교를 졸업한 서매물이라는 교사가 재직했는데 그는 항일 비밀여성단체 '송죽회'의 부산 지역 조직 책임자였다. 송죽회는 1913년 평양 숭의여학교 교사와 학생들로 구성된 항일 단체였다. 오미일 교수는 "서매물은 송죽회가 결성되기 이전부터 일신여학교에서 근무하면서 학생들에게 민족의식을 불어넣었고, 일신여학교의 반일적 분위기와 민족교육이 만세 시위운동의 자양분이 됐다"고 평가했다.

일제의 방해로 단독 만세 시위만 진행

3월 11일 졸업시험을 치르고 집으로 돌아갔던 고등과 학생 11명은 저녁식사 뒤 주경애 교사 방에 모여 태극기를 나눠 가졌다. 이어 오후 9시경(오후 8시라는 기록도 있음) "대한 독립 만세" 함성과 함께 교문을 나서며 시위를 시작했다.

큰길에 집결한 학생들은 목청껏 만세를 불렀다. 시위 참가 학생 이명시와 박정수를 인터뷰한 책 최은희의 《조국을 찾기까지》에 따르면 마거릿 데이비스(한국명 대마가례, 1887~1963) 교장과 여교사 데이지 호킹도 나와 시위에 참가해 학생들의 사기를 북돋았다.

주민들이 호응하며 시위대 수는 100명 이상(《조국을 찾기까지》에는 300~400명으로 기록)으로 불어났다. 이후 학생들은 큰길에서 범일동 방면으로 방향을 바꿔 행진했다. 일제 군경은 총검을 앞세워 진압에 나섰다. 김반수는 "일제 군경의 총검에 길바닥이 삽시간에 피로 적셔졌다"고 당시를 기억했다.

당초 계획은 부산상업학교와 함께하는 것이었다. 하지만 이를 탐지한 경찰과 부산상업학교가 11일 돌연 시험을 중지하고 임시 휴교를 단행한 뒤 학생들을 귀가시켰다. 그 결과 총궐기는 무산되고 일신여학교 단독 만세 시위만 진행됐다.

체포된 뒤에도 당당했던 여학생들

만세 시위에 가담했던 교사들과 학생들은 거사 당일 밤과 이튿날 체포돼 부산진 주재소에서 고초를 겪었다. 이때 체포된 이는 30여 명으로 일반 주민과 다른 학교 여학생 1명도 포함됐다. 호주인 교장과 교사는 구금 이틀 만에 석방됐지만 한인 교사와 학생들은 형을 살아야 했다.

일경은 주모자를 자백하라며 고문을 서슴지 않았다. 뺨을 때리거나 구둣발로 차고, 옷을 벌거벗기기도 했다. 어린 여학생들에게 잊을 수 없는 치욕을 안긴 것이다. 하지만 학생들은 "주동 인물은 없으며 우리가 모두 주동 인물"이라고 맞섰다. 특히 고등과 4학년 김응수는 "세 살 먹은 아이도 제 밥을 빼앗으면 달라고 운다. 우리가 우리나라를 돌려달라고 시위하는데 무엇이 나쁘냐"고 따져 물어 신문하는 일경을 아연케 했다. 김응수는 1971년 일신여학교 시위 참가자 좌담에서 "당시 일경이 자신을 기절하도록 때렸다"는 사실도 공개했다.

신문이 끝난 뒤 시위대는 부산감옥 감방 3곳에 나뉘어 수감됐다. 주경애와 박시연 교사는 징역 1년 6개월을, 학생들은 징역 5개월을 각각 선고받았다. 이들은 옥중에서 모시실을 무릎에 비벼 뽑는 강제노동을 하다 무릎이 벗겨져 피가 나는 등 혹독한 수형 생활을 겪었다.

만세 시위 주역들은
옥고를 치른 뒤 함께
기념사진을 찍었다.
(사진 제공: 동래여고)

'부산 사나이'들, 릴레이 시위

일신여학교의 3·11만세 시위는 부산 사나이들의 민족의식을
자극했다. 특히 남자 학교들에서 "우리도 나서자"는 목소리가 커
졌다.

동래고등보통학교(동래고보)가 곧바로 뒤를 이어 3월 13일 동래
장날 오후 2시에 거사를 하기로 결정했다. 태극기 수백 장과 독
립선언서 500장을 준비했고 고종이 일제에 의해 독살됐음을 알
리는 '오왕약살(吾王藥殺)' 전단도 수백 장 인쇄했다. 약속한 시각
동래고보 4학년 엄진영이 동래군청 앞 망미루에 올라 태극기를
흔들면서 "대한 독립 만세"를 선창했다. 장터에 모인 학생들과
주민들도 따라서 만세를 불렀다. 독립선언서와 오왕약살 전단이

뿌려지자 일제 군경은 강경 진압에 나섰다. 기마경찰 20~30명과 일군 50명이 출동해 총을 쏘면서 학생들을 체포했다. 엄진영 등 학생 22명은 징역 1년 6개월에서 징역 4개월을 선고받았다.

유림

너희는 어찌하여 은혜를 망각하고 침탈하느냐

3·1운동은 경상남도에서 합천 방면이 가장 치열했던 곳이었다. …… 3월 23일 합천군 삼가에서 체포된 주모자를 탈취하기 위해 만 명이 넘는 군중이 시위에 돌입했고 면소에는 방화, 주재소와 우편소를 때려 부쉈는데 바로 이 시위 때문에 짝쇠가 붙잡혀간 것이다.

박경리의 대하소설《토지》3부 1권에 주요 인물 중 하나인 짝쇠가 경남 진주에서 8개월 동안 옥살이하고 풀려난 상황을 소개하는 장면이다.

실제로 합천의 3·1만세 시위는 당시 펼쳐진 만세운동 가운데서도 두드러졌다. 무엇보다 규모가 압도적이었다. 《독립운동사》와 〈경남 합천의 3·1운동〉 등에 따르면 3월 23일 삼가면 만세 시위 때 참가자는 1만 3천여 명에 달했다. 상하이 임시정부의 《한일관계사료집》과 재일 사학자 강덕상의 《현대사자료》에서는 그 수가 3만여 명에 이르는 것으로 기록하고 있다.

합천 만세 시위의 도화선, 삼가면 장터 시위

조용하던 합천은 3·1운동 당시 서울에 있던 정현상과 이원영이 독립선언서를 갖고 고향 땅을 밟으면서 들썩이기 시작했다. 이때가 3월 중순이었다. 상백면의 정현상은 큰형에게, 백산면의 이원영은 친구에게 각각 서울 소식을 알리고 독립선언서를 전달했다. 지역별로 하던 만세 시위 준비는 정연표가 나서면서 일원화됐다.

거사는 삼가면 장날(18일), 삼가면 장터에서 벌이기로 정해졌다. 작은 태극기는 각자 준비하기로 했다. 만석꾼들이 자금을 지원하고 서재를 내줬고 나무활자를 이용해 태극기를 대량으로 찍어냈다.

거사일이 되자 장꾼을 가장한 시위대가 장터로 몰려들었다. 오

경남 합천군 삼가면 삼가시장
인근에 위치한 삼가장터
만세 시위 기념탑.

후 5시경 그 수가 300~400명으로 불어났을 때 정연표가 나서
"대한 독립 만세"를 선창했고 만세 소리가 장터 곳곳에 울려 퍼
졌다. 시위대가 주재소까지 포위하자 일제 경찰은 겁에 질렸다.
합천경찰서 병력과 일본인 재향군인들까지 출동하고 오후 8시가
돼서야 시위는 끝이 났다.

주동자로 체포된 정연표는 취조하던 일경에게 "너희 나라는 우
리나라 문화를 배워 갔거늘 어찌하여 그 은혜를 망각하고 침탈하
느냐. 조국을 위하여 의거함이니 죽음인들 무엇이 두렵겠느냐"고
질책한 뒤 침묵으로 일관했다.

유림의 고장이 영남 만세운동의 중심지로

삼가면 장터 시위를 계기로 합천에는 반일 분위기가 고조됐다.

합천은 영남학파의 거두 남명 조식 선생의 영향을 강하게 받은 '유림의 고장' 같은 곳이다. 유림 지도층과 유지들이 만세 시위에 참여하면서 자연스럽게 강력한 조직 동원력을 갖춘다.

유림은 총 주도자로서 배후에서 지휘하고, 시위 준비 과정에서 지역을 분담해 주민을 동원하는 등 합천 지역 만세운동에서 큰 역할을 했다.(이정은, 《3·1운동의 지방시위에 관한 연구》) 또 당시 합천은 종족마을(117곳)이 전국 162개 군 가운데 17번째를 차지할 정도로 많았다. 대성(大姓) 종중이 움직이면 많은 사람이 따라 움직일 수 있는 상황이었다.

그 결과 장이 서는 곳마다 만세 시위가 펼쳐졌다. 19, 20, 22일에 대양면민들이 주도해 합천읍에서 시위를 벌였고 20일엔 대병면 창리, 21일엔 초계면 초계리에서도 시위가 전개됐다. 합천의 첫 만세운동인 삼가면 장터 시위 때 300~400명에 머물렀던 시위대 수는 3천~4천 명 수준으로 불어났다.

무력 진압에 공세적 시위로 맞서다

시위 양상도 공세적으로 바뀌었다. 태극기를 흔들고 만세를 외치는 수준에서 탈피해 구금된 동료의 석방을 요구하고, 이를 거부하면 주재소를 부쉈다.

20일 합천읍 시위는 죽음도 불사할 것을 맹세한 12명의 결사대가 주도했다. 일경이 합천경찰서로 몰려든 시위대를 향해 공포탄을 발사하자 결사대원 추용만은 태극기를 단 대나무 장대로 일본인 서장과 순사들의 머리를 때리고 경찰서 안으로 달려들다 총탄을 맞고 숨졌다. 이 시위에서 결사대원 김영기 등 4명이 사망하고 11명이 부상했다.

같은 날 대병면 창리에서도 마찬가지 상황이 펼쳐졌다. 장날(20일)을 맞아 오후 1시경쯤 4천여 명에 달하는 인파가 장터에 모였다. 선두에 섰던 이병추가 창리주재소 안으로 들어가려 하자 일경이 총을 겨눴다. 이에 이병추가 가슴을 풀어 헤치고 "자! 쏴봐라!"라고 외치자 순사 부장이 총을 격발했다. 총알이 이병추의 귓가를 관통하면서 피가 쏟아졌다. 분노한 시위대는 순사 부장과 일경을 때려눕힌 뒤 주재소 가구를 부수고 문서들을 불태웠다. 이튿날인 21일 초계리에선 300명의 별동대가 시위를 주도했다. 4천여 명의 시위대가 초계장터에서 만세를 부르는 동안 별동대는 우편소를 습격해 인입선을 끊고 통신장비를 부쉈다.

연합 통해 시위대 덩치를 키우다

합천 만세 시위는 상백, 백산, 가회, 삼백면 등의 유지들이 나서면서 연합 시위로 발전했다. 거사일은 23일로, 집결 장소는 삼가면 장터의 정금당 앞 광장으로 정해졌다.

거사 당일 이른 아침, 백산면 주민 3천여 명이 면사무소 앞에서 만세를 부른 뒤 면사무소를 불태웠다. 또 상백면 주민들과 합세해 삼가면으로 향하면서 전신주 2개를 쓰러뜨리고 전선을 절단했다. 가회면 주민들도 농악을 울리며 삼가면으로 향했다.

상황이 심상치 않자 일제는 군경을 삼가면 관공서 곳곳에 배치했지만 시위대는 아랑곳하지 않고 정금당 앞 광장으로 몰려들었다. 이렇게 모인 시위대는 1만 3천여 명을 헤아렸다.

시위대는 우선 일제에 대한 성토대회를 시작했다. 김전의, 정방철, 김달희가 차례로 일제의 침략상을 규탄하고 민족 독립 쟁취의 필요성을 역설했다. 연설이 끝날 때마다 북과 징소리가 울렸고 독립 만세의 함성이 지축을 흔들었다.

2018년 3월 3·1운동 재현 행사에서 참가자들이 태극기를 흔들며 행진하고 있다. (사진 제공: 합천군)

3·1운동 100년 – 역사의 현장 2

마지막 연사인 임종봉이 대형 태극기를 들고 높은 계단 위에 올라가 나라 없는 노예의 서러움을 호소했다. 이때 일제 군경이 강연장 주변을 포위했다. 연설이 절정에 달했을 때 일제 군경은 임종봉을 조준 사격했고 넓적다리에 총탄을 맞은 그는 계단 아래로 굴러떨어졌다. 분노한 시위대가 달려들자 일제 군경은 주재소로 달아났다. 이들을 쫓아 주재소와 우편소로 몰려드는 시위대를 향해 일제는 무차별 사격을 실시했고, 현장에서 13명이 숨지고 30여 명이 부상했다.(독립운동사편찬위원회,《독립운동사》)

해인사,
영남 만세 시위 중심에 서다

3·1만세운동의 거센 바람은 합천 해인사를 비켜 가지 않았다. 일제는 3·1운동이 일어나기 전부터 전국 3대 사찰 중 하나인 해인사를 주시했다. 이례적으로 경찰 주재소를 해인사에 설치하고 경비 전화도 가설했을 정도다. 대구와 해인사를 잇는 도로도 확장했다. 팔만대장경을 보호한다는 명분을 앞세웠지만 해인사 경내에 있는 보통학교와 지방학림 학생들의 움직임을 감시하려는 목적이 컸다. 당시 해인사 학생과 승려 300여 명은 친일 성향의 주지 이회광에게 반감을 품고 기회가 오면 언제든지 구국의 길에 앞장설 것을 다짐하고 있었다.(이용락,《삼일운동실록》)

3·1운동이 일어나자 서울서 유학 중인 학생 등을 통해 해인사에 독립선언서가 전달됐다. 학생 강재호와 송복만은 200여 리 떨어진 대구까지 걸어가 닥나무 껍질로 만든 종이 3만여 장을 사 왔고, 밀실에서 독립선언서 1만여 장을 등사했다.

그사이 학생 대표 30명은 팔만대장경각 뒷산에서 독립운동 계획을 논의했다. 우선 지역별로 나눠 활동하기로 하고 3명씩을 1

개 대(隊)로 묶어 3개 대를 조직했다.(독립운동사편찬위원회,《독립운동사》) 누가 어느 지역을 맡아 떠났는지를 총책 이외에는 알 수 없도록 극비에 부쳤다.

3개 대가 독립선언서를 갖고 각지로 나뉘어 떠나자 나머지 학생들도 연고지를 찾아가 만세 시위에 적극 가담했다. 이 과정에서 다수의 학생이 체포돼 옥고를 치렀다. 강재호, 송복만 등 10여 명은 훗날 만주로 건너가 신흥무관학교에서 훈련을 받고 독립군이 됐다. 일부는 불교 비밀결사 '만당'의 당원으로 활동했다.

나머지 학생은 사찰 밖으로 나와 만세를 불렀다. 해인사 입구의 일주문(홍하문)에선 3월 31일 만세 시위가 벌어졌다. 학생 200여 명은 오전 11시 홍하문 밖에서 1차로 독립 만세를 외쳤고, 그날 오후 11시 군중이 해인사 앞 도로에서 만세 시위를 벌이자 다시 합세해 시위를 이끌었다.

김광식 동국대 특임교수는 "3개 팀을 파견함으로써 경상도 일대 만세 시위의 중심에 서겠다는 대담성을 보인 점은 다른 사찰에선 나타나지 않는 특징"이라며 "팔만대장경으로 상징되는 호국불교 정신에 대한 자부심이 작용했을 것"이라고 분석했다.

유진무퇴(有進無退)

우리 동포는 나아감이 있으나 물러섬은 없다

경상남도 창원과 마산 지역은 독립에 대한 열망이 전국 여느 곳 못지않게 뜨거운 곳이었다. 여기에는 두 가지 요인이 자리 잡고 있었다. 우선 당시 마산은 쌀의 대일 수출항이자 대륙 침략 준비를 위한 군수품 수입항이었다. 일제의 수탈 현장을 경험하면서 민족적 반감이 뿌리 깊게 자리 잡을 수밖에 없었다. 여기에 기독교계와 민족주의자들이 3·1운동을 주도한 인사들과 긴밀하게 연락을 주고받은 점도 영향을 미쳤다.

창원·마산 지역의 잇단 시위에 일제 군경은 폭압적 진압을 시도했지만 독립의 열기를 꺾지 못했다. 오히려 시위 지역이 확대돼 농촌으로 이어졌고 규모도 커졌다. 그 정점에 4월 3일 창원군 진전·진북·진동면 3개 면 주민들이 일제히 들고일어난 '삼진의 거'가 있다. '진'으로 시작하는 3개 면에서 일어난 삼진의거는 수원 제암리 사건, 평안도 선천읍 의거, 황해도 수안 의거 등과 함께 기미년의 대표적인 의거 중 하나로 평가받는다.

군함까지 출동한 구마산 시위

3월 3일 만세운동을 주도했던 김용환과 이형재, 명도석 등 지도부는 일주일 뒤인 10일, 추가 시위를 논의하기 위해 비밀 회합을 갖다가 전원 체포되고 만다. 이때 김용환이 모든 책임은 자신에게 있다고 주장했고, 나머지는 하루 뒤 훈방된다. 김용환은 1년형을 선고받고 대구감옥에서 복역하다 옥사한다.

풀려난 이형재 등은 창신학교와 의신여학교 교사들과 만나 3월 21일 구마산 장날을 거사일로 정하고 준비에 착수했다. 교사와 학생들은 학교 등사판을 이용해 독립선언문 수천 장을 찍어냈다.

21일 날이 밝자 여성 보부상으로 변장한 김익렬이 태극기와 독립선언서를 장터 인근 이발관에 몰래 숨겨두었다. 정오 마산발 삼랑진행 열차가 출발 기적을 울리자 이를 신호로 만세 시위가 시작됐다. 당황한 일제 군경은 진해에 머물고 있던 전함 조무호

(朝霧號)를 급히 마산항으로 오게 해 전투태세를 갖추게 했다.

이후에도 21일 시위로 투옥된 사람들의 석방을 요구하는 시위가 26일과 31일 잇따라 열렸다. 특히 31일 시위 땐 3천여 명이 마산감옥을 겹겹이 에워싸고 만세를 외쳤다. 이때 한국인 간수 박광연이 제복을 벗어던지고 시위대에 합류했다. 이로 인해 그는 파직과 함께 자신이 일하던 마산감옥에 갇혀 4개월간 옥고를 치렀다.

고현장터의 1차 삼진의거

시위 소식이 농촌 지역에 전달되자 즉각적인 반응이 이어졌다. 대표적인 곳이 창원의 진전·진북·진동면 일대다. 이들 지역의 독립운동가들은 연합 시위를 벌이기로 하고 진동면 고현장터의 장날인 3월 28일을 1차 거사일로 정했다. 진전면 출신 변상태를 비롯해 권영조, 권영대, 권태용, 변상헌, 백승학 등이 주동이 됐다. 바닷가에 위치한 고현장터는 고성과 거제에서까지 장꾼들이 모여드는 큰 시장이었다.

변상태 등은 일제의 감시를 피하기 위해 진전면에 있는 사당 성구사에서 태극기를 만들었다. 성구사는 나중에 삼진의거 발상지로 평가받아 '경상남도 기념물 제245호'로 지정됐다. 판각에

능한 권태선은 '왈아동포 유진무퇴(曰我同胞 有進無退, 우리 동포는 나아감이 있으나 물러섬은 없다)'라는 문구를 목판에 새긴 뒤 격문 1천여 장을 찍어냈다.

거사일인 28일 오후 1시경 백승학이 시장 중앙의 연단에 올라 독립선언서를 큰 소리로 읽었다. 이어 권영대가 단상에 올라 독립 만세를 선창하니 군중의 만세 소리가 장터에 울려 퍼졌다. 600여 명의 시위대는 시장을 몇 바퀴 돈 뒤 진동으로 향했다. 이날 시위로 11명이 체포되었다.

양촌리 냇가에 집결한 시위대

고현장터 시위 때 잡히지 않은 변상태 등 지도부는 더 큰 추가 시위를 벌이기로 하고 음력 삼월 삼짇날인 4월 3일을 거사일로 정했다. 이들이 참여를 부탁하자 진전면 봉암리 이장 구수서는 "말할 것 뭐 있겠소. 집 볼 사람만 남겨두고 봉암리가 몽땅 나갈 것이오. 내가 앞장서서"라고 답했다.(삼진독립운동사편찬위원회,《삼진독립운동사》)

3일 날이 밝자 이른 아침부터 집결 장소인 진전면 양촌리 냇가에 사람들이 모여들기 시작해 오전 9시경에는 그 수가 2천 명을 넘어섰다. 시위대는 진북·진동면 시위대와 만나기로 한 진동을 향해 행진했다. 진동은 일본인 집단 거주지이자 헌병 주재소가 있는 곳으로 양촌리에서 10킬로미터가량 떨어져 있었다.

시위대가 지나가는 마을마다 주민들이 합류하면서 진동에서 2킬로미터 떨어진 진북면 지산교에 도착했을 때 그 수가 7천여 명으로 불어났다. 일군(日軍)은 마산에 주둔 중인 중포병대대에 병력 지원을 요청하고, 헌병과 헌병 보조원, 일본인 재향군인 등 30여 명을 소집해 진동으로 들어오는 길목인 사동교에 배치했다.

그사이 백승학이 이끈 진북면 시위대는 3, 4명씩 짝을 지어 삼월 삼짇날 나들이를 가장해 진동에 진입했다. 백승학은 정오 무렵 진동성터 뒤쪽에 집결한 진북면과 진동면 시위대 앞에서 독립선언서를 낭독한 뒤 만세를 외쳤다. 이후 시위대 2천여 명이 헌병 주재소가 있는 진동을 휘젓고 다녔지만 일제 군경이 모두 사동교

일제의 탄압과 무단 통치를 상징하는 구(舊) 마산 헌병 분견대 건물.

3·1운동 100년 – 역사의 현장 2

로 출동한 상태여서 아무런 제지를 받지 않았다.

피로 얼룩진 사동교

《마산시사》와《삼진독립운동사》등에 따르면 만세를 부르며 행진하던 진전·진북면 시위대 7천여 명은 사동교에서 일제 군경과 맞닥뜨렸다. 선두에 서서 큰 태극기를 흔들던 7척 거구의 장사 김수동이 가장 먼저 다리를 건넜다. 총칼로 무장한 일군이 가로막자 그는 "너희가 우리나라를 빼앗고 우리 국민의 정혈(精血)을 흡취(吸取)하니 불공대천지수(不共戴天之讐)다"라고 호통치면서 한 손으로 일군의 목덜미를 잡아 다리 아래로 내던졌다. 다리 아래로 떨어진 일군은 몸을 일으켜 김수동에게 총을 발사했다. 가슴에 총을 맞은 김수동은 현장에서 숨을 거뒀다.

뒤따르던 변갑섭이 김수동이 쥐고 있던 태극기를 집어 앞으로 나가자 일제 군경은 태극기를 쥐고 있던 그의 오른쪽 어깨를 칼로 내리쳤다. 팔과 함께 태극기가 땅에 떨어지자 변갑섭은 다시 왼손으로 태극기를 집어 들고 앞으로 달려갔다. 일군은 왼팔마저 칼로 내리쳤고 두 팔을 모두 잃은 변갑섭은 분수처럼 피를 뿌리며 절명했다. 분노한 군중이 투석전을 펼쳤고, 일제 군경은 무차별 총격으로 맞섰다. 이 과정에서 8명이 숨지고 22명이 부상했다.

권오윤 창원시 애국지사추모사업회 본부장은 "해산 직후 마산 중포병대대 지원 병력이 도착했는데 조금만 빨랐어도 사상자가 크게 늘어날 뻔했다"며 "몰래 치료받은 사람들이 적지 않아 부상자 수도 알려진 것보다 훨씬 많았다"고 전했다.

현장에서 숨진 김수동, 변갑섭, 변상복, 김영환, 고묘주, 이기봉, 김호현, 홍두익 등 8의사를 기리는 창의탑은 1963년 옛 사동교 근처에 세워졌고, 삼진의거가 시작된 양촌리 산자락에는 8의사 묘역이 조성돼 있다.

'대동청년단', 경남 서부 지역 시위 주동 등 활약

일제를 놀라게 한 4·3삼진의거 주도자는 진전면 양촌리 출신의 독립운동가 석당 변상태(1889~1963)다. 그는 16세 때인 1905년 을사늑약 체결 소식을 듣고 친구들과 엽총 5정을 구해 의병 항쟁을 결심할 정도로 애국심이 투철했다. 부산상업학교 3학년에 재학하다 한일 강제 병합 소식을 접한 1910년엔 학생 6명과 함께 부산 불락산에 올라 조국 광복에 동참하기로 피로 맹세하기도 했다. 1915년 부산에서 일본인이 자신의 과수원에서 오이를 훔친 우리나라 아동을 붙잡아 온몸에 콜타르를 칠한 사건이 일어나자 노무자 200여 명과 함께 일본인의 집을 때려 부수기도 했다.

《마산시사》 등에 따르면 1919년 3·1운동 당시 변상태는 비밀 결사단체 '대동청년단'의 단원이었다. 그는 경남 서부 지역에서 시위를 일으키라는 지령을 받고 귀향한 뒤 함안, 창원, 고성 등지에서 활약하던 독립운동가들과 연락하며 시위 계획을 짰다.

변상태는 삼진의거 때는 일제 군경에 잡히지 않았다. 시위대가 진동으로 향한 뒤 추가 거사를 위해 진양군 문산으로 떠났기 때문이었다. 그는 이후 전남 송정리에서 의열단원 이종암(1922년 3월 중국 상하이에서 일본 육군 대장 암살 기도)을 만나 3천 원을 건네는 등 독립운동을 활발하게 벌이다 1922년 7월 체포돼 3년간 옥고를 치렀다.

일본군이 시위대를
총칼로 무력 진압하는 장면을
인형들로 재현한 것으로
진전면 애국지사사당 안에 있다.

보모와 기생

살고자 하면 죽고 죽고자 하면 산다

경남 통영시 한복판 여항산의 남쪽 기슭에 위치한 통영 삼도수군
통제영에서 바라보면 다도해가 한눈에 들어온다. 통영중앙시장
앞 강구안 항구도 보인다. 충무공 이순신(1대)을 비롯한 삼도수군
통제사(경상·전라·충청 3도의 수군을 총지휘하는 무관)들이 이끈 삼도
수군통제영은 임진왜란 이후 해상 방어의 총사령부 역할을 했다.
왜적의 항복을 받은 기념으로 지었다는 수항루(受降樓)도 통영에
있다.

충무공 정신과 역사적 경험을 이어받은 통영 지역 주민들은
3·1운동 당시에도 격렬한 저항운동을 벌였다. 항만 정비를 명분

으로 일본인 집단 거주지를 확대하고 경제적 침탈을 꾀하는 일제
에 대한 반발심도 영향을 미쳤다.

유치원 보모들이 먼저 외친 만세

3·1운동 며칠 뒤 통영경찰서에 첩보가 입수됐다. 경성의 고등
보통학교 학생 여러 명이 통영읍에 잠입했다는 내용이었다. 일본
인 서장은 부하들을 닦달하며 경계를 강화했다. 첩보는 사실이었
다.《경남지역 3·1독립운동사》와《통영군사》등에 따르면 배재
고등보통학교 출신인 진평헌은 3·1운동에 참여한 뒤 요양을 핑
계로 고향에 내려와 지인들에게 만세 시위를 제안했다. 진평헌과
통영면 서기 이학이 등 19명은 3월 8일 송정택의 사랑방에 모여

1603년에 세워진
세병관(국보 제305호)은
통영 삼도수군통제영을
상징하는 건물이다.

거사일을 3월 13일 장날로 정했다.

독립선언서를 구하지 못한 진평헌은 '동포에게 격하노라'라는 제목의 격문을 직접 작성했고, 면사무소 2곳에서 등사판을 조달했다. 하지만 꼬리가 밟혔다. 한 청년이 선언서를 등사하기 위해 나카무라 상점에서 미농지 2천여 장을 구입한 사실이 일제의 감시망에 걸려든 것이다. 10일 오전 1시경 통영면사무소에 등사판을 갖다 놓으려던 이학이 등 3명이 잠복 중이던 경찰에 체포됐고, 나머지는 오전 3시경 산양면사무소에서 만든 인쇄물을 갖고 통영읍으로 돌아오다 잡혔다.

당시 진평헌과 이학이는 부산에서 부임해 온 문복숙과 김순이 등 유치원 보모들과도 연락하며 거사를 함께 하자고 약속한 상태였다. 보모들은 진평헌 등의 검거 소식을 듣고 단독으로 시위에 나서기로 했다. 마침내 거사일이 되자 이들은 부도정시장에 몰려나와 태극기를 휘두르며 독립 만세를 선창했고, 군중들이 따라 만세를 외쳤다.

통영 최초의 만세 시위를 주도한 문복숙과 김순이는 현장에서 체포돼 징역 6개월을 선고받았다. 부산감옥에 갇힌 문복숙은 형리가 옥중 소감을 묻자 이렇게 답했다.

"너희가 태산을 떠다 옮길 수 있을지언정 태산같이 움직이지 않는 우리의 마음을 떠 옮기지 못할 것이며, 또 너희가 강

218

철은 굽힐 수 있으나 강철같이 굳센 우리의 마음을 굽힐 수
없다."(독립운동사편찬위원회, 《독립운동사》)

문복숙과 같이 부산감옥에 수감됐던 김순이는 그해 9월 가출옥
했으나 고문 후유증으로 숨졌다.

통영 청년들의 항거

최초의 시위 계획이 사실상 실패하자 주동자들은 다음 거사 준
비에 들어갔다. 그사이에 다른 통영 청년들이 개별적인 만세운동
에 나섰다. 3월 18일 부도정시장 장날에 이성철·이봉철 형제가
'대한 독립 만세'라고 적은 깃발을 들고 독립선언서를 배포하다
체포됐다. 같은 날 한문학당 관란재의 17세 학생 박상건 등 학생
20여 명은 오후 9시경 큰 소리로 만세를 외치며 부도정시장 주위
에서 시위하다 붙잡혔다.

시위 대신 경고문과 격문을 배포하는 이들도 나왔다. 3월 22일
아침 통영 시내에 "대한국 독립 만세! 25일 북장대에 집합 바람.
대한국 독립의 시기다. 왜놈의 세력에 놀라지 말자"라는 격문이
뿌려졌다. 일경은 통영이 발칵 뒤집힐 정도로 대대적인 범인 색출
작업을 벌였고, 통영면사무소 호적계 서기 김상진이 체포됐다.

권오진은 더 대담했다. '조선국민독립단' 이름으로 작성한 격문 100여 장을 3월 28일 장날에 배포했다. 이어 일본의 내각총리대신과 조선총독 앞으로 "4월 말까지 독립승락서를 구 대한정부에 제출하라. 그러지 않을 경우에는 너희들 인종 전부를 몰살한다"라는 협박문을 보냈다. 그는 이로 인해 일경에 체포된 뒤 징역 2년을 선고받았다.

기생시위단의 활약이 돋보인 4·2만세 시위

이후에도 통영의 독립에 대한 열기는 고조됐다. 통영의 지도부는 추가로 벌일 시위를 대대적으로 펼치기로 하고 준비를 위해 3월 26일 한자리에 모였다. 미국 하와이에서 독립운동을 하다 귀국한 고채주와 강윤조, 김영중, 박상건, 김두옥 등이 모습을 드러냈다.

이들은 4월 2일 부도정시장 장날을 거사일로 정했다. 통영읍뿐만 아니라 인근 지역에 널리 연락해 많은 사람들이 참여하도록 했고, 결의문 1천여 장을 인쇄해 비밀리에 배포했다.

드디어 거사일이 밝자 부도정시장에 인파가 모여들었고, 오후 3시경에는 그 수가 5천여 명에 달했다. 주동자들은 시장 한복판으로 파고들며 "대한 독립 만세"를 외쳤다. 시장 사람들이 같이 호응해 땅이 흔들릴 정도로 만세 소리가 거셌다. 상인들도 장사를 접고 시위에 합류했다. 시위대가 부도정시장 바로 옆에 있던 통영경찰서로 방향을 틀자 당황한 일제 군경은 소방차 물펌프로 물을 뿌리며 시위대를 공격했다.

이때 소복 차림에 수건으로 허리를 둘러맨 기생시위단이 부도정시장에 도착했다. 통영예기조합 소속인 기생 33명은 손에 태극기를 들고 시위에 가세했다. 예기치 못한 이들의 등장에 군중은 더욱 열광적으로 만세를 불렀다.

기생시위단을 이끈 이는 정막래와 이소선이었다. 시위 계획을 들은 두 사람은 2일 오전 10시경 시위단을 조직했다. 1919년 4월에 작성된 일제의 판결문에 따르면 정막래와 이소선은 맨 앞에서 시위를 이끌었다. 판사는 일제 순사 3명의 보고서를 인용해 두 사람이 경찰의 제지에도 선두에 서서 만세를 외치며 시위를 벌였다고 지적했다. 또 군중이 남녀 단체(남성 주동자들과 기생시위단을 지칭)에 뇌동해 남자는 모자를, 여자는 치마를 치켜들고 열광적으로 만세를 절규해 소요를 극에 달하게 했다고 주장했다.

기생들은 체포돼 온갖 수모와 고문을 당했으나 위축되지 않았다.《독립운동사》등에 따르면 이소선은 법정에서 일제 판사에게 이렇게 따져 물었다고 한다.

"나는 여성으로서 본부(本夫)와 간부(姦夫)가 있는데 어느 남

1920년대 통영예기조합
단체사진. 당시 기생들의
옷차림을 살펴볼 수 있다.
(사진 제공: 통영문화원)

편을 받들어 섬겨야 여자의 도리에 합당하겠습니까?"

"물론 본부를 섬기는 것이 당연하지."

"그러니 우리가 독립운동을 하는 것은 여자가 본부를 찾아
섬기려 함과 같은 이치이니, 무엇이 죄가 된다는 말이오."

정막래와 이소선은 징역 6개월을 선고받고 마산감옥에서 옥고
를 치렀다. 출옥 이후 행적은 알려지지 않았고 얼굴 사진도 남아
있지 않다. 정부는 2008년 정막래와 이소선에게 대통령 표창을
추서했다.

하와이에서 귀국해 만세운동 주도

4·2만세운동을 주도한 고채주(1861~1920)는 1919년 당시 58세의 나이에 시위대의 맨 앞에서 소방호스 물을 맞아가며 독립 만세를 이끌었다. 통영향교 장의(掌議)였던 그는 시위 주동자로 체포돼 징역 1년을 선고받은 뒤 감옥에 있다 병보석으로 풀려났지만 고문의 여독으로 자택에서 숨졌다. 통영에선 그를 기미년 만세운동 3열사 중 한 사람으로 추모하고 있다. 나머지는 이학이와 허장완이다. 원문공원에 있는 3·1운동 기념비 옆에 그의 묘비가 있다.

《통영군사》와 후손들의 증언에 따르면 고채주는 40세였던 1901년 이민선을 타고 하와이로 건너갔다. 적지 않은 나이에 도미(渡美)한 이유는 열강들의 각축장이 된 조국의 현실을 걱정하면서 힘을 기르기 위해서였다.

고채주는 하와이의 막가월리 농장에서 육체노동을 하며 한인교포들을 규합했다. 그는 교포들의 단결과 민족의식 고취를 위해 1906년 송건, 홍정표, 이묵원 등과 함께 '자강회'를 조직하고 월보를 발행하기도 했다. 또 하와이에서 20여 개의 교포단체가 난립하는 것을 보고 이듬해 호놀룰루에서 '한인합성협회'로 통합하는 데 앞장섰다. 1909년에는 하와이의 합성협회와 샌프란시스코의 공립협회 등 미주 지역 한인단체들을 하나로 통합한 '국민회'의 산파역을 맡았고, 같은 해 귀국했다.

고채주의 후손인 고석윤 통영 3·1동지회 회장은 그가 귀국한 이유에 대해 "특별한 밀명(密命)이 있었기 때문"이라고 밝혔다. 실제로 그는 통영향교 장의로서 학생들에게 민족의식을 불어넣는 동시에 미주의 국민회와 상하이 임시정부 사이의 연락책과 군자금 조달책으로서 활동했다.

의사(義士)

너는 대한의 백성이 아니냐

1919년 3월 1일 기미 만세운동이 서울을 중심으로 폭발하였으니 이것은 한일합병에 항거하는 통분한 함성이요, 자유독립을 되찾으려는 비상한 절규였다. …… 이 고장에서는 그 무서운 일제의 폭압을 박차고 만세운동이 일어났으므로 거룩한 선열들을 추모하여 3·1정신을 수호하기 위하여 이 기념비를 세운다.

1919년 3월 9일 경남 함안군 칠북면 칠북초등학교 이령분교 자리인 연개장터에서 경남 최초의 만세 시위가 펼쳐진 것을 기념

한다는 뜻이다. 함안은 오래전부터 사통팔달의 교통 중심지였다. 특히 낙동강을 통해 경남 내륙지방의 농산물과 부산, 마산 등의 해산물이 교역됐던 연개장터는 손쉽게 사람들을 끌어모을 수 있었다. 면 소재지와 멀리 떨어져 있어 비밀 유지에도 유리했다.

일제 경찰서장과 친일 군수를 혼내주다

《함안군지》와《경남지역 3·1독립운동사》 등에 따르면 연개장터 시위 발생 열흘 뒤인 3월 19일은 함안 장날로 이른 아침부터 군중이 몰려들었다. 이날 예정됐던 만세 시위에 앞서 비봉산에서는 오후 1시경 고천제가 열렸다. 이후 시위 주동자인 이희석이 산에서 내려와 태평루에 집결한 군중 앞에서 독립선언문을 낭독했다. 대형 태극기가 바람에 나부끼는 가운데 독립선언문을 알기 쉽게 한 장으로 정리한 전단과 태극기가 배포됐다.

오후 2시경부터는 3천여 명이 시가행진을 시작했다. 첫 번째로 향한 곳은 경찰 주재소였다. 때마침 함안의 수상한 움직임을 보고받고 직접 시찰 나온 기타무라 마산경찰서장이 주재소에 머물고 있었다. 시위대는 태극기를 갖고 있었다는 이유로 체포된 안지호의 석방을 요구했다. 경찰이 강경 진압에 나서자 시위대는 투석전으로 맞섰다. 충돌은 점점 격화됐다. 분노한 시위대는 몽둥이와 도끼를 들고 6차례에 걸쳐 주재소를 습격했다.

세 번째 시도로 안지호를 구출한 시위대는 서장과 오하야시 순사부장을 끌고 나와 '오늘 3천여 명의 함안군민이 독립 만세를 불렀다'는 내용의 사실증명서를 발급할 것을 요구했다. 프랑스 파리에서 열리는 만국평화회의에 제출해 조선의 강력한 독립 의지를 보여주기 위해서였다.

민인호 군수는 군청으로 몰려드는 시위대에게 "해산하라"고 외치다 달아났다. 시위대는 순사부장의 집 목욕탕에 숨어 있던 군수를 붙잡아 선두에 세우고 만세를 부를 것을 요구했다. 그가 "제복과 제모를 착용하고 있어 만세를 부를 수 없다"고 거부하자 시위대는 "너는 대한의 백성이 아니냐"며 모자와 칼을 빼앗아 제복을 찢기도 했다. 마침내 민 군수도 만세를 부르며 행진에 참가했다.

이날 시위에 대해 일제는 "본도에 있어서의 악성 소요로서, 그 정도 또한 전반을 통하여 가장 심했다"고 본국에 보고했다. 오후 5시 40분경 뒤늦게 출동한 진해 경중포병대대 병력과 마산경찰서 경찰은 시위 가담자 80여 명을 체포했다.

군북장터로 번진 독립 열기

경찰서장과 군수가 시위대에게 붙잡혀 맞고, 만세도 불렀다는 소식은 빠르게 퍼져나갔다. 함안 장날 하루 뒤인 3월 20일 군북 장터 시위에 예상을 뛰어넘는 5천여 명이 집결한 것도 이 일로 사기가 높아진 덕분이었다.(《경남지역 3·1독립운동사》)

함안 시위에는 군북면 출신이 다수 참가했다. 조상규, 조용규, 이재형, 조정래, 조성규, 조경식, 조형규 등이 그들이다. 이들은 백이산 서산서당과 여항산 원효암에서 군북장터 시위를 준비해 왔다. 서산서당 팀은 알기 쉽게 개작한 독립선언서와 태극기를 등사하는 작업을 했다. 원효암 팀은 태극기에 붉은 물감을 칠하고 대나무를 잘라 깃대를 만들어 붙였다. 일제가 눈치채지 못하게 서당에는 한문 공부를 하러 간다고 둘러댔고, 깊은 산속에 있

군북 시위 주도자들은
서산서당에 모여
독립선언문과 태극기를
몰래 만들었다.

는 원효암에서는 나무꾼으로 가장했다. 또 군북면 서기였던 이재형이 경찰과 밀정의 동태를 정탐해 시위 지도부에 매일 보고했다. 거사 이틀 전 모든 준비를 마친 이들은 3월 19일 함안 장날에서 펼쳐진 시위를 주도하기도 했다.

거사일인 20일 날이 밝았다. 서장과 군수가 크게 망신당한 함안 시위로 일제의 감시가 강화되자 계획 일부가 변경됐다. 당초 낮 12시 군북장터에 집결하기로 했다가 시위 참가자 수가 크게 늘어나자 넓은 공간이 필요해졌기 때문이다. 군북 냇가가 다음 후보지로 정해졌다. 오후 1시경 군북 냇가에 모인 수는 3천 명을 넘어섰다. 1시 정각에 조상규가 둑 위에 올라 독립선언서를 읽어 내려갔고, 만세 소리가 천둥처럼 울려 퍼졌다. 마을을 거치면서 보리밭을 매던 농부들과 냇가에서 빨래하던 부녀자들까지 합류하면서 시위대는 5천여 명으로 불어났다.

단일 시위로 삼남에서 가장 많은 희생자

우체국과 면사무소를 공격한 시위대는 주재소를 포위하고 만세를 불렀다. 전날 함안 시위 때 체포된 사람들의 석방도 요구했다. 대규모 시위가 발생했다는 연락을 받고 출동한 경중포병대대 병력 16명이 도착하면서 긴장감이 감돌았다. 일제 군경과 시위대

사이에 몸싸움도 벌어졌다.(도진순,《군북 3·1 독립운동사》)

일제 군경은 소방차로 검은 물감을 탄 물을 뿌리면서 진압에 나섰다. 시위대가 돌을 던지며 맞서자 공포탄 20여 발이 발사되기도 했다. 이때 대형 태극기를 흔들던 조용규가 "헛총이다. 물러서지 말라"고 고함쳤다. 다시 투석이 시작됐고, 일제 군경은 주재소를 향해 돌진하는 시위대를 향해 사격하기 시작했다. 시위를 독려하던 조용규가 대형 태극기를 손에 쥔 재 그 자리에서 숨졌고, 주재소 주변은 피바다로 변했다.

이날 일제 군경의 발포로 시위대 21명이 현장에서 순국했다. 일제에 따르면 전국적으로 만세 시위가 벌어진 1919년 삼남(충청·전라·경상도) 지역에서 이날 희생자 규모가 가장 컸다. 일제의 피해도 있었다. 군경이 12명 부상했고, 일본 민간인 1명도 현장에서 숨졌다. 박기학 군북3·1독립운동기념사업회 회장은 "숨진 일본인은 군북 시가지에서 잡화상을 하면서 경찰의 밀정 노릇을 하던 사람"이라고 말했다.

함안 시위에서 나타난 강한 결집력은 지역 특성과 관련이 있다. 1919년 당시 함안군에는 17개 서원과 향교가 있을 정도로 유교적 전통이 강했다. 3·19함안 시위와 3·20군북 시위도 모두 유림들이 주도했다. 함안은 또 경남에서 종족마을이 가장 발달한 곳이었다. 일본인 거주자도 적어 전통적인 향촌의 공동체적 유대가 지속될 수 있었다.(이정은,《3·1운동의 지방시위에 관한 연구》)

마산감옥은 함안 사람들의 집합소

1919년 당시 '마산감옥은 함안 사람들의 재실(齋室)'이라는 말이 나돌았다. 재실은 제사를 지내기 위해 문중 사람들이 모이는 곳이라는 뜻으로, 그만큼 함안 사람들이 마산감옥에 많이 있었다는 의미다.

함안 지역의 저항을 이끈 지도자는 우봉 안지호(1857~1921)였다. 서당에서 학생들을 가르치던 안지호는 3·1운동이 일어나기 전부터 일제의 감시 대상이었다. 1917년에는 일본이 도적의 마음으로 백성을 포악하게 다스린다고 규탄하는 글을 함안 주재소 창유리를 깨고 그 안에 넣어 구속되기도 했다. 파리평화회의가 열린 1919년에는 조선도 독립이 돼야 한다는 독립청원서를 데라우치 마사타케 조선총독에게 2차례나 보내 징역 3개월, 집행유예 2년 형을 받기도 했다.

그는 일제 경찰서장과 군수를 망신 준 3·19함안 시위 때도 맹활약했다. 일제 판결문에 따르면 안지호는 시위 당일 함안군청에 혼자 걸어 들어가 만세를 외치고 독립가를 부르다 체포됐다. 유치장 안에서도 "이 도적놈들아"를 외치고 독립 만세를 수백 번 불렀다. 시위대가 주재소에서 감금된 그를 구출한 뒤에도 안지호는 큰 태극기를 들고 시위대 선두에 서서 군중을 지휘했다. 일제 지원 병력이 도착했을 때 주변에서 피신을 권했지만 "도망하는 것은 의사(義士)의 도(道)가 아니다"라며 거부했다.

안지호는 재판정에서도, 감옥에서도 당당했다. 《함안 항일독립운동사》 등에 따르면 1심에서 징역 3년 형이 선고되자 그는 "함안군의 모든 의거는 내가 한 것이니 나 혼자만 처단하라"고 외쳤다. 대구복심법원에서 징역 7년이 선고됐을 땐 "왜 종신형을 주지 않느냐. 3년보다는 7년이 나으리라"라고 말했다.

마산감옥에선 병세가 위중해지자 간수가 보석 조건으로 자백서를 요구하자 "내가 무슨 잘못이 있어 자백서를 쓰라고 하느냐"며 꾸짖고는 종이를 찢어버렸다. 결국 그는 1921년 12월 옥중에서 숨졌다. 정부는 1964년 그에게 건국훈장 독립장을 추서했다.

2019년 3월 20일
열린 군북 만세 시위
기념행사에 참가자들이
거리를 행진하고 있다.
(사진 제공: 함안군)

의병 창의

홍을 내어 즐기더니 가막(감옥) 고생 무궁하다

"만세 부른 백성들아/ 내 말 새로 들어보라/ 독립 만세 불러
놓고/ 기정(사실을 속임)은 무슨 일인고/ …… 같이 돈심(마음
이 도타움) 못할진대 시작하지나 말았으면/ 불쌍한 백성들도
원혼이나 아니 되고/ 활달한 백성들은 고생이나 덜 것을/ 그
중에 우리 시여(독립운동가 김승태의 자) 홍을 내어 즐기더니/
가막(감옥) 고생 무궁하다."

3·1만세운동에 참가했다 일본 경찰에 체포된 이들이 고문과
협박을 견디기 어려워하자 독립 만세를 외치다 희생된 사람들

이 원혼(冤魂)이 되지 않도록 끝까지 대의를 지켜달라고 당부하는 내용의 '내방가사'다. 경남 김해시 장유 지역의 만세운동을 주도한 후 감옥살이를 하던 김승태의 어머니 조순남(1860~1938)이 지었다. '김승태 만세운동가'로도 불리는 이 내방가사는 감옥에서도 일제 경찰에 굴하지 않는 아들을 대견해하는 한편으로 몸을 상할까 애태우는 어머니의 절절한 심정이 담겨 있다.

장유 유학자들의 노블레스 오블리주

장유 지역 만세운동은 조선총독부 기관지 〈매일신보〉가 '김해의 폭동'(1919년 4월 18일자)으로 소개할 정도로 규모가 컸다. 당시 김해 일대에서는 세 지역(김해읍, 하계면 진영리, 장유면 유하리)에서 각각 만세운동이 펼쳐졌다. 그중 가장 격렬했고 피해가 컸던 곳이 장유였다.

장유 만세운동은 경성의 고종 인산 행사에 참여한 유학자 김종휜이 독립선언서를 옷 보따리에 숨겨 고향으로 내려오면서 시작된다.(삼일동지회,《부산 경남 삼일운동사》)

탑동공원의 만세운동에도 참여했던 김종휜은 고향인 장유면 유하리에서 김승태, 이강석, 김용주, 조용우, 조항래, 최현호 등을 만나 경성의 상황을 전한 뒤 거사 준비에 착수한다. 이들은 4

월 12일 장유면 무계리장터에서 거사를 벌이기로 정한다.

거사 당일 정오경 각 지역에서 모여든 3천여 명은 무계리장터 근처 대청천 언덕에 모여 주도자들의 선창에 맞춰 "대한 독립 만세"를 외쳤다. 이어 북을 치고 나팔을 불면서 일본군 헌병 주재소로 몰려갔다. 당황한 일본 헌병이 총을 쏘며 해산시키려 하자 손명조, 김선오, 김용이 등이 주재소로 뛰어들었다.

세 사람은 헌병의 총을 뺏으려다 흉탄에 맞아 현장에서 순국한다. 흥분한 주민들과 가족들은 돌을 던지고 몽둥이로 주재소를 부쉈다. 김해 분견소에서 파견된 일제 군경이 뒤늦게 현장에 도착해 잔인한 시위 진압에 나섰다. 이때 일본 헌병의 총탄에 사망한 김선오의 차남 김예천이 자신의 가슴을 헤집으며 "나도 쏘라"고 대항하다 처참하게 구타를 당했다. 전쟁터를 방불케 했던 장유 만세운동은 김승태를 비롯한 주도자 10여 명이 헌병대로 체포된 뒤 수그러들었다.

장유 만세운동을 주도한 김종훤, 김승태, 최현호 등은 대부분 지역 명문가 자손들로 일제의 탄압을 각오하고 있었다. 특히 김승태는 스스로 잡혀 온 이들의 대표를 자임했기에 더욱 모진 고초를 겪었다.

진영 청년들의 '의병 창의'

장유 만세운동 12일 전인 3월 31일, 장유 무계리장터에서 북서쪽으로 15킬로미터가량 떨어진 진영장터에서도 만세운동이 진행됐다. 당시 하계면 서기로 재직하던 20대 청년 김우현은 신문을 통해 전국 각지에서 펼쳐지는 만세운동 소식을 접하고 거사를 결심했다. 김우현은 같은 마을의 또래인 김정태, 김성도, 김용환 등과 준비에 돌입했다. 이들은 거사 전날인 30일 밤부터 하계면 여래리 뒷산 죽림에서 대형 태극기와 소형 태극기를 만들고 '독립 만세'라고 쓴 전단까지 제작했다. 외부의 지원이 없었기에 독립선언서를 구하지 못해 전단은 자체적으로 만들었다.

진영 장날이던 3월 31일 오후 1시, 인파가 모인 장터 한복판에 20대 청년들이 기습적으로 등장해 태극기를 나눠 주고 전단을 뿌린 뒤 만세를 외쳤다. 장터에 모인 군중이 호응해 독립 만세를 연

경남 김해시(당시 김해군 김해읍)에서 거행된 3·1독립만세운동을 재현한 모습. (사진 제공: 김해근대역사위원회)

호했지만 출동한 일제 군경에 주도자들이 모두 검거됐다.

진영에서의 저항은 이후에도 계속됐다. 특히 4월 5일 진영 장날에 2천여 명이 모인 가운데 펼쳐진 만세운동은 10대 청년들이 주도해 눈길을 끈다. 당시 하계면 한문서당에 다니던 안기호와 김종만 등 10대 학생들은 서당 학생 30여 명과 함께 하계고개 밑에서 '독립군 대장 안기호'라고 쓴 큰 깃발과 태극기를 흔들며 진영시장으로 시위행진을 했다. 이는 의병 창의의 방식을 따른 것으로, 3·1만세운동이 항일 의병정신을 이어받았음을 대외적으로 알리려는 의도였다.

김해의 여성 만세운동

진영의 만세 시위와 같은 시기에 또 다른 독립만세운동이 김해군에서 진행됐다. 일본으로 쌀을 보내는 중요한 수탈 거점 항구였던 김해는 일제의 집중 감시 지역이어서 만세운동이 일어나기 어려웠다. 이런 역경을 뚫고 만세운동의 불꽃을 지핀 이들은 여학생과 부녀자들이었다.

김해 최초의 만세 의거 주도자는 당시 서울 정신여학교(현 정신여고)를 다니던 구명순이었다. 당시 20세의 꽃다운 나이였던 그는 학교 휴교령으로 고향인 김해로 돌아온 뒤 지역에서 독립운동의 움직임이 보이지 않자 부녀자들을 상대로 만세운동에 나설 것을 독려했다. 이때 같은 마을 출신이자 세브란스의전 학생이던 배동석도 뜻을 같이했다. 3월 30일 밤 10시, 배동석은 임학찬, 배덕수, 송세희 등과 함께 김해읍 중앙 거리에서 독립 만세를 크게 외치며 만세운동을 벌였다.

기습 시위에 놀란 일제 헌병대는 강경 진압에 나섰다. 가까스로 일제 헌병의 손길에서 벗어난 주동자들은 다시 4월 2일 김해읍 장날을 거사일로 정하고 준비 작업에 들어갔다. 거사일 오후 4시, 주도자들은 태극기를 흔들며 독립 만세를 외치기 시작했다. 의용대까지 조직한 이들은 시위 주도자들을 똘똘 감싸 일제 군경이 접근하지 못하게 했다. 당황한 일제 군경은 일본 재향군인을 비롯하여 상인과 불량배까지 총동원해 진압에 나섰다. 이날 시위로 배동석 등 시위 주도자 6명이 검거되고, 일제는 형세가 불온하다는 이유로 시장을 강제로 폐쇄했다.

하지만 만세운동의 열기는 들불처럼 번져나갔다. 4월 16일 읍내에서 약 6킬로미터 떨어진 이동리에서 부녀자 50여 명이 동네 산에 올라 만세운동을 벌였다. 세 번째였던 이날 시위에서는 일제 보병 80연대 소속 군인들이 시위대를 향해 총을 발포해 4명이 중상을 입었다. 이를 두고 김해3·1독립운동기념사업회 김광호 회장은 "김해시는 지방 3·1독립운동의 다양한 만세운동 양태를 압축적으로 보여주는 게 특징이다"라고 말했다.

내방가사,
어머니의 눈으로 기록한 만세운동

어머니의 눈으로 장유 지역 3·1만세운동의 전모를 기록해 '자식 소회가'라는 이름으로 알려졌던 내방가사는 장유 지역 만세운동 주도자 중 하나인 김승태를 중심으로 3·1운동 상황을 묘사해 '김 승태 만세운동가'라는 별칭으로도 불린다.

내방가사는 조선시대에 주로 양반가 부녀자들이 순한글로 지 은 작품으로 규방가사 혹은 규중가도라고 불리기도 한다. 현재 34쪽 분량으로 전해지는 내방가사 역시 당시 사용되던 한글 말체 로 작성돼 책자로 제작됐다.

내방가사는 문학적 가치 못지않게 사료적 가치가 높은 것으로 평가받고 있다. 조순남의 내방가사를 연구한 이홍숙 박사는 "경 남 명문 함안 조씨 출신의 부녀자가 마치 취재기자처럼 현장에 서 장유 지역 만세운동의 전모를 다큐멘터리처럼 치밀하게 기술 했다는 점에서 기록문화재로서의 가치가 높다"고 평가했다. 이어 "현존하는 내방가사 중 3·1운동 현장 상황을 가장 정확하게 묘 사하고 있다"고 덧붙였다.

내방가사의 저자 조순남은 일제 감시를 피하기 위해 책을 종질녀에게 맡겼다. 장유 만세운동의 상황들을 후손들에게 알려주기 위한 조치였다. 조순남의 증손자인 김융일 씨는 "할아버지(김승태)가 감옥에서 풀려나온 뒤에도 일제는 끊임없이 우리 집안을 감시했다"며 "증조할머니(조순남)께서는 책 제목도 '자식소회가'로 위장해 후세에 전해질 수 있도록 했다"고 소개했다.

내방가사 원본은 현재 행방이 묘연하다. 김승태 지사의 유족이 자료의 중요성을 고려해 2005년 3·1운동 기념식장에서 김해시에 기증했지만 김해시에서는 현재 찾을 수 없다. 시 관계자는 "시청 자료실과 시 문화원 수장고 등을 모두 뒤졌으나 발견하지 못했다"고 말했다. 다만 유족들이 시에 기증하기 전 자료를 사진으로 촬영해둬 내용은 파악할 수 있다.

김승태 지사의 어머니 조순남 여사가 부녀자의 시각으로 장유 만세운동을 생생하게 묘사한 내방가사.

종소리

우리가 이 자리에서 그 칼에 맞아 죽어도

반만 해를 맥맥이 이어 슬기로 다듬고 죽음으로 지켜온 내 조국, 왜구 너희 간계에 잠시 더럽혔나니…… 삼월 열여드레 장날 스물두 어른 앞장서 횃불 밝혀 높이 들었으니 임진대첩의 민족혼은 진양성루에 또다시 메아리쳤고 순국선열의 충절은 다시 강물을 노하게 했도다.

남강이 내려다보이는 진주성 언덕에 세워진 3·1독립운동 기념비의 비문 일부다. 진주성은 임진왜란 3대 대첩 중 하나인 진주대첩이 벌어진 곳이다. 1592년 왜군은 이순신 장군이 이끄는 수군에게 바닷길이 막히자 호남으로 가는 길목에 있는 진주성을 공략했다. 2만 병력을 투입했지만 진주목사 김시민이 이끄는 조선군 3,800여 명에게 패했다. 이른바 1차 진주성 전투였다. 이듬해 병력을 9만 3천 명으로 대폭 늘려 시작된 2차 전투로 결국 진주성은 함락됐다. 하지만 이후 진주성은 항일의 상징으로 확실하게 자리매김했다.

독립 만세 함성이 전국을 휩쓸던 1919년 진주에서도 만세 시위의 함성은 뜨거웠다. 320여 년 전 왜군과 격전을 벌였던 진주성을 중심으로 반일 시위가 펼쳐진 것은 당연했다.

일제 감시 피해 비밀 회합

고종 장례에 참석하기 위해 상경한 인사들이 경성에서 3·1운동을 목격한 뒤 진주로 돌아오면서 진주 지역의 저항 움직임은 본격화됐다. 당시 경성을 찾았던 김재화, 심두섭, 조응래, 박대업 등은 경찰 검문을 피해 기차를 타거나 도보로 이동하면서 독립선언서와 격문을 진주로 몰래 반입했다.

시위 주동자들은 집현면 하촌리에 위치한 김재화의 집에서 여러 차례에 걸쳐 비밀 회합을 갖고 거사 계획을 꾸몄다. 이들은 경성에서 본 것과 같은 대규모 만세 시위를 벌이기로 결정하고 독립선언서와 격문 수만 장, 태극기 수천 장을 준비했다. 경성에서 가져온 격문은 제목을 '교유문(教喩文)'으로 바꿨다. 1919년 6월 일제 법원 판결문에 따르면 이들은 교유문에서 "우리 민족은 미국 대통령이 외친 민족자결의 소리에 따라 이 기회를 놓치지 말고 이와 같은 소리로 상응하고 이미 잃은 국권을 회복하고 이미 망한 민족을 구하여 복수를 해야 한다"며 일제에 대한 강력한 저항 의지를 숨기지 않았다.

3월 10일경부터 '삼남 지방에서는 왜 일어나지 않을까'라는 격문이 진주 거리에 나붙기 시작했다. 당시 경상남도 도청 소재지였던 진주의 분위기가 심상치 않다고 판단한 일제는 경계령을 선포하고 각 학교에 임시 휴교령을 내렸다. 일본인 교사들에게 학생들을 정탐하도록 지시했고, 여비를 줘가며 다른 지방 출신 유학생들을 강제로 귀향시키는 조치까지 취했다.(이용락,《삼일운동실록》)

진주성에 3만 집결

《경남지역 3·1독립운동사》등에 따르면 진주 장날인 3월 18일 정오가 되자 진주교회의 종각에서 우렁찬 종소리가 울리기 시작했다. 이를 신호로 중앙시장, 촉석루 입구, 재판소 앞, 봉곡동, 칠암동 강변 등 5곳에서 만세 시위가 동시다발적으로 진행됐다.

독립선언서 낭독과 연설이 끝나자 시위대는 "대한 독립 만세"를 외치고 태극기를 흔들면서 도청을 향해 시가행진을 벌였다. 허를 찔린 일제 경찰이 시위 행렬을 가로막고 주동자 체포를 시도하면서 곳곳에서 난투극과 육박전이 펼쳐졌다. 일제는 소방차로 더러운 개울물을 퍼붓고 곤봉으로 난타하기도 했지만 시위 행렬은 흩어지지 않았다.

시위대는 진주성 안으로 진입한 뒤 영남포정사 문루 앞에 집결했다. 이 문루는 원래 진주관찰부의 관문이었으나 일제가 진주성 안에 경남도청을 지으면서 도청의 정문 역할을 하고 있었다. 오후 4시경 시위대 규모는 3만 명에 이르렀다.(한국독립운동사연구소, 《한국독립운동의 역사》) 일제는 시위 군중이 너무 많아 즉각 해산이 쉽지 않다고 판단하고, 주동자로 보이는 이들의 흰옷에 붉고 푸른 물감을 뿌려 표시하기 시작했다. 해가 진 뒤 300여 명이 체포됐지만 시위는 밤늦게까지 이어졌다.

봉화가 켜지고 아리랑 노래가 울려 퍼졌다. 오후 7시에는 '노동독립단'이 나타나 만세 행진을 시작했고, 오후 9시 무렵에는 '걸인독립단'이 밥그릇을 두드리며 나타나 시위를 벌였다. 걸인독립단은 태극기를 흔들면서 "우리들이 떠돌아다니며 밥을 빌어먹는 것도 왜놈들이 우리의 재산과 인권을 빼앗아간 때문이며 나라가 독립하지 못하면 우리는 물론 2천만 동포가 모두 빈곤의 구렁에 빠져 거지가 될 것"이라고 외쳤다.

일부 기록에서는 교회에 매달아놓은 종이 밤사이 감쪽같이 사라졌고, 시위대가 비봉산 위에 올라가 나팔을 불었다고 소개하고 있다. 종소리가 아니라 나팔소리가 신호였다는 주장이다. 추경화 진주문화원 향토사연구실장은 이에 대해 "1970년대에 그런 주장이 제기된 적이 있었지만 〈고등경찰관계적록〉 같은 일제 자료에 교회 종이 시위 시작을 알리는 신호 역할을 했다고 나와 있고 관련 증언들도 있다"며 "종이 맞다"고 강조했다.

현재 진주교회 앞에는 시위 시작을 알렸던 종과 종탑이 복원돼 있다. 2012년 종탑 복원에 맞춰 제작된 '3·1운동 기념 종탑'이라는 제목의 동판에는 "1919년 3월 18일 진주교회 종소리를 신호로 5곳에서 만세 의거가 일제히 시작됐으며 당일 일제에 의해 종이 철거됐다"고 소개돼 있다.

진주 3만 시위의 시작을 알린
교회 종이 2012년 복원됐다.

기생독립단의 활약

일제를 혼란과 두려움에 빠뜨린 시위 열기는 이튿날에도 식을 줄 몰랐다. 3월 19일 이른 아침부터 7천여 명이 진주성 안으로 모여들었다. 이날 시위에는 상인들도 일제히 가게 문을 닫고 동참했다. 기독교계 광림학교 악대가 선두에 서서 행진을 시작하자 진주성이 떠나가도록 우렁찬 만세 함성이 울려 퍼졌다. 시위대가 도청과 경무부에 접근하자 일제 군경은 총칼을 휘두르며 무력 진압에 나섰다. 시위대는 돌팔매질로 저항했지만 부상자들이 속출하면서 해산할 수밖에 없었다.

하지만 끝이 아니었다. 이날 오후 1만여 명이 다시 집결해 거리를 돌아다니며 시위를 벌였다. 이때 일군의 여인들이 만세를 외치며 등장했다. 진주기생조합 소속 기생으로 구성된 '기생독립

기생독립단과
걸인독립단의 진주 만세
시위를 재현한 모습.
(사진 제공:
진주문화사랑모임)

단'이었다. 이들은 대형 태극기를 앞세우고 남강변을 돌며 진주성 촉석루를 향해 행진을 시작했다. 진주성 남쪽 벼랑 위에 세워진 촉석루는 2차 진주성 전투에서 승리한 왜군이 자축연을 벌였던 곳이다. 논개가 왜장을 끌어안고 남강에 투신해 순국했던 의암(義巖)은 촉석루 바로 아래에 있다. 촉석루 옆에는 논개의 영정과 위패를 모신 사당인 의기사도 있다.

기생독립단이 촉석루와 의암을 목적지로 정한 것은 의기(義妓) 논개의 기백을 이어받겠다는 의지의 표현이었다. 《경상남도 각 시군의 3·1독립운동》 등에 따르면 일제 경찰 수십 명이 나타나 긴 칼을 뽑아 들고 위협을 가했지만 이들은 행진을 멈추지 않았다. 한 기생이 "우리가 이 자리에서 그 칼에 맞아 죽어도 우리나라가 독립되면 여한이 없겠다"고 소리치자 경찰이 감히 달려들지 못했다. 이날 시위를 주도한 기생 6명이 체포됐다. 체포된 한 기생은 자신의 손가락을 깨물어 흰 명주 자락에 '기쁘다. 삼천리강산에 다시 무궁화 피누나'라는 가사를 썼다고 전해진다.

진주 기생들의 항일의식은 조선총독부 기관지 〈매일신보〉 기사를 통해서도 확인할 수 있다. 〈매일신보〉는 '기생이 앞서서 형세 자못 불안'이라는 제목의 3월 25일자 기사에서 "진주는 지금도 진정이 안 되고 자꾸 소요가 일어날 형세가 있다. 19일은 진주 기생의 한 떼가 구한국 국기(태극기를 지칭)를 휘두르고 이에 참가한 노소 여자가 많이 뒤를 따라 진행했다"고 보도했다. 이어 "주모자 6명의 검속으로 해산됐는데 지금 불온한 기세가 진주에 충만하여 각처에 모여 있다더라" 하고 소개했다.

기생독립단이 맹활약한 3월 19일 시위는 오후 11시까지 계속됐다. 100여 명이 체포됐는데 대부분 학생이었다. 3월 20일에도 수천 명이 악대를 앞세우고 진주경찰서로 몰려갔다. 4월 22일에는 체포된 애국지사들을 감옥으로 압송하는 과정에서 3천여 명이 모여들자 일제 군인들이 군중을 향해 무차별 발포해 1명이 숨지고 여러 명이 중상을 입었다. 진주 지역에선 5월까지 만세 시위가 모두 20여 회 발생했다.(《진주시사》)

진주의 '애국 기생'

"기생들은 화류계 여자라기보다 독립투사였다."

1919년 9월 부임한 일제의 치안 책임자 지바 료는《조선독립운동비화》라는 책에서 기생들이 있는 한 조선의 치안 유지가 힘들 것이라고 우려했다.

실제로 3·1운동 당시 '애국 기생'들이 전국 각지에서 맹활약했다. 특히 경기 수원, 경남 통영, 진주가 대표적인 곳이었다. 수원에선 김향화가, 통영에선 정막래와 이소선이 주도했다. 일부 기록에는 김향화와 한금화가 진주 기생독립단 시위를 주도한 것으로 소개돼 있지만 정확한 기록은 아니라는 평가가 많다. 진주 기생독립단과 걸인독립단의 만세운동 재현 행사를 주최해온 사단법인 진주문화사랑모임 강동욱 상임이사는 "김향화는 수원 기생이고, 한금화도 진주 기생이 아니다"라며 "진주에서 기생독립단이 활약한 것은 분명하지만 아쉽게도 누가 이끌었는지는 알 수 없는 상황"이라고 말했다.

수원의 김향화와 통영의 정막래, 이소선은 3·1운동으로 옥고를 치른 사실이 서류로 확인돼 대통령 표창을 받았다. 만세 시위 도중 체포된 진주 기생 6명이 징역형을 받았다는 기록은 현재 남아 있지 않다. 추경화 진주문화원 향토사연구실장은 "광복 직후 폭동과 6·25전쟁 때 화재로 진주법원과 진주시청의 호적과 재판 기록이 모두 사라졌다"고 전했다.

3·1운동보다 앞선 시기에 활동한 진주 출신 항일 기생으로는 산홍이 유명하다. 황현이 지은 《매천야록》에 따르면 을사오적(구한말 을사늑약 체결에 가담한 다섯 매국노)의 한 사람인 이지용이 1906년 진주에서 산홍을 보고 마음을 빼앗겨 천금을 내놓고 첩이 돼 달라고 했다. 이에 산홍은 "세상 사람들이 대감을 오적의 우두머리라고 한다. 비록 천한 기생이긴 하지만 역적의 첩이 될 수 없다"라며 단호히 거절한다. 이지용은 이후에도 여러 차례 거금을 제시하거나 협박을 하며 자신의 첩이 될 것을 거듭 요구했고, 이를 견디지 못한 산홍은 자결했다. 논개의 공덕을 기리는 진주성 내 사당 의기사에는 산홍이 지은 시('의기사감음')가 걸려 있다.

열화(熱火)

동포들은 눈을 들어 독립 대한국 국기를 보라

일제의 무자비한 총칼에 맞서 분연히 일어선 우리의 열화
같은 의지를 누가 감히 막을 수 있었으랴. (안동 삼일운동 기념비)

경북 안동은 독립운동의 성지로 불린다. 1894년 일본군이 경
복궁을 침탈한 갑오변란 직후 전국에서 가장 먼저 의병이 일어난
곳이 안동이었다. 공주 유생 서상철이 안동 일대에서 일으킨 2천
여 명의 의병은 구한말 항일 의병의 효시였다.

1910년 일제가 한반도를 강제 병합한 이후 만주로 건너가 무장
독립투쟁을 주도한 독립운동가들 중에도 안동 출신이 많았다. 임

시정부 초대 국무령을 지낸 석주 이상룡(1858~1932)과 서로군정서와 정의부 참모장을 역임한 일송 김동삼(1878~1937)이 대표적이다. 경학사(독립운동단체), 부민단(자치기관), 신흥무관학교(독립군 양성 학교) 등으로 이어진 만주의 독립운동은 안동 출신 100여 가구가 망명하면서 터전이 마련됐다는 평가를 받는다.

국가보훈처에 따르면 2019년 3월 1일 기준 독립유공자는 모두 1만 5,511명. 이 중 안동 출신이 359명이다. 기초자치단체들 중에선 안동이 전국에서 가장 많고, 광역자치단체들(서울 416명, 함경북도 411명, 제주 164명)과 비교해도 크게 차이 나지 않는다.

김희곤 경북독립운동기념관 관장은 "안동 출신 독립운동가들은 특히 만주 지역의 항일투쟁에서 커다란 족적을 남겼다"고 평가했다.

격렬했던 기미년 안동 만세 시위

안동의 만세 시위는 대체로 격렬했다. 3·1운동 당시 경북에서 일제 경찰·헌병 관서 공격이 12차례, 일반 관서 공격이 6차례 발생했는데 안동에서만 각각 3차례, 5차례가 있었다.(김희곤 외,《경북독립운동사 3 : 3·1운동》)

1919년 3월 13일부터 27일 사이에는 안동에서 무려 14차례에 걸쳐 만세 시위가 일어났다. 3·23안동면 시위 땐 일제 군경의 발포로 30여 명이 숨졌다. 이를 기리기 위해 1985년 안동3·1운동 기념비건립위원회와 동아일보가 낙동강변 월영공원에 기념비를 세웠다.

안동의 만세운동에 불을 지핀 것은 일본 도쿄 유학생들이다. 도쿄 2·8독립선언이 있은 지 8일 뒤인 2월 16일, 유학생 강대극이 2·8독립선언서를 갖고 안동을 찾았다. 그는 알고 지내던 안동군청 서기 김원진을 만나 2·8독립선언 소식을 알리고 안동에서도 거사를 일으킬 것을 제안했다. 김원진은 거사 계획에 적극 찬성한 뒤 안동교회 김영옥 목사와 이중희 장로를 만나 3월 13일 장날을 거사일로 정했다. 태극기와 격문이 비밀리에 제작돼 배포되는 등 준비는 착착 진행됐다. 하지만 거사 하루 전인 3월 12일

동아일보와
안동3·1운동기념비건립위원회가
세운 안동 3·1운동 기념비.

일제의 예비검속에 강대극 등 주동자 4명이 모두 체포당하면서
계획이 무산될 위기에 처한다.

이에 임시정부 초대 국무령을 지낸 석주 이상룡의 동생 이상동
이 나섰다. 그는 13일 안동면 시장에서 '대한 독립 만세' 글씨가
적힌 대형 태극연을 날리며 만세를 외치는 1인 시위를 벌였다. 대
구복심법원 판결문에서 이상동은 "지금이 인심(人心)과 천의(天
意)를 명백하게 표시할 정당한 기회다. 동포들은 눈을 들어 독립
대한국 국기를 보라"는 내용의 격문도 지니고 있었다. 불발에 그
칠 뻔한 거사를 살려낸 이상동의 1인 시위는 이후 안동 일대에
서 펼쳐진 만세운동의 기폭제가 됐다.(김희곤,《안동사람들의 항일투
쟁》)

강경 진압에 점차 시위 격화

안동면의 2차 시위는 3월 18일에 있었는데 규모 면에서 1차와
크게 달랐다. 이날 정오 무렵 안동시장에서 30여 명으로 시작한
만세 시위는 유림과 기독교 세력, 협동학교·보문의숙·동화학교
교사 및 학생들이 가담하면서 규모가 커졌다.

주동자 14명이 체포되면서 잠시 주춤했던 시위는 해가 지자 군
청, 경찰서, 대구지방법원 안동지청 앞에서 구속자 석방을 요구

하며 계속됐다. 참가자가 계속 늘어 밤 12시를 넘긴 19일 0시 50분경 시위대는 2,500여 명에 달했다. 당시 안동면 인구가 5,500여 명인 점을 고려하면 성인 대부분이 참석한 셈이다. 투석전이 펼쳐지는 등 시위가 점점 격화하자 일본군 수비대는 총을 쏘며 진압에 나섰다.

손병선 광복회 안동지회장은 "자정을 넘긴 심야에 2,500여 명이나 모인 것은 매우 이례적인 일"이라며 "안동은 씨족사회 전통이 강해 지도자들이 지시하면 다 같이 움직이는 구조였기에 가능했다"고 설명했다.

식민통치기관 안에서 만세 시위 모의

안동면 2차 시위 하루 전인 3월 17일에 일어난 예안면 시위도 일제에 큰 충격을 줬다. 식민통치기관인 면사무소 안에서 만세운동이 계획되고 준비됐기 때문이다. 현직 면장이 주동자였기에 가능한 일이었다.

예안면장 신상면은 3월 11일 밤 이시교와 이남호 등을 면사무소 숙직실로 불러 장날인 3월 17일에 거사할 것을 제안했다. 뜻을 모은 이들은 동지들을 모으고 면사무소 숙직실에서 태극기와 독립선언서를 등사했다.

3월 17일 오후 3시 반경 시위대 30여 명이 면사무소 뒤편 선성산에 올라가 일제가 다이쇼 일왕의 즉위를 기념해 세운 어대전기념비를 부서뜨린 뒤 만세를 외쳤다. 이를 신호로 시위가 시작됐다. 시위 현장에서 15명이 체포되자 시위대는 주재소로 몰려가 돌멩이와 기왓장을 던지며 구금자 석방을 요구했다. 이 과정에서 25명이 추가로 붙잡혔다. 체포를 면한 예안면 시위대 600여 명은 산을 넘어 3·18안동면 2차 시위에 가담했다. 시위를 이끌었던 신상면은 체포돼 징역 1년 6개월 형의 옥고를 치렀다.

3월 21일엔 임동면, 임하면, 길안면 등 3개 면에서 주재소와 면사무소를 습격하는 공격적 시위가 펼쳐졌다. 특히 임동면 시위대는 일제 순사와 순사보를 제압한 뒤 주재소에 있던 무기들을 빼앗아 몽땅 우물에 던져버렸다.

하루 새 30여 명 순국

일제는 안동지역에서 시위가 잇따르고 강도가 세진 것은 초기 대응이 물렀기 때문이라고 판단했다.(김희곤,《안동의 독립운동사》) 이후 일제 군경은 안동면 3차 시위 때에는 사전에 강경하고 치밀한 진압 작전을 세운다. 일본 민간인들로 구성된 자경단도 진압 작전에 가세했다.

3·1운동 100년 – 역사의 현장 2

3월 23일 거행된 3차 안동 시위는 현재의 경안고등학교 자리인 미국 선교사 주택 부근에서 시작됐다. 이날 오후 7시 30분 피워진 불이 신호였다. 안동군의 여러 면에서 온 시위대가 200~300명씩 나뉘어 움직였다. 군청과 경찰서, 대구지방법원 안동지원을 포위한 시위대 3천여 명은 "경찰서와 법원 안동지원을 파괴하고 구금된 자를 구출하자"고 구호를 외치며 두 기관으로 밀고 들어갔다. 공포탄을 쏘던 수비대가 실탄 사격을 시작하면서 30여 명이 숨지고 50여 명이 부상했다. 경북 시군 가운데 가장 큰 인명 피해였다. 시위를 멈추고 산 위로 철수한 시각이 새벽 4시경이었다.(김희곤,《안동의 독립운동사》)

독립운동가의 맥 끊기 위해
집 한복판에 철도 부설

"일제에 국권을 빼앗기자 이상룡 선생은 가족들을 이끌고
만주로 건너가 독립운동을 펼쳤습니다."

　고성 이씨 종택인 임청각은 안동 출신 독립운동가로 임시정부
초대 국무령을 지낸 석주 이상룡 선생의 생가다. 석주는 이곳에
서 경술국치 이듬해인 1911년 독립운동에 매진하기 위해 일가족
과 함께 서간도로 망명하기 전까지 살았다.

　임청각은 독립운동가의 산실이기도 하다. 석주를 포함해 임청
각에서 태어난 9명과 석주의 부인 김우락 여사, 손부 허은 등 모
두 11명이 독립유공자로 지정됐을 정도다. 당연히 임청각을 눈엣
가시처럼 여긴 일제는 만행을 저질렀다. 불령선인(不逞鮮人)들이
다수 출생한 임청각의 맥을 끊겠다며 1941년 마당을 가로질러
중앙선 철로를 설치한 것이다. 이로 인해 행랑채와 부속 건물들
이 철거됐고, 99칸이었던 임청각은 70여 칸으로 규모가 줄었다.
지금도 임청각에선 옆으로 기차가 지나가면 옆 사람 말소리도 들

리지 않을 정도로 불편을 겪고 있다.

김호태 국무령이상룡기념사업회 사무국장은 "1940년대는 일제가 전쟁을 할 때였다"며 "젊은이들을 입대시키기 위해 (일제에 맞선) 독립운동가 집안이 망해가는 모습이 필요했던 것"이라고 설명했다.

현재는 임청각 복원 계획이 추진 중이다. 문화재청과 경상북도, 안동시가 손을 잡고 임청각을 지나가는 철로를 철거한 뒤, 건물 일부를 다시 짓고, 석주의 독립 정신을 알리는 기념관을 건설할 계획이다.

2019년 3월 1일
만세운동 재현 행사에서
참가자들이 임청각을
향해 행진하고 있다.
(사진 제공: 안동시)

맹렬(猛烈)

내일도 똑같이 만세를 부른다

경상북도에서 불령자의 망동 중에 가장 맹렬했던 영해·영덕
지방을 시찰하고 돌아온 경무부장의 말을 들은즉 영해·영
덕 지방의 망동소요는 대단히 맹렬했으나 요새는 모두 종식
돼…….

조선총독부 기관지 〈매일신보〉는 1919년 5월 31일자에 두 달
전 3·1운동으로 시끄러웠던 경북 영덕군의 민심이 진정됐다며
이같이 보도했다. 총독부 기관지가 '경북에서 가장 맹렬했다'고
소개할 정도로 영덕 지역의 3·1운동은 격렬했다.

영덕 만세운동이 집중적으로 펼쳐진 3월 18일과 19일 이틀간 주민들은 돌, 몽둥이, 도끼 등을 이용해 지역 주재소와 면사무소 여러 곳을 부쉈다. 총기로 무장하고 진압에 나섰던 일제 경찰들은 '포로'가 되는 망신을 당하기도 했다.

삼국시대 이후 왜구의 노략질에 시달리면서 뿌리 깊이 박혀 있던 영덕 지역 주민들의 반일·항일의식이 만세 시위로 폭발한 것이다. 영덕은 또 1906~1908년 태백산맥을 중심으로 신출귀몰한 유격전을 펼쳐 일제의 간담을 서늘하게 한 의병장 신돌석(1878~1908)의 고향(현 영덕군 축산면, 당시는 영해군)이기도 하다.

일단 시위를 벌이다가 체포된 사람들의 규모가 압도적이다. 1919년 12월 말 조선주차헌병대사령부 보고서에 따르면 그해 3·1운동으로 경북에서 붙잡힌 사람은 모두 2,133명인데, 영덕이 489명으로 가장 많았다. 안동(392명), 대구(297명), 의성(190명)이 뒤를 이었다. 일제 경찰이 자신이 당한 망신을 앙갚음하기 위해 대대적인 체포 작전을 펼친 까닭이다. 영덕군민 209명이 재판에 회부됐고 절반 이상인 112명(53.6%)이 징역 1년 이상을 선고받았다. 특히 시위가 격렬했던 영해면과 병곡면, 축산면, 창수면 등 북부 4개 면에서는 170명이 무더기로 재판에 넘겨졌다.

기독교와 유림 세력이 주도

고종 장례식에 참석하기 위해 상경했던 영덕의 기독교 인사와 유림들은 경성 3·1운동을 목격한 뒤 영덕에서도 만세운동을 일으켜야 한다는 데 뜻을 모았다. 불을 붙인 사람은 지품면 낙평동의 교회 조사(전도사)였던 김세영이다. 그는 평양신학교에 입학하기 위해 상경했다가 만세 시위로 학교가 휴교에 들어갔다는 얘기를 듣고 곧바로 귀향했다. 김세영은 3월 12일 친분이 있던 전 구세군 참위 권태원을 만나 파리강화회의에서 민족자결주의가 채택됐다는 소식을 전하며 이렇게 당부했다.

> "우리 민족도 민족자결주의에 의거해 독립을 청원하고 있다. …… 우리 지역에서도 동지를 규합해 독립만세운동을 하면 어떠한가. 나는 여러 사정이 있으니 권 형이 병곡면 송천동 교회 조사 정규하와 상의해 영덕면에서 거사를 해주기 바란다." (권대웅 외, 《영덕의 독립운동사》)

권태원이 3월 15일 정규하를 만나 김세영의 뜻을 전하자 정규하는 "영덕면에서 만세를 부르는 것은 좋지 않다. 내가 인솔하는 송천리 부근의 야소교도(기독교도)와 이름이 알려진 선비들을 규합해 3월 18일 영해시장에서 독립 만세를 부르겠다"며 대안을 제

시했다.(한국독립운동사연구소,《한국독립운동의 역사》)

영해 3·18독립만세운동 기념사업회 김수용 회장은 영해가 거사 장소로 정해진 이유에 대해 "영해군을 영덕군에 편입시킨 1914년 행정구역 개편으로 영덕면이 군청 소재지가 됐지만 영해면, 병곡면, 축산면, 창수면이 사회경제적으로 우위에 있다는 인식이 작용했기 때문"이라고 설명했다. 토착 향반인 권, 남, 박, 백, 이 등 5성(姓)의 양반과 유지들이 영해면 등 북부 면에 거주하고 있었고, 당시 경북 동해안 최대 시장이었던 영해시장에 더 많은 인파가 몰렸던 점도 영향을 미쳤다.

일제를 놀라게 한 3·18영해 만세 시위

거사일인 3월 18일 아침부터 영해면 성내시장에 크고 작은 태극기를 휴대한 사람들이 모여들었다. 오후 1시쯤에는 그 수가 3천여 명에 달했다. 시장을 누비며 만세 시위를 펼친 시위대는 일제 경찰들이 있는 주재소를 둘러싸고 만세를 외치며 세를 과시했다. 인근 공립보통학교로 몰려가 학생들에게 함께 독립 만세를 부를 것을 요구하다가 응하지 않자 훈도(교원)를 끌고 주재소로 돌아갔다. 이들은 일본 순사와 순사보에게도 독립 만세를 외치라고 호통을 쳤다. 위세에 제압당한 일경은 순순히 만세를 외쳤

다.(권대웅 외,《영덕의 독립운동사》)

이때 일본인 순사부장이 나타나 거만한 태도로 시위대에 해산을 요구하며 대형 태극기를 빼앗으려 달려들었다. 이에 흥분한 군중이 주재소로 밀고 들어가 유리창과 가구들을 부수고 서류를 찢어버렸다. 이후 시위는 공격적으로 바뀌었다. 시위대는 순사부장을 붙잡아 때리고, 상의를 갈기갈기 찢었다.

주재소를 박살 낸 시위대는 공립보통학교로 향했다. 일제 재판기록에 따르면 시위대는 학생들에게 "생도가 만세를 부르지 않는 것은 교원의 애국심이 없기 때문"이라고 성토했다. 시위대는 교사(校舍) 지붕과 기둥만 남기고 대부분을 파괴했다. 이어 일본인들이 다니는 공립소학교로 쳐들어가 학교 건물을 부수고 학적부와 공문서를 파기했다. 면사무소도 유리창이 깨지고 집기가 부서

영해 만세시장 인근 로터리에 세워진
영해 3·18독립만세운동 기념탑.

졌다.

이후 시위대 안에서는 "병곡면에 가서 독립 만세를 외치자"는 주장이 나왔다. 이에 정규하가 이끈 시위대 400~500명이 8킬로미터 떨어진 병곡면으로 이동해 주재소와 면사무소를 때려 부쉈다.

김진호 충남대 충청문화연구소 연구원은 이에 대해 "일제가 먼저 시위 주도 인사를 체포, 구금하고 이에 대한 반작용으로 시위대가 주재소를 공격하는 게 일반적인 순서"라며 "처음부터 공격적인 운동이 전개된 것은 항일의식이 강한 영덕군의 지역적 특수성으로 이해할 수 있다"고 설명했다.

얻어맞고 포로 신세가 된 일제 경찰서장

"폭도 1천여 명이 영해주재소로 몰려왔다"는 보고에 영덕경찰서장은 순사와 순사보 4명과 함께 자전거를 타고 16킬로미터를 달려와 이날 오후 3시 반경 영해주재소에 도착했다. 서장 일행이 가져온 총기로 무장한 일경들은 시장 부근에서 휴식 중이던 시위대에 해산을 요구했다.

그러나 시위대는 오히려 이들을 둘러싸고 압박했고, 위협을 느낀 서장 일행은 주재소 안으로 피신했다. 쫓아온 시위대가 무기

탈취를 시도하고 폭행을 가하자 서장 일행은 다시 경찰서가 있는 영덕면 방면으로 달아났다. 하지만 멀리 가지는 못했다. 서장과 순사는 영해면과 영덕면 사이에 있는 축산면 상원동에서 추격조와 축산면 주민 등 100여 명에게 붙잡혔다.

이 과정에서 서장의 속옷과 제복이 찢기고, 서장이 뒤로 넘어지면서 머리가 깨져 한때 정신을 잃기도 했다. 당시 재판 기록에 따르면 서장은 전신 16곳에 상처를 입었다. 서장 등 3명은 영해면으로 다시 끌려와 일본인이 운영하는 여관에 감금됐다.

일본군의 집단 발포로 막 내린 영해 만세 시위

시위대는 일제 경찰을 몰아내고 영해면을 완전히 장악하면서 해방감에 들떴다. 시위 지도부는 3월 18일 영해면과 병곡면 시위가 끝나자 19일에도 시위를 계속하기로 정하고 시위 참가자들에게 "내일도 똑같이 만세를 부른다"고 알렸다. 19일 아침부터 영해면 시장 부근에 600~700명이 모여들었고, 만세운동은 재개됐다.

오전 11시경 포항헌병 분대장 등 헌병 6명이 영해에 도착했다. 이들은 15시간 이상 여관에 감금돼 있던 서장을 구출했지만 시위대의 위세에 진압을 시도하지 못하고 물러갔다. 오후 4시경 대구

2019년 3월 10일
영해 만세시장 인근에서
참가자들이 횃불을 들고
만세를 외치고 있다.
(사진 제공: 영덕군)

에 주둔하던 80연대 병력 22명이 영해 땅을 밟으면서 일제의 진압 작전은 본격화되었다. "폭도들이 영해의 주재소와 학교 등을 파괴하고 전화를 불통 상태로 만들었다"는 보고를 받은 도장관이 80연대의 영덕 출동을 결정한 것이다.

이들은 대구에서 포항까지 자동차로 이동한 뒤 기선을 타고 영덕에 도착했다. 남산에 진을 친 80연대 병력과 포항헌병대, 일경은 시위대에 해산을 명령하고 공포탄을 쐈지만 시위대는 시위를 이어갔다. 마침내 일본군은 실탄 사격을 시작했고, 현장에서 8명이 순국하고 16명이 부상했다. 3·18영해 시위에 자극받아 3월 19일 창수면에서도 주재소 공격이 일어났다.(영해애향동지회,《영해 3·18독립만세의거사》)

영덕 만세 시위에서 활약한 여성들

경북 영덕군 만세 시위는 여성들의 활약상이 컸다. 지금까지 3·1 운동과 관련해 독립유공자로 포상된 경북 여성은 모두 6명이다. 그중 안동시, 경주시, 구미시, 칠곡군에서 1명씩 나왔고 영덕군은 2명이다.

영덕군 지품면 원정동의 북장로교 신자였던 윤악이(1897~1962)와 신분금(1886~?)은 남편들이 체포되자 시위에 적극 가담했다. 윤악이의 남편 주명우는 1919년 3월 19일 지품면 원정동 장날 시장에서 동료 기독교인 10여 명과 함께 '대한 독립 만만세'라고 적은 종이 깃발을 흔들며 만세를 외쳤다. 시위 주동자였던 주명우는 "한국 독립의 목적을 달성할 때까지 죽어도 멈추지 말라"고 연설하다 체포돼 징역 2년을 선고받았다. 그는 재판 과정에서 대한의 독립을 축하했다는 이유로 징역 2년을 선고한 것의 부당함을 따진 뒤 "몸은 강탈할 수 있으나 마음은 진실로 불복한다"며 기백을 굽히지 않았다. 신분금의 남편 김태을은 3월 18일 강우근이 주도한 영덕면 남석동 시장 시위에 참가했다 체포돼 징역 8개월을 선고받고 옥고를 치렀다.

아내들의 기백도 남편에 뒤지지 않았다. 지품면 원정동 장날인 3월 24일 윤악이는 남편의 뜻을 대신 이루겠다는 듯 신분금에게 "오늘 여기 시장에서 독립운동을 하자"고 제의했고 신분금도 이에 동의했다. 윤악이는 시장에 몰려든 사람들에게 "우리는 여자지만 한국의 독립을 희망하여 한국 만세를 부른다"고 말한 뒤 만세를 외쳤다. 신분금도 군중을 이끌며 만세 시위를 벌였다. 현장에서 체포된 윤악이와 신분금은 보안법 위반 혐의로 각각 징역 8개월과 징역 6개월을 선고받았다.

강윤정 경북독립운동기념관 학예연구부장은 "자신들도 체포될 위험이 있다는 사실을 알았던 윤악이와 신분금이 만세운동을 주도한 것은 당시로서는 선택하기 어려운 일이었고, 역사적으로도 큰 의미가 있다"고 평가했다.

결사대

우리는 정의를 위하여 물불을 가리지 않을 것이다

금일 오등(吾等)이 독립운동을 전개함은 조선 민족대표 33인의 독립선언서를 절대 지지하고 중앙에 호응하여 완전한 독립 주권국을 전취(戰取)하자는 데 그 목적이 있는 것이다. 그러므로 오등은 정의를 위하여 물불을 가리지 않을 것이며 대한 독립을 한사코 전취할 것을 맹세하고 이에 서명 날인함.

1919년 3월 13일 오후 1시, 경남 창녕군 영산면 읍내의 남산(남산봉) 자락에서 청년 23명이 결의한 '결사단원맹세서(決死團員盟誓書)'의 내용이다. 10대에서 20대 나이의 청년들은 맹세서에 지

장을 찍으며 "이 운동에서 일보라도 퇴각하는 자는 다른 단원으로부터 생명을 빼앗길 것"이라고 맹세했다. 이들의 비장한 결의는 이후 창녕 지역 곳곳에서 펼쳐진 독립운동의 촉매제가 됐다. 그 결과 남산은 '영산호국공원'이라는 이름으로 독립운동의 성지가 됐다.

육박전 벌인 23인의 결사대

영산의 독립만세운동은 경성 보성학교 졸업생이자 천도교도인 구중회로부터 시작됐다. 민족대표 33인 중 한 명이자 보성학교 교장인 최린의 제자였던 구중회는 경성 3·1운동 준비단계 때부터 고향에 내려와 지역 만세운동을 도모했다. 이 소식을 접한 장진수와 김추은은 흔쾌히 계획에 동참했다. 고향 친구이자 천도교도였던 세 사람은 함께할 동지 수십 명을 모았지만 정보 보안 등을 이유로 결사대원을 24명으로 한정했다. 24명 가운데 한 사람인 하찬원은 처가가 있는 경남 함안 만세운동에 참여했기 때문에 맹서서에 이름을 넣지 못했다.

그렇게 남은 23명의 결사대는 치밀하게 준비 작업에 들어갔다. 밀양, 의령, 함안 등 이웃 지역과 연락망을 개설하고 다량의 목판본 태극기를 제작했다. 또 요약본 독립선언서를 인쇄하고 시위용

농악대도 조직했다.

거사일인 3월 13일, 결사대는 일경의 감시를 피하기 위해 봄맞이하는 개춘회(開春會) 명목으로 약속 장소(현 3·1봉화대 자리)에 모였다. 구중회의 결의문 낭독을 시작으로 대원들은 품 안에 숨겨뒀던 태극기를 꺼내 휘두르며 "대한 독립 만세" "약소민족 해방만세"를 외쳤다.(하봉주 외,《봉화》)

결사대는 곧이어 읍내로 진출했다. 징, 장구, 북 등 군물(농악)을 앞세우고 남산 줄기를 따라 내려오는 대원들의 모습은 장엄했다. 대원들이 도산 안창호가 작곡한 독립군가인 "무쇠팔뚝 돌주먹 소년 남아야, 애국의 정신을 분발하여라"(소년행진곡)를 부르자 주민들이 모여들었다.

이에 놀란 영산주재소의 일제 경찰들은 읍내로 진출하는 다리목인 만년교(萬年橋)에 저지선을 만들었다. 시위대가 나타나자 일경은 선두에 있던 결사대원 하은호를 개머리판으로 때려 쓰러뜨렸다. 이에 김추은이 "나한테 총을 쏴라"라고 외치며 일경에게 달려들어 총을 빼앗고 육박전을 벌였다. 만년교 주위의 미나리꽝에서 결사대원과 일경 간에 난투극이 펼쳐졌고, 이 틈을 이용해 시위대 본진은 읍내로 나아갔다.

영산 시장터에 도착한 결사대는 독립선언서와 결사대 선서문을 낭독했고, 결사대가 나누어 준 태극기를 손에 든 군중은 "대한 독립 만세"를 외치며 호응했다. 일경은 삽시간에 늘어난 시위 규모에 압도돼 구경만 해야 했다. 600~700명에 달하는 시위대는 읍내를 누비며 행진하다 해가 저물어서야 해산했다.

전원 체포된 결사대원들

시위 상황을 보고받은 창녕경찰서 소속 일경들은 창녕 장날(3월 14일)에 맞춰 시위를 준비하던 결사대를 급습했다. 장진수, 남경명 두 대원이 일경과의 격투 끝에 체포됐고, 나머지 대원들은 비밀 장소로 피신했다.

분노한 결사대원들은 곧장 2차 만세운동에 들어갔다. 13일 오후 8시 다시 남산에 모여 봉화를 지폈다. 시위대가 '덩기덕 쿵덕' 장구를 치자, 영산 사람들은 하나둘씩 죽음을 각오하고 모여들기 시작했다.(하봉주 외, 《봉화》)

결사대원들은 창녕경찰서를 습격해 구금된 동지들을 구출하거나 그것이 어려우면 다 함께 유치장에 들어가자고 결의했다. 독립 만세 함성과 장구 소리를 앞세운 시위대는 영산 읍내에서 12킬로미터 떨어진 창녕경찰서로 향했다. 2차례 시위에서 농악을 무기로 삼은 것은 영산만세운동만의 차별화된 특징이다. 2차 만세운동은 일경과의 혈투극으로 끝이 났고, 결사대를 이끌던 구중회는 부인과 함께 체포됐다.

이튿날인 3월 14일, 체포를 피한 결사대원들은 창녕장터에 다시 모였다. 장날이었지만 장꾼들은 보이지 않았다. 일경이 만세운동을 막기 위해 파시(破市) 조치를 취한 탓이었다. 대원들은 굴하지 않고 대한 독립 만세를 외치며 시가행진을 했고, 일부는 "감금된 동지를 구출하자"며 창녕경찰서로 돌진해 육탄 항거를 벌였다. 이날의 항거로 결사대원 23명은 모두 체포됐다.

23인의 의거는 이후 펼쳐진 독립만세운동의 촉매제가 됐다. 일본인들이 많이 살았던 창녕군 남지에서는 3월 18일 장날에 수백명이 모여 만세운동을 일으켰다. 결사대원들을 대거 배출한 영산보통학교(현 영산초등학교) 학생들도 들고일어났다. 영산보통학교 학생들은 3월 26일 "우리들은 결사대의 뒤를 이어 이 운동에 목숨을 내어놓는다"는 결의문을 작성한 뒤 영산 장날 시위를 주도했다. 보통학교 학생들은 그해 3월 말까지 영산의 우편국 전화선

김추은(왼쪽),
구남회(가운데), 장진수
세 결사대원이 출옥 직후인
1920년 3월 말에
촬영한 기념사진.

을 끊거나, 일경의 정보원 노릇을 한 일본인들을 몰아내는 등 지속적으로 항일운동을 펼쳐나갔다.

혹독한 고문

일경에 체포된 결사대원들은 혹독한 대가를 치렀다. 23명 모두 1919년 5월 8일 부산지방법원 마산지청에서 재판을 받았다. 구중회, 김추은, 장진수 등 주도자급 3명은 징역 10개월, 면서기 하은호 등 10명은 징역 8개월, 나머지 10명은 징역 6개월을 언도받고 마산감옥에서 수감 생활을 했다.

형기를 마친 결사대원들 대부분은 고문과 옥고로 몸이 성치 않았다. 갓 신혼살림을 차렸던 임창수 지사는 이듬해인 1920년 3월 불귀의 객이 됐다. 조삼준 지사(1976년 작고)는 80세 평생을 불구의 몸으로 살았다. 조 지사의 아들 조진규 씨는 "아버지는 수감 생활 당시 왜경의 고문으로 인해 부러진 한쪽 다리가 곪았지만 치료를 받지 못했다. 상처 부위에 구더기가 들끓어 수감자들에게 피해를 주지 않기 위해 전전긍긍하셨다"며 눈물을 글썽거렸다. 구중회의 동생인 구남회, 구판돈, 권재수 등 10대 결사대원들은 옥고가 직간접적인 원인이 돼 40세를 넘기지 못한 채 1930년대에 모두 사망했다.

하지만 이런 상황이 결사대원들의 조국 독립에 대한 열망을 막지는 못했다. 결사대원 상당수는 출옥 후 중국, 일본, 연해주 등지로 건너가 활동했고 귀국해서는 청년운동, 소년운동, 농민운동, 노동야학운동 등을 통해 영산 사람들의 민족의식을 키워나갔다.

결사대원을 이끈 구중회 지사는 출옥 후 "일본을 제대로 알아야 한다"며 일본 와세다대에서 유학한 뒤 고향에 돌아와 결사대원 하상준 등과 함께 '사월회'라는 모임을 조직해 청년운동을 이끌었다. 또 15세 전후의 소년들을 대상으로 영산야학교를 운영하며 교육 사업에 투신했다. 구 지사는 광복 후에는 제헌국회의원으로 활동하다가 1950년 6·25전쟁 당시 북한군에 의해 납북됐다.

강직한 성품으로 일경에 맞섰던 김추은 지사는 1930년 35세를 일기로 세상을 뜰 때까지 사비를 들여 소년교육운동과 농민운동 등을 펼쳤다. 그가 결사대원인 장진수, 구남회 등과 함께 '영산소

23인의 결사대원 이름이 빼곡히 적혀 있는 창녕군 영산면 남산의 3·1독립운동 기념비.

작인회'를 조직해 일본인 지주들에 맞서고, 소작인들의 권리 보호에 나선 일은 〈동아일보〉에 소개되기도 했다.(〈동아일보〉1923년 4월 8일자)

김 지사의 사망 후 가족에게 남겨진 유산은 '빚잔치'였다. 김 지사의 손자 김상현 씨는 "빌려간 돈을 갚으라면서 차압 딱지가 집으로 날아와 남은 식구가 빚을 갚느라 엄청 고생했다"고 말했다. 일제의 눈 밖에 난 집안이라 도움 구하기도 어려웠던 김 지사의 두 아들은 초등학교만 간신히 졸업했다. 둘째 아들(김이권)은 어린 나이에 일본 광산에서 유황 캐는 일로 돈을 벌어 빚을 갚는 데 보태기도 했다.

23인 결사대는 영산 사람들에게 깊은 인상을 남겼다. 권정오 유족회 회장(권재수 지사 손자)은 "영산 사람들은 23인 결사대원의 후손이라면 지금도 다시 한 번 얼굴을 쳐다봐준다"고 밝혔다.

일신단

우리가 주모자다

북쪽으로 지리산을 등지고, 남쪽으로 바다 건너 남해군과 연결되며, 서쪽으로 섬진강을 경계로 전남 광양시와 접한 경남 하동은 각종 물화(物貨)가 모이는 곳이다.

이곳에서의 만세운동은 3월 13일 하동읍 장날에 시작됐다. 이후 고전면에선 민족대표 33인을 본떠 만든 33인의 비밀결사단체 '일신단'이 맹활약했고 군청 소재지였던 하동읍에선 보통학교 학생들이 소풍날에 기습적인 만세 시위를 벌여 일본인 교장과 군수, 일제 경찰들을 놀라게 했다. 박은식은《한국독립운동지혈사》에 1919년 3월부터 5월까지 하동군에서 17차례의 만세 시위가 발생해 17명이 숨지고 95명이 부상했으며 50명이 체포됐다고 기록했다.

사표 쓰고 만세 시위 벌인 적량면장

《독립운동사》에 따르면 정세기 등이 주도한 하동시장 만세 시위 하루 뒤인 3월 14일 박치화 적량면장이 갑자기 사표를 던졌다. 하동항일독립운동기념사업회 오대식 사무국장은 "일제의 공직을 갖고 시위를 주도하는 것은 맞지 않다고 생각해 사임했던 것"이라고 설명했다.

이후 박치화는 가족에게도 알리지 않고 거사를 준비했다. 사랑방에서 큰 태극기를 만든 그는 태극기를 달 수 있는 대나무 장대도 준비했다. 장날인 3월 18일 하동시장에 많은 인파가 모여들었다. 오후 3시경 시장 한복판에 쌓여 있던 소금 가마니 위로 올라선 박치화가 품 안에서 태극기를 꺼내 장대에 매달아 흔들며 "일본은 조선을 독립시켜야 한다"고 연설했다. 이어 독립 만세를 선창하자 수천 명(일제 기록은 약 1,500명)의 장꾼과 주민이 만세를 외치며 호응했다.

기습 시위에 허를 찔린 하동경찰서는 무장병력 20여 명을 출동시켜 군중을 해산시키고 박치화를 체포했다. 그는 재판에 회부돼

1년간 옥고를 치렀다.

곳곳에서 펼쳐진 유혈 충돌

《독립운동사》와 《경남지역 3·1독립운동사》에 따르면 3·18 하동시장 만세 시위 이후 독립운동의 열기는 본격적으로 확산했다. 금남면 출신 정낙영 등이 바다 건너 남해군으로 들어가 3월 20일 남해읍 장날 만세 시위를 주도했다가 체포되기도 했다. 하동시장에선 3월 23일 일신학교 교사 정섬기 등이 주동해 700~800명이 다시 만세를 불렀다.

3월 24일에는 하동군 옥종면에서 하일로의 주도로 6천여 명이 안계시장과 주재소 앞에서 대규모 시위를 벌였다. 시위대가 주재소 정문에 큰 태극기를 세우고 일경의 총을 빼앗아 내동댕이치는 일까지 벌어지자 일경은 총을 쏘며 대응했다.

3월 29일 진교면 진교리시장에서도 1천여 명이 태극기를 흔들며 만세를 외치다 일경과 충돌했다. 이튿날인 3월 30일 진교리 시위대는 전날 붙잡힌 인사들의 석방을 요구하며 주재소를 포위하기도 했다.

시위대는 진교리시장 장날인 4월 6일 다시 봉기했다. 이들은 일본군과 일경을 포위한 뒤 총기를 빼앗고 곤봉과 죽창으로 뭇매를 때려 일본군 2명에게 부상을 입혔다. 이에 급파된 일본군과 일경 10여 명이 시위대를 향해 발포하면서 3명이 숨지고 7명이 부상했다.

"어제의 일은 우리 4인의 짓이다"

고전면 성천리 지소마을의 박영묵은 인근 마을 동지 33인을 규합해 비밀결사 '일신단'을 만들고 죽을 때까지 싸우자고 결의했다. 정재기가 하동읍으로 독립선언서를 구하러 가던 도중 일경에 체포됐지만, 일신단은 이에 굴하지 않고 4월 6일 주교리시장(배다리시장) 장날을 거사일로 정했다.

거사 당일 일신단원들은 지게를 지거나 농립모(농사지을 때 쓰는 모자)를 쓰고 장꾼으로 가장해 시장에 잠입했다. 박영묵이 큰 태극기를 들고 단상에 올라가 의거 취지를 설명하고 만세를 삼창하자 매복해 있던 나머지 단원들이 나타나 태극기를 흔들었다. 1천여 명의 군중이 만세를 따라 외쳤다.

이때 일제 경찰과 헌병 5명이 출동해 시위를 막으려 하자 일신단원들이 달려들어 총검을 빼앗고 모자와 제복을 벗겼다. 일경은 당시 상황을 "시위대가 총기를 탈취하고 병졸에게 상해를 가해 점점 기세가 올랐으나 수비대의 급원(急援)에 의해 겨우 해산시켰다"고 기록하고 있다.

크게 망신을 당한 일제 헌병과 경찰들은 이튿날인 7일 총을 난사하면서 지소마을을 급습했다. 일신단은 부녀자와 아이들을 뒷산으로 피신시키고 마을 앞 정자나무 아래에서 이들을 기다렸다. 일제 군경이 총구를 겨누며 다가오자 박영묵, 정상정, 이종의, 정의용 등 4명이 앞으로 나서 "어제의 일은 우리 4인의 짓이며 그 외는 모두 장꾼들이다. 책임은 4인에게 있으니 체포하라"고 외친 뒤 포박을 받았다. 이 과정에서 일신단원 1명이 일경이 쏜 총탄에 목숨을 잃었다. 박영묵 등 4명은 징역형을 선고받고 옥고를 치렀다.

현재 지소마을에는 주민들이 1982년에 건립한 3·1독립운동 의거 기념비가 세워져 있다. 하동항일독립운동기념사업회 정연가

비밀결사 일신단이
활약했던 고전면에 세워진
3·1독립운동 의거 기념비.

3·1운동 100년 – 역사의 현장 2

회장은 "모든 책임을 지겠다며 나선 박영묵은 글을 배우지 못했으나 의협심이 강했던 인물로 알려져 있다"며 "비밀결사가 활약한 지소마을은 독립운동가를 7명이나 배출한 곳"이라고 말했다.

보통학교 학생들의 의거

고전면 지소마을에서 총성이 울렸던 4월 7일 하동읍에선 하동공립보통학교 학생 130여 명이 하동시장에서 단체로 만세를 외쳤다. 《하동의 독립운동사》 등에 따르면 일본인 교장과 교사는 소풍날을 맞아 학생들을 광평송림으로 데리고 가던 중이었다. 박문화 등 4학년 주동자들은 일반 학생들에게 태극기를 몰래 나눠주며 귓속말로 시위 계획을 알렸다. 주동자들은 거사 사흘 전인 4월 4일 기숙사에서 열린 비밀 회합에서 5~10전씩을 갹출해 태극기 50장을 만드는 등 치밀하게 시위를 준비했다. 주동자들은 비밀 회합에서 "우리 학생들도 궐기해 의거를 결행하자. 학생이라고 보고만 있을 수 없다"며 의지를 다졌다.

7일 오전 11시 40분경 시장에 도착한 학생들은 일제히 태극기를 흔들며 만세를 불렀다. 시장에 있던 장꾼들까지 시위에 참가했다. 일본인 교장은 일부 여학생들까지 가담한 돌발 사태에 놀라 학생들을 교실에 가뒀다. 군수가 급히 달려와 학생들을 훈계

한 뒤 귀가시켰고 헌병대가 학교를 경비했다. 보통학교 시위를
주도한 박문화는 3·18하동시장 시위를 벌인 박치화 전 적량면장
의 친동생이다. 박문화는 보안법 위반으로 태(笞) 90도(度)의 형
을 선고받았다.

하동군에서 시위가 잠잠해진 5월 1일에는 하동보통학교 학생
들이 추가 봉기를 호소할 목적으로 적량면 동산리에서 하동읍에
이르는 도로의 가로수들에 '대한 독립 만세'라고 적힌 전단 10여
장과 미농지로 만든 태극기를 몰래 붙였다. 같은 달 3일엔 하동보
통학교 학생들이 운동장에서 축구 경기를 하다 기습적으로 독립
만세를 외쳤다. 신고를 받고 출동한 일경들이 이를 제지하자 조
롱과 욕설을 퍼부으며 만세를 더 크게 외쳤다.(독립운동사편찬위원
회,《독립운동사》)

2019년 3월 1일 악양면
최 참판댁과 드라마
〈토지〉 세트장에서 펼쳐진
만세운동 재현 공연.
(사진 제공: 하동군)

집 천장에 숨겨진 대한독립선언서

경남 하동군 적량면 두전마을 오르막길에는 하늘색 대문이 달린 고가(古家)가 있다. 사람이 살지 않는 탓에 마당엔 풀이 무성하고, 슬레이트지붕 위에 덧씌운 양철판은 붉게 녹슬어 있다. 하동항일독립운동기념사업회 정연가 회장은 "(이 집이) 1919년 3월 18일 하동시장 시위를 주도했던 박치화 선생이 살던 집으로 지금은 폐가"라며 "당시 시위에서 그가 낭독했던 독립선언서 원본이 1986년 집을 수리하던 중 천장에서 우연히 발견됐다"고 말했다.

우리의 힘으로 독립을 쟁취하되 비폭력과 무저항주의를 강조한 대한독립선언서 원본(국가지정 기록물 제12호)은 현재 천안에 있는 독립기념관에 전시돼 있다. 박치화 등 하동 시위 주동자 12인이 연서한 이 문서가 지방에서 독자적으로 만들어진 독립선언서라는 사실을 인정받았기 때문이다.

하동항일독립운동기념사업회 오대식 사무국장은 선언서가 천장에 숨겨진 이유에 대해 "(박치화가) 동료들을 보호하기 위해서 찾아낸 방법일 것이다. 연서한 선언서가 일제 손에 들어갔다면 관련자들이 잡혀갔을 텐데 그런 얘기는 없다"고 덧붙였다.

노도(怒濤)

끝까지 만세 시위를 그치지 말아야 한다

나라 잃은 2천만 겨레의 울부짖는 만세의 외침은 기미년 3
월 1일을 기해 삼천리 방방곡곡은 물론 멀리 해외까지 노도
(怒濤)처럼 메아리치며 퍼져나갔다. 때를 같이하여 이곳 산
청에서 봉기한 수천 군중이 3월 21일 거사해 약소민족의
설움을 세계만방에 호소했다. 왜경의 총탄 앞에 쓰러져 순
국한 선열과 부상자 등의 고귀한 넋은 독립의 밑거름이 되
어……. (산청 항일독립유공자 추모비)

경남 산청군은 1919년 당시 서부 경남에서 만세 시위가 가장

치열했던 곳 가운데 하나였다. 3월 19일부터 사흘간 진행된 신등 면과 단성면 시위가 특히 격렬했다.

유학자가 주도한 신등 · 단성 시위

산청 최초의 만세운동인 신등 · 단성 시위는 유학자 김영숙이 계획했다. 망국을 원통해하던 그는 1910년 경술국치 이후 국내외 독립지사들과 비밀 연락을 하며 광복이 되기를 기다려왔다.(독립운동사편찬위원회, 《독립운동사》)

그러던 차에 고종 승하 소식이 들려왔다. 김영숙은 이웃에 사는 윤병모를 찾아가 3월 3일 고종 인산에 맞춰 장남들을 경성에 보내기로 했다. 이들의 아들인 김상준과 윤규현은 경성에서 3 · 1 운동에 참여한 뒤 독립선언서를 구해 고향으로 돌아왔다.

아들에게서 3 · 1운동 소식을 접한 김영숙은 산청에서 만세 시위를 벌이기로 결심하고 동지들을 모았다. 3 · 1운동 직후 유림에서는 파리강화회의에 보낼 파리장서 연명운동이 한창이었다. 하지만 김영숙의 생각은 달랐다. 세계의 이목을 집중시켜 독립을 쟁취하기 위해서는 전 민족이 의거해야 한다고 보고 연명운동 참여를 거부했다.(독립운동사편찬위원회, 《독립운동사》)

김영숙 · 김상준 부자(父子)의 시위 계획에 김기갑, 윤치현, 정태륜 등이 뜻을 같이했다. 제자들과 함께 마을들을 돌아다니며 만세운동에 동참할 것을 설득했다. 수천 장의 독립선언서를 등사하고 '대한 독립 만세'라고 적힌 큰 태극기를 준비하며 격문도 썼다. 허학수 산청문화원 향토문화연구소장은 "신등면 평지리에 살았던 김영숙은 덕망이 높아 많은 사람들의 추앙을 받았던 인물"이라며 "그의 말이라면 사람들이 수긍하고 따랐다고 한다"고 전했다.

준비가 끝나자 이들은 3월 19일 신등면 단계리시장에서 첫 시위를 벌이기로 했다. 18일 밤 신등면과 단성면 주민들에게 계획을 알리고 곳곳에 격문을 붙였다. 하지만 단성면 헌병 분견대 주변에 붙인 격문을 통해 시위 계획을 파악한 일제 경찰들에 의해 19일 시위 출발 장소에 모여 있던 군중과 주동자 일부가 붙잡혔

경호강이 내려다보이는
수계정은 1919년 당시
독립운동 결사대의
비밀 회합 장소였다.

다. 검거를 피한 나머지 주동자들은 다시 모여 20일 단계리시장
과 21일 성내리시장에서 만세운동을 이어가기로 했다.

수천 시위대에 놀란 일본 군경

20일 날이 밝자 단계리장터에 사람들이 모여들기 시작해 오후
2시경엔 그 수가 1천 명을 넘어섰다. 시위대가 만세를 외치며 단
성면 성내리시장으로 이동하는 도중에도 사람들이 합세해 시위
대는 3천여 명으로 불어났다.《경남지역 3·1독립운동사》)

이때 김영숙의 수제자인 정태륜은 "우리는 구한국 정부를 다시
회복하기 위해 독립 만세를 부르는 것이니 다 같이 끝까지 만세
시위를 그치지 말아야 한다"며 시위를 독려했다.

사태가 심상치 않자 일제 헌병은 전날 체포한 주동자 5명을 석
방한 뒤 김영숙과 정태륜에게 해산을 요청했다. 하지만 시위대는
시장과 성 주변을 행진하며 밤늦게까지 운동을 이어갔다. 이에
거창 헌병 분견대원 20~30명과 진주 일군 수비대 40~50명이
출동해 강제 진압에 나섰다.

이튿날인 21일은 성내리시장 장날이었다. 대규모 시위가 일어
날 것을 우려한 거창 헌병 분견대장은 또다시 회유를 시도했다.
'지역 소요는 가급적 유화정책을 쓰라'는 상부 지시에 따른 조치

였다. 이날 아침 분견대장은 주재소 뜰에 잡혀 있던 시위 참가자들에게 "남의 유혹에 빠져 시위에 참가한 자는 손을 들라. 그러면 집으로 돌려보내 주겠다"고 제안했다. 이 말에 일부가 손을 들자 김상호는 자리를 박차고 일어나 이렇게 호통쳤다.

> "왜적이 우리나라에 강요해 합방조약을 맺을 때 10년 후에 독립권을 반환한다 하더니 이 맹약을 위배하고 오히려 고종 황제를 독살하였으니 우리의 불공대천지원수(不共戴天之怨讐)라. 그런데 제군은 그 원수에게 애걸하니 어찌 그렇게도 비겁한가!"

주재소 앞 집단 발포로 11명 순국

21일 아침부터 성내리장터에는 긴장감이 감돌았다. 일제 군경은 주민들에게 시위에 참여하지 말라고 경고한 뒤 주재소와 면사무소, 보통학교 등으로 통하는 도로 입구에서 총에 칼을 꽂은 채 경계에 들어갔다. 오후 1시경 장터에 모인 1천여 명의 시위대는 '독립 만세'라는 글자가 적힌 큰 태극기를 앞세우고 행진을 시작했다. 일제 헌병들이 시위대를 향해 공포탄을 쐈지만 만세 함성은 더 커졌다. 일부 시위대는 보통학교 삼거리에서 시위대를 저지하던 일제 헌병들의 총기를 빼앗기도 했다.

시위대가 주재소에 도착하자 일제 군경은 맨 앞에 서 있던 김영숙과 정태륜 등 주동자 6명을 체포했다. 이후 석방 교섭이 시작됐다. 일제 측은 군중이 해산하면 주동자들을 석방하겠다고 주장했고 시위대는 먼저 석방하면 해산하겠다고 맞섰다.

교섭이 무산된 가운데 시위대의 규모는 더 커졌다. 오후 3시경 시위대 일부가 몽둥이를 휘두르고 돌을 던지면서 일제 군경이 쳐 놓은 경계선 돌파를 시도했다. "구속자 석방"을 외치며 주재소로 접근하던 시위대를 향한 일제의 조준 사격이 시작됐다. 신등·단성 시위로 인해 11명이 숨졌고 24명은 재판에 넘겨졌다.

결사대가 주도하고 농민이 이어받은 산청읍 시위

신등·단성 시위 주동자들이 시위 동참을 촉구하는 격문을 거리 곳곳에 붙이던 3월 18일, 산청읍에선 독립운동을 위해 생사를 같이할 것을 맹세한 결사대가 조직됐다. 경성에서 3·1운동이 일어난 뒤 독립선언서를 구두 밑창에 숨겨 고향에 돌아온 도쿄 유학생 오명진이 주동이 됐다. 오명진, 민영길, 신영희, 오원탁, 최오룡, 신창훈, 신몽상 등은 이날 오후 5시경 숲이 우거져 감시를 피하기 쉬운 경호강 옆 수계정(현 산청공원)에서 비밀 회합을 갖고 결의문을 채택했다.

군국주의를 타파하고 불완전한 세계의 조직을 개조해 정의
인도에 기반한 새 세계를 조직하기 위해 미국 대통령 윌슨
이 14개조를 선언해 파리강화회의에 제안했던바 …… 한민
족도 이 민족자결주의에 따라 독립운동을 해야 한다.

결사대는 22일 산청읍 장날을 거사일로 정하고 역할을 나눠 시
위를 준비했다. 신창훈과 신몽상은 읍사무소 등사판을 신영희의
집으로 가져가 독립선언서와 결의서, 태극기 2천여 장을 등사했
다. 나머지는 시위에 참가할 군중을 모았다.

단성면 성내리에 세워진
산청 항일독립유공자 추모비.

결사대는 군 전체에서 만세 시위를 보다 효과적으로 할 생각으로 군수까지 포섭하기로 했다. 홍승균 군수에게 독립선언서를 전달했으나 그는 곧바로 이들을 헌병 분견대장에게 고발했다. 믿는 도끼에 발등 찍힌 격이었다. 거사 하루 전인 21일 오전 1시 일제 헌병들이 신영희의 집에 들이닥쳐 독립선언서 등을 압수했고, 결사대원 전원이 붙잡혔다.

주동자들이 검거됐지만 거사일인 22일 산청읍 장터에선 만세운동이 펼쳐졌다. 정오 무렵 수백 명이 만세를 외치며 태극기를 흔들었다. 일제 헌병대와 수비대가 출동해 총검을 휘두르며 강제해산을 시도했다. 이 과정에서 큰 태극기를 들고 시위대를 이끌던 민치방이 총검에 찔려 한쪽 팔이 평생 불구가 됐고, 박응양은 일본군이 휘두른 칼에 맞아 오른쪽 귀와 팔이 절단되는 피해를 입었다.(독립운동사편찬위원회,《독립운동사》) 허학수 소장은 "산청읍 의거는 군수의 밀고로 좌절될 뻔했으나 애국심이 불타오른 농민들이 궐기하면서 이뤄질 수 있었다"고 말했다.

짚신에 감춘 독립문서

경남 산청군에서 3·1운동으로 가장 높은 등급의 건국훈장을 받은 사람은 면우 곽종석 선생(1846~1919)이다.

3·1운동 당시 민족대표 33인에 한 명도 이름을 올리지 못한 유림은 1919년 파리강화회의 소식을 듣고 제1차 세계대전 승전국들에 우리의 독립 의지를 알리기 위해 2,674자로 된 '파리장서'를 제출했다. 유림의 대표적인 독립운동으로 평가받는 파리장서 작성을 주도하고, 여기에 연서한 137명의 유림 중 가장 먼저 이름을 올린 이가 곽종석이다. 일제가 '한국이 독립을 원치 않는다'는 내용의 문서에 거짓 유림 대표의 서명을 받아 파리강화회의에 제출하자 이를 반박하기 위해 보낸 것이었다.

단성면 남사예담촌에는 아직도 면우의 흔적이 곳곳에 남아 있었다. 유림독립운동기념관은 파리장서 사건 당시 한국 유림 대표였던 그가 산청에서 출생한 것을 기념해 2013년에 건립됐다. 곽종석의 일생뿐만 아니라 유림의 독립운동 전반을 소개하는 공간이다. 파리장서를 갖고 중국 상하이로 떠나는 제자 김창숙이 일제의 검문에 걸리지 않도록 곽종석이 파리장서를 한 줄씩 잘라내

노끈을 비벼서 짚신 날에 감춘 일화를 보여주는 인형 모형들도 있다. 기념관 옆에는 곽종석의 제자들이 1920년 그를 추모하기 위해 세운 이동서당도 서 있다.

파리장서는 1919년 3월 파리에 한국 대표로 파견됐던 김규식에게 보내졌고, 국내 향교들에도 전달됐다. 일제는 김창숙이 중국으로 떠난 직후 만세 시위 주동자를 붙잡아 조사하는 과정에서 파리장서의 존재를 알게 됐다. 한국 유림 대표였던 곽종석은 거창에서 체포돼 대구감옥에 수감됐다. 재판 과정에서 일제 검사가 징역 2년을 구형하자 곽종석은 "어찌 종신이라고 하지 않고 하필 2년이냐. 내가 여기에 오면서 본래 살아서 돌아가는 것을 기약하지 않았다"고 당당하게 맞섰다.(유림독립운동기념관,《파리장서와 유림의 독립운동》)

축구 경기

만세 외치는 우렛소리에 바다가 끓고 산이 동(動)하네

3·1만세운동의 불길이 전국으로 확산되던 1919년 3월과 4월, 사천 지역도 예외는 아니었다. 그해 3월 13일 곤양면을 시작으로 4월 19일까지 20여 차례의 크고 작은 시위가 이어졌다. 그중에서 사천보통학교 축구 경기가 사천 지역을 대표하는 항일 시위로 자리매김한 것은 주변 지역으로 시위를 확산시키는 도화선이 됐기 때문이다. 강신우 사천문화원 부원장은 "축구 만세 시위를 주동했다는 이유로 일제가 어린 학생들에게 혹독한 고문을 가한 사실이 알려지면서 사천 지역 주민들의 분노가 폭발했다"고 말했다.

첫 골을 신호로 만세를 외치다

사천은 서부 경남의 중심 도시 진주와 가까워 왕래가 잦다. 사천읍 만세 시위 주동자 황순주, 박기현, 김종철은 3월 18일 진주 만세 시위 소식을 듣자마자 진주로 달려갔다. 수만 명이 진주성 일대에서 태극기를 들고 만세를 외치는 장면을 목격한 이들은 독립선언서를 구한 뒤 사천읍으로 돌아왔다.

이들은 거사할 동지들을 모으면서 사천보통학교 졸업반 학생 이윤조를 참여시켰다. 그를 통해 보통학교 학생들을 만세 시위에 동참시킬 계획이었다. 이들은 사천보통학교 졸업식이 열리는 3월 21일에 축구 경기가 예정된 학교 운동장을 거사 장소로 정했다.

시위 계획은 은밀하게 학생들 사이에 퍼져나갔다. 거사 당일이 밝자 학생들은 비밀리에 건네받은 태극기를 가슴에 품은 채 등교를 했다. 마침내 경기가 열리고 이윤조가 속한 팀이 후반전에 첫 골을 터뜨리자 이윤조는 품 안에 숨겨둔 태극기를 꺼내 "대한 독립 만세"를 외쳤다. 이때 현장에 있던 일본인 교장이 교사들에게 그를 붙잡으라고 소리쳤다. 운동장에서 추격전이 펼쳐지자 학생들은 일제히 태극기를 꺼내 만세를 외치기 시작했다.

이후 학생들은 교문 밖으로 진출해 본격적인 길거리 시위에 나섰다. 길가의 주민들까지 시위에 가세했다. 학교 측의 신고를 받

2019년 3월 21일
사천초등학교에서 열린
축구 경기 만세운동 재현
행사. (사진 제공: 사천시)

고 출동한 일제 헌병대는 진압에 나섰고, 학생들을 체포했다. 주
동자로 지목된 이윤조는 2주간 옥고를 치른 뒤 반신불수의 몸으
로 석방됐다.

시위 주동 3인의 격문 투척 의거

시위를 주도했던 황순주 등 3인은 서당 스승의 집으로 피신해
체포를 면했다. 이들은 은신 중에도 격문을 써 돌멩이에 묶은 뒤
헌병 분견대장 집에 던지는 대담성을 보였다. 격문에는 "일본제
국주의 앞잡이들은 우리 민족에 대한 야만적인 살육 행위를 중단
하고 철퇴하라"는 도발적인 문구가 담겼다. 분노한 분견대장은
병력을 풀어 이들을 체포했고, 혹독하게 고문한 뒤 진주감옥으로

보냈다. 이들은 3개월 만에 가석방됐다. 박기현은 고문의 후유증으로 평생 불구가 됐다.(독립운동사편찬위원회,《독립운동사》)

사천보통학교 시위는 20여 일 뒤인 4월 14일 사천읍 중선리포구 도로공사장 만세 시위로 이어졌다. 도로 보수공사 인솔자 유승갑은 어린 학생들의 의거 소식에 고무돼 시위 계획을 세웠다. 거사 당일 하루 일과가 끝난 뒤 유승갑과 손계묵 등은 부역 나온 주민 100여 명 앞에 섰다.

"오늘 우리가 왜놈들에게 나라와 주권까지 모두 도적맞고 우리는 또 이렇게 강제 부역으로 혹사까지 당하고 있으니 이 얼마나 원통하냐. 우리도 독립 만세를 불러 시위를 벌이자."

사천초등학교 총동문회가
2019년 3월 학교 정문 앞에
세운 기념비.

주민들은 삽과 괭이를 높이 들고 사천읍을 향해 행진하며 만세를 외쳤다. 인근 주민들이 합류하면서 시위대는 수백 명으로 불어났다. 출동한 일제 헌병 10여 명은 삽과 괭이를 흔들며 살기등등한 시위대를 보고 처음에는 쉽게 덤벼들지 못했다. 나중에 총에 칼을 꽂고 본격적인 시위 진압에 나서면서 유혈 사태가 발생했다. 주동자 중 한 명인 손계묵은 혹독한 고문을 받다 부산감옥에서 옥중 순국했다. 유승갑은 태형 90대를 맞았다.(경상남도향토사연구협의회,《경상남도 각 시군의 3·1독립운동》)

조직력 돋보인 삼천포 시위

1919년 3월 당시 사천의 남쪽에 위치한 삼천포항과 주변 일대 (옛 삼천포시)에서도 만세 시위가 거세게 펼쳐졌다. 삼천포는 농사도 짓고 고기잡이도 했지만 일제의 수탈로 생활고가 극심한 지역이었다.

남양면 출신 박종실은 진주에서 독립선언서를 구해 온 뒤 평소 친분이 있던 삼천포공립보통학교 교사 황병두를 찾아갔다. 독립선언서를 보여주면서 학생들을 만세운동에 참여시킬 것을 제안했다. 처음에 거절했던 황 교사는 박종실의 잇단 요청에 동참을 약속했다.

박종실은 보통학교 학생 참여를 통해 주민들의 심리를 자극할 수 있다고 판단했다. 이 밖에 삼천포 시위에는 김우열, 강금수, 장지제, 고광세 같은 청년들도 뜻을 같이하기로 했다.(사천문화원, 《사천 항일독립 운동사》)

주동자들은 삼천포보통학교 졸업식 날이자 삼천포 장날인 3월 25일을 거사일로 정했다. 작은 태극기들을 만들고 마을별로 비상 연락망을 구축했다. 학생, 청년대, 주민 등으로 나눠 3곳에서 동시다발적으로 시위를 벌이기로 했다.

독립가 부르며 일제 군경에 맞서

마침내 거사일이 밝았다. 학생들은 일본인 교장이 제국주의 교육의 상징인 교육칙어를 낭독하면 시위에 돌입하기로 계획을 짰다. 하지만 가슴에 태극기를 품고 등교한 학생들은 흥분을 이기지 못하고 졸업식 전에 거사에 돌입했다.

간부 학생인 박상윤과 박종대가 선두에 서서 만세를 부르며 교문을 박차고 시내로 향했다. 갑작스러운 시위에 당황한 일제 경찰은 총검으로 학생들을 때리며 주동자들을 체포했다. 이후 일경은 시내 전역에서 삼엄한 경계망을 펼쳤다.

소식을 접한 청년대는 거사 장소를 해변에서 시장으로 바꾸었다. 주민들과 한곳에서 힘을 모으기로 한 것이다. 강금수가 시장 중앙에 설치한 단상에 올라 독립선언서를 큰 소리로 낭독한 뒤 500여 명의 시위대가 일제히 만세를 외쳤다. 이후 주민들의 시위 참여를 독려하기 위해 '독립가'를 부르며 거리 시위를 펼치기 시작했다.

> 4천여 년 찬란한 역사국으로 오늘날 이 지경이 웬일인가! 천부의 자유권은 사(私)가 없거늘 우리 민족은 무슨 죄로 욕을 당하는가! 철사(鐵絲)로 결박한 줄을 우리의 손으로 끊어버리고 독립 만세 외치는 우렛소리에 바다가 끓고 산이 동(動)하네.

지역 주민들이 시위대에 동참하면서 시위대 규모가 1천 명을 넘어섰다. 진압에 나선 일경은 선두에서 대형 태극기를 흔들던 고광세를 총대로 때리며 전진을 막았다. 하지만 그는 피를 흘리면서도 시위대를 이끌었다. 시위대가 경찰서 인근에 위치한 문선교를 통과하자 일경 50여 명과 기마경찰들이 길을 막고 총칼을 휘두르며 시위 대열을 허물었다. 붙잡힌 주동자들 중 강금수, 고광세 등 7명은 징역 10개월 형을 선고받고 진주감옥에서 옥고를 치렀다.(이용락,《삼일운동실록》)

사천 지역 항일운동의 성지 다솔사

봉명산에 있는 천년고찰 다솔사는 경남 사천 지역 항일운동의 성지로 불린다. 다솔사 홈페이지에도 "1,500년의 역사를 간직한 다솔사는 일제강점기 한용운이 수도하던 곳으로 항일기지 역할을 했다"는 소개글이 올라가 있다.

《사천 항일독립 운동사》 등에 따르면 만해 한용운은 1917년부터 1년간 다솔사의 요사채 '안심료'에 머물며 독립선언서와 공약 3장의 초안을 구상했다. 1919년 3·1운동 당시 민족대표 33인이 발표한 독립선언서는 최남선이 집필했지만 선언서 끝에 있는 공약 3장은 한용운이 추가한 것이다. 공약 3장의 초안이 사천 땅에서 만들어진 것을 기념하기 위해 사천문화원은 1층 로비에 독립선언서를 크게 확대해 걸어두고 있다.

다솔사는 1930년대 활동한 불교계 항일 비밀결사 만당의 근거지이기도 했다. 다솔사와 인연이 있는 사천 출신 독립운동가로는 주지를 지낸 최범술이 대표적이다. 다솔사에서 출가한 최범술은 1919년 당시 해인사의 지방학림 학생이었다. 그는 사천 출신으로 경성고등보통학교에 재학 중이던 학생 최원형에게서 독립선언서를 받은 뒤 동지들과 함께 1만여 장을 인쇄해 합천, 의령, 진주, 사천 등에 배포하며 만세운동 확산에 노력했다.

그는 고향 사천 서포면과 곤양면에선 직접 시위를 주도하기도 했다. 송지환, 신영범 등과 함께 태극기를 수백 장 만든 뒤 4월 10일과 4월 16일 서포개진학교 학생과 주민 100여 명을 이끌고 시위를 감행했다. 주동자 전원이 현장에서 붙잡혀 고문을 받고 재판에 회부됐지만 최범술은 처벌을 면했다. 운동의 주모자였지만 만 15세가 되지 않았기 때문이었다.

기세(氣勢)

지금은 수수방관할 시기가 아니다

경남 고성군 덕선리 선동마을에 있는 사립학교 철성의숙은 일본 유학을 다녀온 박거수가 1908년 사재를 털어 세운 학교로, 국은 (國恩), 사은(師恩), 부은(父恩)을 기반으로 하는 애국애족 정신으로 나라를 되찾고 조국의 완전 독립을 꾀하는 것을 교육 목표로 삼았다. 애국가를 부르게 하고 운동장 주변에 무궁화를 심었으며, 개천절에는 대운동회를 열어 학생들의 민족의식을 고취했다. 철성의숙은 1930년 폐교되기 전까지 22년간 민족교육기관으로서 역할을 담당했다.(독립기념관, 〈국내 독립운동·국가수호 사적지〉)

1919년 3월 15일 밤, 이 학교에 손님이 찾아왔다. 진주 출신 독립운동가 이주현이었다. 훗날 의열단에 가입한 그는 이듬해 밀양 경찰서 폭탄 투척 사건으로 체포돼 옥고를 치른 인물이다. 이주현은 철성의숙에 있던 박진완과 박거수에게 국내 사정을 설명한 뒤 독립선언서를 전달하며 고성에서도 만세운동을 일으켜달라고 당부했다. 고성 청년들인 배만두, 이상은, 김상욱도 연락을 받고 참석했다. 거사일은 이틀 뒤인 3월 17일로 정해졌다. 철성의숙은 고성 3·1만세운동의 시발점이었다.(정해룡 외,《고성독립운동사》)

학생들이 주축이 되다

거사일이 코앞으로 다가오자 만세운동 기획자들은 준비를 서둘렀다. 철성의숙과 박진완의 집에서 태극기를 제작했고, 배만두는 학생들을 만나 시위 동참을 당부했다. 안타깝게도 이 과정에서 시위 계획이 새어나가 일제 군경이 거사 당일 새벽 배만두 집을 급습하면서 1차 거사는 실패했다.

시위 동력이 약해져가고 있을 때 젊은 학생들이 나섰다. 도쿄에서 2·8독립선언에 참여했던 일본 유학생 안태원과 고향에 머무르고 있던 부산상업학교 학생 서주조 등이 만세운동에 참여할 동지 규합에 나선 것이다. 이들은 고성공립보통학교 학생들과 수차례에 걸쳐 비밀 회합을 가지면서 만세운동 참여를 호소했다.

"지금 각지에서는 일개 농부까지도 죽음을 두려워하지 않고 독립운동을 전개하고 있는데, 고성은 무엇 때문에 이를 결행하지 않는가? 지금은 수수방관(袖手傍觀)할 시기가 아니다."

이들의 노력은 결실을 맺었다. 안태원과 서주조는 학생 200여명과 3월 22일 고성읍 시장에서 만세 시위를 벌였다. 1차 거사에 실패한 지 닷새 만에 만세 함성이 울려 퍼진 것이다. 시장에 모인 사람들도 시위에 동참해 만세를 불렀다. 일제 군경은 총칼로 학생들을 위협하고 주동자들을 체포했다. 학생들의 만세 시위는 주민들에게 커다란 자각과 용기를 불러일으켰다.(독립운동사편찬위원회,《독립운동사》)

고성군 주민들은 학생 시위 열흘 뒤인 4월 1일 고성읍 쌀시장에서 다시 만세 시위를 벌였다. 이날 오후 4시 30분경 시장에 수백 명이 모여들자 김진만과 문상범 등이 감춰둔 태극기를 높이

고성군은 3·1운동
시위대가 행진했던 길에
'독립만세국천로'라는
이름을 붙였다.

들고 "대한 독립 만세"를 외쳤다. 수백 명의 군중이 따라서 만세를 불렀다. 이날 시위에는 삼산면에서 천도교도들을 이끌고 온 강대현과 노웅범도 힘을 보탰다.

갑작스러운 대규모 시위에 놀란 일제 군경은 사천에 주둔 중인 헌병 분견대 병력을 지원받고 재향군인과 소방대원까지 총동원해 시위를 진압했다. 일본 상인들까지 엽총을 들고 나왔다. 이 과정에서 문상범이 일본군의 총검에 쓰러졌는데 그가 흘린 피로 시장 내 샘물터가 붉게 물들었다.

일제를 놀라게 한 연합 시위

고성의 만세 시위는 군청 소재지였던 고성읍보다 고성군 북동쪽에 위치한 구만면과 회화면 일대에서 더 거세게 진행됐다. 고종 장례식에 참석하기 위해 상경했던 일부 인사들이 경성에서 3·1운동을 직접 목격하고 돌아온 뒤부터 은밀하게 만세 시위를 준비한 결과였다.

때를 기다려온 시위 기획자들은 배둔시장 장날인 3월 20일을 거사일로 정했다. 3월 20일 오후 1시경 구만면 당산마을의 야산에서 나팔소리가 울려 퍼졌다. 이를 신호로 구만면을 관통하는 국천(현재는 구만천) 모래사장에 지역 주민 수백 명이 모여들었다.

구만면 시위를 주동한 최낙종 선생의 손자 최연도 씨는 "하천이 S 자 모양으로 흐르면서 안쪽에 모래가 쌓이는 국천 모래사장은 면적이 넓어 집결 장소로 제격이었다. 시위 모의는 면사무소와 가까운 할아버지 생가에서 이뤄졌다"고 당시 상황을 설명했다.

시위 시작에 앞서 최정원이 독립선언서를 낭독했고, 이어 허재기가 공약 3장을 지킬 것을 다짐했다. 주동자들의 선창에 이은 주민들의 만세 함성이 산과 들로 울려 퍼졌다. 각오를 다진 시위대는 10리 정도 떨어진 배둔시장을 향해 행진했다. 도로에 저지선을 구축한 일제 군경은 말을 타고 시위 행렬 가운데로 돌진해 군중을 짓밟았다.

그러나 시위대는 위축되지 않았다. 격분한 시위대는 말을 탄 헌병을 포위해 크게 꾸짖고, 나팔수는 달려드는 말의 귀에 대고 나팔을 불어 말을 날뛰게 만들었다. 시위를 주도했던 최정원이 총부리 앞에서 가슴을 열어젖히며 "쏠 테면 쏴보라"고 맞서자 그의 기세에 눌린 일본군은 물러섰다.

구만면 시위대는 일본군의 저지선을 돌파해 배둔시장에 도착했다. 시장에는 전날 밤 연락받은 회화면 시위대가 기다리고 있었다. 700~800명의 시위대는 해방이 된 것처럼 만세를 불렀다. 일제 군경이 주동자들을 체포하려 하자 최정주가 나서 헌병 오장의 엄지손가락을 꺾어 붙잡힌 동지를 구출해냈다. 결국 이날은 아무도 체포되지 않았고, 시위대는 자진 해산했다.

2019년 3월 19일 고성군민들이
회화면 도로를 행진하며 만세 시위를
재현하고 있다. (사진 제공: 고성군)

"한인 관리들은 물러나라"

구만면 시위대는 회화면 배둔시장에서 성공적으로 시위를 벌
인 뒤 그날 마을로 돌아왔다. 허재기 등이 작성한 '한인 관리 퇴
직 권고문'을 면서기 이재홍에게 등사하게 했고 그중 1장을 구만
면사무소 정문에 붙였다.

한인 관리는 조속 용퇴하라. 불국(프랑스) 파리에서는 만국
평화회의가 개시되고 미국 윌슨 대통령으로부터 민족자결
주의가 선포됐다. 우리의 독립운동은 일시적 시도가 아니

요, 세계 열방의 공인인 동시에 실로 천재일우(千載一遇)의
만년대계(萬年大計)다. 만대의 영욕과 일생의 성패가 좌우되
는 기로이니 반성해라.

'대한독립동맹(大韓獨立同盟)' 명의로 된 이 권고문은 다음 날
여러 시군의 관공서로 발송됐다. 배둔시장에서 주동자 검거에 실
패한 일제 군경은 일본 재향군인들의 도움을 받아 시위 경위를
상세하게 조사한 뒤 핵심 인물들을 잡아들였다. 구만면과 회화면
의 시위를 주동한 혐의로 허재기, 최정원, 최낙종, 이정수, 문태
룡, 구영서, 서찬실, 김동기 등이 체포됐다.

독립운동가들의 피신처,
호국사찰 옥천사

신라 문무왕 때 의상대사가 창건한 경남 고성군의 천년고찰 옥천사는 임진왜란 때 승병들의 병영으로 사용됐던 호국사찰이다. 서울에서 시작된 만세 시위가 전국으로 확산되던 1919년, 항일정신이 투철했던 옥천사 승려 신화수와 한봉진은 애국지사들을 적극 도왔다. 대한독립청년단 단원으로 경남 서부 지역의 만세 시위를 담당했던 변상태, 고성군 고성읍 시위를 배후에서 조종한 이주현 등이 옥천사를 피신처로 삼아 활동했다.(정해룡 외,《고성독립운동사》)

신화수는 1921년 5월 25세의 나이로 제2 독립운동을 계획하다 붙잡혀 옥고를 치렀다. 신분을 감추기 위해 승복을 벗고 농사꾼 차림으로 돌아다녔으나 고향 친구의 밀고로 옥천사에서 체포됐다.

신화수는 석방된 뒤 혁신단을 조직해 기관지 〈혁신공보〉를 발행하는 등 독립운동을 이어가다가 1923년 또 한 차례 옥고를 치른다. 중국에서 국내로 잠입한 김상옥이 그해 1월 12일 종로경찰서에 폭탄을 투척한 뒤 은신하다 1월 22일 일제 경찰과 교전 끝에 자결한 사건에 연루됐기 때문이다. 신화수는 김상옥에게 군자금 1천 원을 제공한 혐의를 받았다.

옥천사 승려 한봉진도 임시정부의 일을 돕다 옥고를 치렀다. 그는 1920년 임시정부가 국내에 파견한 고성군 출신 요원 윤영백과 함께 군자금 모집 활동을 벌인 혐의로 징역 1년을 선고받았다.

총동원

너희들이 분기하지 않으면 누가 광복의 대업을 이룰 것인가

어제 (경남) 밀양에서는 조선어를 알고, 조선인 처를 둔 일본
인을 살해한다는 협박이 있어 일본인 자산가 4, 5명이 부산
으로 도피했다.

1919년 3월 13일 오후 7시 반, 경남 장관은 조선총독에게 이런
내용의 긴급 전보를 보냈다.(《소요사건에 관한 도장관 보고철》) 돈 많
은 일본인들이 밀양의 만세 시위 움직임을 눈치채고 안전한 곳으
로 몸을 피했다는 것이다. 조선 강점을 전후해 일본인들은 대부분
개항장을 중심으로 해안가에 많이 살았지만 내륙 지역인 밀양에

진출한 이들도 있었다. 밀양은 경부선과 경전선 철도가 지나는 교통 요충지이자 농업 중심지였기 때문이었다. 제방을 축조해 개발된 농지는 모두 일본인들 차지였다.(강만길,《밀양의 독립운동사》)

불안감에 부산으로 달아났던 밀양 지역 일본인 부자들의 직감은 적중했다. 피신 하루 뒤인 3월 13일 밀양 장날에 맞춰 수천 명이 참가한 대규모 만세 시위가 일어난 것이다. 이날 시위를 시작으로 밀양에서는 다양한 계층의 주민들이 4월 10일까지 9차례에 걸쳐 만세운동을 벌였다.

3·13밀양 장날 시위

밀양의 열혈 청년인 윤세주와 윤치형은 1919년 3월 고종 장례식에 참석하기 위해 경성에 갔다가 3·1운동을 직접 체험한다. 고종의 시종을 지낸 윤세주의 아버지가 아들에게 상경을 권유해 얻은 귀한 경험이었다. 감격과 흥분을 안고 고향에 돌아온 이들은 평소 믿고 따르던 애국지사 전홍표를 찾아가 경성 상황을 알렸다. 전홍표의 지도를 받은 윤세주와 윤치형은 밀양에서도 만세운동을 벌이기로 결심하고 밀양공립보통학교 졸업생들을 중심으로 동지들을 모았다.

거사일은 밀양 장날인 3월 13일로 정해졌다. 밀양면사무소의 등사판을 몰래 가져온 주동자들은 밤중에 아북산에 올라가 병풍을 둘러치고 독립선언서 수백 장을 찍었다. 그사이 여성 기독교인들은 태극기를 수백 개 만들었다.(독립운동사편찬위원회,《독립운동사》)

3월 13일 날이 밝자 선언서와 태극기를 품에 숨긴 시위대가 장꾼을 가장해 시장 안으로 잠입했다. 오후 1시 20분경 주동자들이 태극기를 펼쳐 들자 밀양시장과 밀양공립보통학교 앞 도로에 수천 명이 운집했다. 윤세주가 선언서를 낭독하는 사이 군중에게 선언서와 태극기를 나눠 줬다. '독립 만세'라고 적힌 큰 깃발을 앞세운 시위대가 밀양 거리를 휘젓고 다녔고, 시위대 일부는 밀양공립보통학교에 찾아가 종이 태극기를 학생들에게 전달했다. 80여 명이 현장에서 체포됐으나 주동자인 윤세주와 윤치형은 붙잡히지 않았다.

밀양 시위가
일어났던 밀양시장은
밀양아리랑시장으로
이름이 바뀌었다.

학생과 유생이 주도한 만세운동

3월 14일에는 밀양공립보통학교 학생 160여 명이 말리는 교사들의 손을 뿌리치고 거리로 나섰다. 학생들이 태극기를 흔드는 모습을 본 주민 200여 명이 동참했다. 밀양독립운동사연구소 윤일선 소장은 학생들의 3·14시위에 대해 "하루 전 시위대가 교실 안에 들어와 태극기를 나눠 주는 모습에 고무된 어린 학생들이 들고일어난 것"이라고 말했다.

2차례 기습 시위에 허를 찔린 일제는 부산에 주둔 중이던 일본군 철도엄호대를 밀양면으로 급파해 경계를 강화했다. 그럼에도 3월 15일에는 유생 수천 명이 시회(詩會)를 연다며 밀양천변 솔밭광장에 모여 만세운동을 펼쳤다. 유생들이 밀양 거리로 진출했을 때 주민들이 가세하면서 시위대 규모는 5천여 명으로 늘었다. 기독교인 수백 명도 힘을 보탰다. 총검으로 무장한 일제 군경은 소방대를 출동시켜 펌프로 물을 퍼부으며 시위대를 해산시켰다. 3월 20일에는 밀양의 유지 안희원의 장례 행렬을 따르던 조문객들이 밀양시장을 지날 때 만세를 외치며 시위를 벌였다.

표충사 승려들의 단장면 시위

밀양시 단장면에 있는 표충사는 임진왜란 때 승병을 이끈 사명대사를 기리는 사찰이다. 만세운동이 전국으로 확산되던 1919년 3월, 민족대표 33인 중 불교계 대표였던 한용운은 범어사와 통도사 승려와 학생들의 만세운동을 지도했다. 그해 3월 20일 통도사 승려 5명이 단장면으로 찾아와 표충사 승려들과 비밀 회합을 가지면서 만세 시위 계획이 본격화됐다.

거사일은 단장 장날이자 사명대사의 봄 제사일인 4월 4일이었다. 만세운동 계획을 주도한 이장옥은 조선을 위해 생명을 희생하기로 맹세한다는 내용의 격문을 작성해 수백 장을 등사하게 했다. 표충사 승려들은 독립선언서와 종이 태극기를 충분하게 준비한 뒤 인근 사찰과 각 마을에 시위 계획을 알렸다.

거사일 오전 표충사 승려와 학생들은 시장 안에 잠입해 태극기를 장꾼들에게 나눠 줬다. 정오가 되자 5천여 명이 모였다. 30분 뒤 주동자들은 7미터가 넘는 대나무 장대에 '조선 독립 만세'라고 적힌 깃발을 달아 시장 중앙에 높이 세웠다. 나팔소리가 울린 뒤 독립선언서가 낭독됐다. 시위대는 만세를 외치며 시장을 세 바퀴 돌았고 헌병 주재소로 몰려갔다. 일본 군경이 거만한 태도로 해산을 요구하자 포위한 채 돌을 던져 유리창과 지붕 벽 등을 부쉈다. 일본군 지원 병력이 도착해 발포하면서 해산했지만 시위대는 흩어졌다가 다시 모이는 방식으로 다음 날 정오까지 만세 시위와 주재소 습격을 이어갔다. 대규모 농민항쟁 성격을 띤 단장면 시위로 364명이 체포됐다.(독립운동사편찬위원회,《독립운동사》)

민족의식 일깨운 학교들

밀양에서 만세운동이 잇따라 펼쳐진 데는 민족의식을 길러준 학교들이 큰 영향을 끼쳤다. 특히 항일 비밀결사 '의열단' 단원들을 다수 배출한 사립 동화학교와 밀양면 시위의 중심이었던 밀양공립보통학교가 밀양 독립운동의 산실로 손꼽힌다.

1900년을 전후해 밀양면 옛 군청 자리에 설립된 동화학교는 애국사상 고취와 항일투사 육성을 교육 목표로 삼은 학교였다. 밀양의 첫 만세운동인 3·13시위를 지도한 전홍표가 바로 동화학교 교장이었다. 전홍표는 평소 훈시를 통해 학생들에게 자주독립 정신을 불어넣었다.

"빼앗긴 국토를 다시 찾고 잃어버린 국권을 회복하기 전에는 우리들은 언제나 슬프고 비참하다. 너희들이 분기하지 않고, 대체 누가 조국 광복의 대업을 이룰 것인가." (강만길,《밀양의 독립운동사》)

2019년 3월 13일 밀양관아
앞에서 재현된 3·1운동.
(사진 제공: 밀양시)

　3·13시위 주동자 윤세주와 훗날 의열단장이 된 김원봉은 동화
학교가 폐교되기 전까지 전홍표의 가르침을 받았다. 동화학교에
는 무력 투쟁을 통한 독립을 목표로 삼은 비밀 애국단체 '연무단'
이 조직돼 있었다. 일제는 재단법인 인가를 받지 못했다는 이유
를 들어 1912~1913년경 항일 민족교육기관인 동화학교를 강제
폐교했다.(강만길,《밀양의 독립운동사》)

밀양 출신들,
항일 비밀결사 '의열단' 주도

밀양 장날 시위를 주도한 윤세주는 일제 경찰의 검거망을 피해 만주로 망명했다. 1919년 11월 9일, 윤세주를 비롯한 애국지사 10인이 중국 지린성의 한 중국인 집에 모여 밤을 새워가며 논의한 끝에 10일 새벽 항일 비밀결사인 '의열단'을 결성한다. 이들은 일제의 무력에 대항해 암살, 파괴, 폭파 등을 통한 독립운동을 하기로 결의했다.

신흥무관학교 출신들이 중심이었지만 지역적으로는 밀양 출신이 많았다. 10명 중 4명의 고향이 밀양이었다. 밀양에서 윤세주와 함께 학창 시절을 보냈던 김원봉이 단장으로 추대됐다. 의열단은 조선총독부, 동양척식회사, 경성일보사 등 일제 통치기관들을 파괴하기 위해 조력자들이 많은 밀양과 진영에 폭탄을 숨기기로 계획했다. 1920년 3월부터 중국에서 구한 폭탄과 무기를 수수가마니 등에 숨겨 국내로 반입했지만 중간에 거사 계획이 일제 경찰에 탐지되면서 같은 해 6월 핵심 단원들이 줄줄이 체포됐다. 폭탄 압수가 밀양에서 시작됐고, 밀양을 근거지로 삼은 사실이 드러나자 일제 경찰은 이를 '밀양 폭파 사건'이라 이름 붙였다.(경상남도향토사연구협의회,《경상남도 각 시군의 3·1독립운동》)

　폭탄 반입은 실패로 끝났지만 이후 의열단의 활동은 잇따라 성공을 거두었다. 1920년 9월 박재혁이 부산경찰서에 폭탄을 투척해 서장을 숨지게 했고, 같은 해 12월 밀양 출신 최수봉이 밀양경찰서에 폭탄 2개를 던졌다. 당시 서장은 직원들 앞에서 훈시 중이었다. 칼로 목을 찔러 자결하려다 붙잡힌 최수봉은 법정에서도 당당했다. 1921년 4월 19일자 〈동아일보〉에 따르면 최수봉은 사형에 처한다는 재판장의 선고에도 태연하게 웃으며 퇴정했다. 이준설 밀양의열기념관 학예연구사는 "박재혁 의사와 최수봉 의사의 의거는 의열단이 폭탄 반입 사건의 실패를 딛고 재기할 수 있는 계기가 됐다"고 말했다.

결사보국(決死報國)

조선인이면 만세를 부르라

"어제(4월 2일) 울산 언양면에서 소요가 있어 발포. 사상 3 명."(4월 3일 보고)

"동일(4월 4일) 울산 하상면에서 소요 발생."(4월 5일 보고)

"어제(4월 5일) 울산 하상면 소요에서 수모자(首謀者) 압송 도중 청년들이 탈취하려고 폭행해 발포. 2명 즉사, 8명 부 상."(4월 6일 보고)

1919년 4월 초, 경남도 장관은 울산 지역에서 벌어지고 있는 만세운동 관련 내용을 조선총독에게 이처럼 매일 보고했다. 울산 주둔 병력만으론 감당하기 어려워 부산 등 인근 지역의 군부대가 울산으로 향했다.

심상치 않은 움직임은 3월 말에 처음 포착됐다. '차제에 모든 면리원(면사무소 직원)들은 사직하라'라는 격문이 3월 30일 울산 군청 명의로 각 면에 보내지면서 공포감이 확산했다. 경남도 장관은 협박 내용이 담긴 이 격문이 발견된 사실을 보고하면서 다른 유언비어들도 무성해 울산 민심이 동요하고 있다고 우려를 나타냈다.(《소요사건에 관한 도장관 보고철》)

3월 1일 경성과 평양 등에서 시작돼 전국으로 퍼져나간 만세운동이 4월로 접어들면서 소강상태를 유지했지만 울산 지역은 달랐다. 다른 지역보다 늦게 발동이 걸렸으나 강도는 결코 약하지 않았다. 4월 2일 언양 시위를 시작으로 4월 4일과 5일 하상면 병영 시위, 4월 8일 온양면 남창 시위 등이 잇따라 펼쳐졌다. 특히 이틀간 일제 군경과 격렬하게 충돌한 병영 시위는 비밀결사 '병영청년회'가 전면에 나서 이끌었다.

천도교가 주도한 4·2언양 시위

울산의 만세운동은 천교도 교인들이 활약한 언양 지역에서 가장 먼저 일어났다. 3월 하순 이무종과 이규인 등 천도교 유지 6명이 4월 2일 언양 장날에 시위를 벌이기로 결정했다. 태극기와 독립선언서는 천도교회에서 밤샘 작업으로 등사해 만들었다.

주도자들은 4월 2일 아침 태극기를 감추고 언양 남부리시장에 잠입했다. 태극기를 나눠 준 뒤 시장 한복판에서 독립 만세를 소리 높여 외쳤다. "조선인이면 만세를 부르라"는 외침에 장꾼 2천여 명이 태극기를 흔들며 만세를 따라 불렀다. 경찰이 주동자들을 체포해 주재소로 끌고 가자 군중이 뒤쫓았다. 시위대는 군경의 공포탄 발사에 투석전으로 맞섰다. 일제 군경의 실탄 사격으로 1명이 즉사하고 5명이 다쳤다.(울산광역시사편찬위원회,《울산광역시사》)

항일정신으로 뭉친 병영청년회

유혈사태로 막을 내린 언양 시위의 바통을 하상면 병영리가 이어받았다. 병영(兵營)은 조선시대 경상좌도 병마절도사영이 이곳에 있었던 이유로 붙여진 지명이다. 무예를 중시하는 상무(尙武)정신이 주민들 사이에 강했고, 항일정신이 어느 곳보다 투철했다. 이런 분위기에서 성장한 청년들이 만든 비밀결사가 병영청년회였다.(독립운동사편찬위원회,《독립운동사》)

경성의 3·1운동 소식은 병영 땅에 일찍 도착했다. 경성 학교에

2019년 4월
병영 시위 재현 행사에서
참가자들이 시위 시작을
알리기 위해 축구공을 높이
차올리려 하고 있다.
(사진 제공: 울산시)

서 유학하던 한명조와 이영호가 3월 3일 귀향해 고종 독살설과 함께 경성에서 만세 시위가 일어나 많은 사람들이 체포됐다고 알렸다. 평소 모이기만 하면 "언젠가 왜놈들과 한바탕하겠다"고 벼르던 병영청년회 회원들은 흥분했다. 때가 왔다고 판단한 청년들은 3월 상순부터 일을 같이 할 사람들을 모았다.

준비는 빨랐으나 병영 시위는 언양보다 이틀 늦었다. 울산읍민들과 함께 시위를 벌일 계획이었으나 지지부진했기 때문이었다. 결국 단독 거사를 결정한 청년회 회원들은 병영 장날인 4월 4일을 의거일로 정했다. 이들은 거사의 성공을 위해 일심동체의 혈맹(血盟)이 선행돼야 한다고 다짐하며 즉석에서 오른손 가운뎃손가락을 깨물어 '결사보국(決死報國)'이라고 혈서를 썼다. 독립선언서 200장과 태극기 500장을 준비하고 '대한 독립 만세'라고 적힌 큰 깃발도 만들었다.

이틀간 휘몰아친 병영 시위

4월 4일 아침 청년회 회원들은 태극기와 선언서를 가슴에 품고 집결 장소인 일신학교(현 병영초등학교) 교정으로 모여들었다. 오전 11시 40분경 높이 차올린 축구공을 신호로 주도자 중 한 명이던 양석룡이 큰 깃발을 치켜들면서 만세 시위가 시작됐다. 시위대는 만세를 외치며 시가지로 향했고 주민 수백 명이 합류했다.

시위대를 보고 놀라 달아난 주재소 순사들이 울산경찰서에 지원을 요청하면서 경찰과 수비대 병력 13명이 도착했다. 군경은 양석룡을 마구 때린 뒤 깃발을 빼앗고 14명을 체포했다. 피신한 청년회 회원들은 곽남마을에 모여 다음 거사를 준비했다.

이튿날인 5일 아침 일신학교 부근에 다시 모인 청년들은 만세를 부르며 시내에 있는 주재소를 향해 행진했다. 이번엔 이문조가 '대한 독립 만세' 깃발을 들었다. 어제의 만세 시위 소식이 알려지면서 병영성 밖에서 대기하고 있던 주민 수천 명이 만세 대열에 합세했다. 시위대가 지나가는 집집마다 지붕 위나 담장 위에서 만세 소리가 그치지 않았다.

시위대가 주재소를 포위하고 고함을 치는 사이 수비대가 달려와 이문조를 비롯한 주도자 9명을 체포했다. 주민들은 수비대를 에워싼 채 검거자 석방을 외쳤다. 곳곳에서 육박전이 펼쳐졌고 돌이 날아다녔다. 일제 군경의 무차별 사격에 엄준, 문성초, 주사

병영 만세 시위 때 희생된
4인과 옥고를 치른 22인을
모신 사당 삼일사.

문, 김응룡 등 4명이 숨지고 수십 명이 중상을 입었다.

이날 의거로 40명이 체포됐으며 이 중 22명이 6개월에서 2년의 징역형을 선고받고 부산과 대구감옥에 투옥됐다. 복역자 전원은 출옥한 뒤 '기미계'를 조직해 이 나라가 광복될 때까지 항일투쟁을 계속할 것을 맹세했다.(독립운동사편찬위원회,《독립운동사》)

비밀리에 희생자들을 추모해온 기미계는 광복 이후 '3·1봉제회'로 이름을 바꿨으며 지금까지 명맥을 이어오고 있다. 병마절도사영 객사를 수리해 만든 사당 '삼일사'에는 병영 의거 순국자들을 기리는 삼일충혼비가 서 있다.

판사 출신 박상진,
광복회 이끌며 독립군 지원

우리는 대한 독립 광복을 위해 생명을 제공함은 물론 우리
가 일생의 목적을 달성치 못할 시는 자자손손 계승해 원수
인 일본을 완전 구축하고 국권을 회복할 때까지 절대 불변
하고 서로 힘을 모을 것을 천지신명에게 맹세함.

1919년 3·1운동이 일어나기 4년 전인 1915년 7월, 대구 달성
공원에서 독립군 지원단체 '대한광복회'가 결성됐다. 조선국권회
복단과 풍기광복단이 합친 광복회는 무력 투쟁을 목표로 했다.
또 '부호의 의연금과 불법 징수 세금 압수해 무장' '만주에 군관학
교 설치해 독립전사 양성' '일인 고관과 한인 반역자 처단' 등 7가
지를 실천 강령으로 정했다.(독립운동사편찬위원회, 《독립운동사》)
　총사령에는 울산 출신 독립운동가 박상진이 추대됐다. 그는
1910년 판사 시험에 합격해 평양법원에 발령받았으나 식민지 관
리가 되지 않겠다며 사퇴했다가, 이듬해 만주로 건너가 허겸과
이상룡, 김동삼 등 독립운동가들과 만나 독립투쟁 방법을 모색했

다. 1912년 귀국한 박상진은 대구에 독립운동 연락 본부 격인 '상덕태상회'를 설립하고 조선국권회복단에 참여하는 등 독립운동 지원을 꾸준히 준비했다.

광복회는 독립군 기지가 있는 만주로 보낼 군자금 모집에 총력을 기울였다. 그해 12월 24일 새벽 경북 경주에서 우편마차가 습격당하는 사건이 발생했다. 경주, 영일, 영덕에서 거둔 세금 8,700원이 우편마차에 실려 대구로 이동한다는 첩보를 입수한 광복회 단원 권영만과 우재룡이 실행한 작전이었다.

광복회는 군자금 모집에 협조하지 않는 부호들에게 살해 협박문을 보내고 경각심을 주기 위해 실제 처단에 나서기도 했다. 1917년 11월 경북 칠곡의 친일 부호 장승원과 1918년 1월 충남 아산의 도고면장 박용하를 찾아가 죄를 알리고 처단한 게 대표적이다. 그런데 박용하 처단에 가담한 단원이 충남 천안에서 체포되면서 조직의 실체가 드러나 단원 대부분이 붙잡혔다. 박상진은 그해 2월 경주에 계신 어머니가 위독하다는 소식을 듣고 찾아갔다가 체포됐다. 박상진은 사형을 선고받고 1921년 대구감옥에서 순국했다. 울산의 박상진 생가에서 만난 증손자 박중훈 씨는 "증조부는 내게 너무 큰 어른"이라며 "떳떳하게 후손이라고 밝힐 수 있는 자긍심보다 더한 정신적 유산은 없을 것"이라고 말했다.

단결

힘을 합하여 독립 만세를 힘차게 부르자

항상 붉은 옷을 입고 스스로 홍의장군(紅衣將軍)이라 일컬었
는데, 적진을 드나들면서 나는 듯이 치고 달리어 적이 탄환
과 화살을 일제히 쏘아댔지만 맞힐 수가 없었다.

《선조수정실록》(임진년 6월 1일)은 왜군이 침입해 국토를 유린
하자 전국에서 가장 먼저 의병을 일으킨 곽재우 장군의 활약상을
이렇게 기록했다. 경남 의령은 의병장 곽재우 장군의 고향이다.
곽재우 장군이 의병을 일으킨 날인 4월 22일에는 의병제전과 추
모행사가 해마다 열린다.

항일정신이 투철했던 의령인들은 만세 시위가 전국으로 퍼지던 1919년, 일제에 맞서 거세게 일어났다. 의령읍 시위가 3월 14일부터 16일까지 사흘간 매일 벌어진 것을 시작으로 부림면(3월 15일), 지정면(3월 16일), 칠곡면(3월 17일), 화정면(3월 20일) 등으로 만세 시위가 확산했다. 참가한 연인원이 1만 명에 이르고 50여 명이 옥고를 치렀다.

의령 3·1운동에 불을 붙인 것은 서울에서 보낸 한 통의 전보였다. 통상적으로 만세 시위는 경성에서 유학하던 학생이 시위를 경험한 뒤 고향 땅을 밟거나, 애국지사들이 독립선언서를 은밀하게 전달하며 거사를 논의하는 식으로 전파됐지만 의령은 달랐다.

여동생의 뛰어난 지략

경성에서 3·1운동이 일어나기 하루 전인 2월 28일 도착한 이 전보의 수신인은 의령읍에 사는 청년 구여순이었다. 경성에서 공부하던 여동생이 급병에 걸려 입원했다는 소식을 접한 구여순은 이종 누이동생 이화경과 함께 3월 1일 의령을 떠나 이튿날 경성에 도착했다. 경성 시내는 만세 함성으로 들끓고 있었다.

병원으로 가는 길에 여동생 은득을 우연히 마주쳤다. 아프다던 여동생은 건강해 보였고 시위 군중 속에서 만세를 외치고 있었다. 전보는 오빠를 경성 3·1운동에 참여시키기 위한 꾀였다. 구여순은 여동생과 함께 한없이 만세를 불렀다.

은득은 그날 밤 오빠에게 경성 상황을 설명한 뒤 의령에서 만세 시위를 주도하자고 제안했다. 세 사람은 독립선언서를 갖고 고향에 내려왔다. 한 통의 전보가 의령을 뒤흔들어놓은 만세 시위의 도화선이 된 셈이다.(의령문화원,《의령의 항일독립운동》)

의령에 도착한 구여순은 평소 자신과 뜻이 통했던 정용식부터 찾았다. 의령읍에서 병원을 개업 중이던 그는 흔쾌히 거사 참여를 약속했다. 최정학, 이우식, 김봉연 등도 거사에 동참하기로 했다.

이화경은 자신의 상점에 보관돼 있던 자루 400~500장을 팔아 거사 자금으로 내놓았다. 용덕면장 강제형의 협조로 독립선언서도 수백 장 인쇄했다. 시위 지도자들은 동지들을 규합하고 의령 공립보통학교 학생들로부터 시위에 동참하겠다는 약속도 받아냈다.

이런 움직임들이 일제 감시망에 포착되어 부산 일본군 헌병대가 7명을 의령에 보내 조사했으나 아무런 단서를 잡지 못하고 돌아갔다. 의령의 독립운동단체인 기미 3·1독립정신보존회 권기상 회장은 "일본군이 현지 조사를 하고도 소득 없이 그냥 돌아갔다는 사실은 당시 시위 지도자들이 얼마나 은밀하고 치밀하게 거사를 추진했는지, 주민들이 거사에 얼마나 적극적으로 협력했는지를 잘 보여준다"고 평가했다.

사흘간 이어진 뜨거운 만세 함성

의령읍 장날인 3월 14일 아침부터 시장에 장꾼들이 모여들었다. 오후 1시경 이미 2천 명이 넘는 군중이 운집했다. 단상에 올라선 구여순은 "조국의 자주독립을 쟁취할 때가 왔다"고 연설했다. 그의 만세 선창에 시장은 만세 함성으로 진동했다. 보통학교 학생 300여 명과 읍민들이 가세하면서 시위대는 3천여 명으로 늘었다. 시위대는 의령읍을 한 바퀴 돈 뒤 경찰서 앞에서 만세를 부르고 스스로 해산했다.

이튿날인 3월 15일, 아침부터 부슬비가 내렸지만 의령향교 앞에는 다시 1,500여 명이 모여들었다. 시위대는 태극기를 흔들며 군청, 경찰서, 보통학교로 몰려가 만세를 불렀다. 이날 시위에는 이화경, 이원경, 최숙자 등이 이끄는 여성단체가 참여했다. 군청

1919년 3월 15일 아침 의령향교 앞에 집결한 시위대는 군청과 경찰서를 향해 행진했다.

3·1운동 100년 – 역사의 현장 2

직원 안의인과 정봉균 등은 시위대 선두에 서서 만세를 외쳤다.

사흘째인 3월 16일에도 군중 수백 명이 몰려나와 시위를 벌였다. 일제 경찰은 진주에 주둔 중인 일본군 부대에 지원을 요청했고 이들은 총칼로 진압에 나섰다. 사흘간 계속된 시위로 100여 명이 체포됐고 30명이 옥고를 치렀다. 구여순은 2년간 옥고를 치른 뒤 풀려나 중국 상하이로 망명했다. 의열단에 가입한 구여순은 일제 관공서를 폭파할 목적으로 국내에 잠입했으나 1923년 평양에서 체포돼 징역 4년 형을 선고받았다. 출옥한 뒤에는 시베리아에서 반제지방단부를 설립해 독립운동 군자금을 모금했다.

인근 지역으로 확산된 만세 열기

의령읍 만세 시위는 인근 지역의 애국심을 자극했다. 구여순과 더불어 의령읍 시위의 핵심 주도자였던 최정학은 시위가 일어나기 전부터 부림면 동원 책임자를 맡아 물밑에서 거사를 준비했다. 부림면 주민 정주성에게 의령읍 시위 계획을 설명하고 독립선언서를 전달했다. 정주성은 다른 동지들과 상의해 의령읍 2차 시위일인 3월 15일 신반리 장날에 시위를 벌이기로 했다.

시위 주도자들은 태극기를 품속에 지니고 시장에 숨어들었다. 많은 군중이 모인 정오경, 시장 한복판에서 태극기를 나눠 주며 만세를 선창했고, 모인 사람들이 호응하면서 만세 함성으로 들끓었다. 경찰은 총검을 휘두르며 시위를 진압했다.

하루 뒤에는 지정면 봉곡리에서 만세 시위가 일어났다. 의령읍 1차 시위(3월 14일)에 참가했던 지정면 주민 정호권이 3월 16일 봉곡리시장에서 벌인 것이다. 정호권은 시장에 모인 300여 명 앞에서 "힘을 합하여 독립 만세를 힘차게 부르자"고 연설했다. 정호권은 3월 18일 지정면과 인접한 창녕군 남지리시장에 가 조선독립에 관해 연설하고 시위를 주도했다.(독립운동사편찬위원회,《독립운동사》)

"백산을 어버이처럼 믿고
도움을 받아라"

의령 출신인 백산(白山) 안희제(1885~1943)는 백범(白凡) 김구, 백야(白冶) 김좌진과 더불어 삼백(三白)으로 불렸던 독립운동가다. 당초 고향에서 한학을 익히던 그는 나라가 망국의 위기에 처하자 신학문을 배우기 위해 상경했다.

보성전문학교에 입학한 뒤 양정의숙으로 전학한 백산은 1907~1908년 구명학교, 의신학교, 창남학교를 설립하는 등 민족교육운동을 펼쳤다. 1909년에는 비밀결사 '대동청년단'을 결성했다. 그리고 경술국치 이듬해인 1911년 러시아 블라디보스토크로 망명해 안창호, 이갑, 신채호 등 독립운동 지도자들과 만나 국권 회복 방안을 논의했다. 그러다 독립운동 자금을 조달할 수 있는 조직망과 국내외 독립운동 세력의 연락망 구축의 필요성을 깨닫고 1914년 부산으로 돌아왔다.(이동언,《독립운동 자금의 젖줄 안희제》)

백산은 고향의 논 2천 마지기를 팔아 1914년 말 부산에 백산상회를 설립했다. 1919년에는 항일 성향의 영남 지역 대지주들을 주주로 끌어들여 자본금 100만 원의 백산무역주식회사로 확장했다. 백산상회는 상하이 임시정부 등에 자금과 정보를 제공하는 국내 독립운동의 중요 거점 역할을 했기 때문에 수입보다 지출이 많았다. 그래도 주주들은 아무런 불평 없이 추가 불입으로 회사의 적자 위기를 막아줬다.(부산일보 특별취재팀,《백산의 동지들》)

백산은 언론을 통한 항일운동에도 관심을 가져 1920년 동아일보 창립 발기인으로 참여한 뒤 부산지국장으로 활동했다. 1926년에는 시대일보를 인수해 중외일보로 이름을 바꿔 발행하기도 했다.

임정 자금책이었던 백산은 일제의 눈을 속이기 위한 변장술에 능했다. 금테 안경에 일본 옷을 입고 다녔으며 일본인이 운영하는 고급 여관에 투숙했다. 술을 마실 때는 일본인 기생만 옆에 앉

백산이 부산에 세운 백산상회는
독립운동 거점이었다.
사진은 백산상회 터의 1970년대
모습. (사진 제공: 백산기념관)

혀 의심을 피했다. 임정 요원과의 정보 연락을 위해 객실은 늘 36호실을 이용했다.(1975년 〈나라사랑〉 19집: 안희제 선생 특집호)

1939년 김구 주석의 밀명을 받고 국내로 잠입한 임정 첩보 36호 요원 김형극은 〈나라사랑〉 19집 기고에서 "김 주석은 자금 조달이나 어려운 일이 있으면 백산을 어버이처럼 믿고 만나 도움을 받으라고 했다"고 밝혔다.

대종교에 입교한 백산은 1933년 만주로 망명해 발해의 고도인 동경성에 발해농장과 발해학교를 세웠다. 대종교 총본산도 동경성으로 이동했다. 일제가 1942년 대종교 간부 체포령을 내리면서 체포된 백산은 혹독한 고문을 받고 1943년 8월 병보석으로 풀려났으나 3시간 만에 숨졌다.

제3부

호남

수피아여학교

나는 조선의 혈녀(血女)다

광주에서 야소교(예수교)가 주동한 군중 폭동이 일어났으며 이 중 조선인 한 명이 부상당하여 경찰이 해산시켰음.

1919년 3월 11일 조선 2대 총독인 하세가와 요시미치는 본국에 '전라남도 방면의 정황'이란 제목의 급전(急電)을 보냈다. 하루 전 광주에서 일어난 3·10만세운동을 간략하게 정리해 육군성에 보고한 것이었다. 눈여겨볼 점은 광주의 만세운동을 군중 폭동으로 규정하고 무력으로 해산시키면서 이례적으로 부상자 한 명을 언급했다는 것이다. 이는 그날의 시위가 한 명의 부상자로 인해 더욱 격화될 것을 우려한 일본 경찰이 서둘러 진압에 나섰음을 암시하고 있다. 그렇다면 거명된 사람은 누구일까. 당시 여학생으로 시위대의 맨 앞줄에 서서 일본 경찰과 맞서다가 왼팔을 잃은 윤형숙(1900~1950)이 그 주인공이다. 최철 광주학생독립운동기념사업회 이사장은 "육신의 일부가 절단돼 선혈이 쏟아지는 중에도 떨어진 태극기를 주워 들고 만세를 더 크게 외친 그를 남도에서는 '광주의 유관순'으로 부른다"고 말했다.

상복에 새긴 태극기

윤형숙은 1900년 9월 13일 전남 여수시 화양면 창무리에서 태어났다. 아버지 윤치운은 한학자였다. 윤형숙이 7세 되던 해 아내가 병으로 세상을 뜨자 윤치운은 어린 딸을 전남 순천에 있는 미국 남장로교 선교사 집에 맡겨 초등학교를 마치게 했다. 윤형숙은 순천 성서학원을 수료한 뒤 18세에 광주 지역 최초 여성 중등교육기관인 수피아여학교(현 수피아여고)에 진학했다. 리더십이 뛰어났던 그는 반장을 도맡았다. 또 '반일회(班日會)'라는 학교 행사에 적극 참여하고 연극을 무대에 올리며 민족의식을 키웠다. 당시 수피아여학교에는 애국심이 강한 박애순 선생(1896~1969)이 있었다. 박 선생은 당차면서도 과묵한 윤형숙을 각별히 아꼈다. 박 선생은 고종 황제의 승하 소식과 일제에 빼앗긴 나라 사정 등을 학생들에게 들려주며 독립운동의 필요성을 역설했다.

광주 만세운동은 3·1운동 전부터 움트고 있었다. 일본 도쿄 유학생 정광호가 귀국해 2·8독립선언을 청년들에게 알렸다. 2월 말 3·1운동 거사준비위원회의 특명을 받고 경성에서 내려온 김필수 목사가 최흥종과 김철(본명 김복현)을 만나 거사 계획을 논의했다. 이후 최흥종과 김철 두 사람은 경성으로 올라가 3·1운동 광주 지역 총책임을 맡기로 했다. 하지만 최흥종이 인력거 안에서 만세를 부르다 종로경찰서에 연행되자 김철은 3월 6일 홀로 광주로 내려왔다.

1919년 작성된 광주지방법원(1심) 판결문에 따르면 김철은 최정두, 김강, 최병준, 송흥진, 최정두, 한길상, 김용규, 김태열, 강석봉, 손인식 등과 3월 6일 양림동 금동교회 남궁혁 장로 집에 모여 거사일을 3월 8일로 잡고 역할을 분담했다. 하지만 준비 시간

홍인화 수피아여고 역사연구소장이
수피아여학교 학생들이 밤을 새워
태극기를 만들었던 수피아홀을
소개하고 있다.

부족으로 거사일은 작은 장날인 3월 10일로 늦춰진다. 그사이에 학생들과 시민들의 참가 독려 작업이 진행됐다. 박애순 선생도 독립선언문 50여 통을 받고 학생들에게 취지를 설명했다. "당연히 참가해야 한다"고 뜻을 모은 학생들은 기숙사인 수피아홀 지하에서 밤새 고종 황제 장례식 날 입었던 치마를 뜯어 태극기를 만들었다.

"나는 피를 흘리는 조선의 혈녀다"

3월 10일 오후 3시경, 거사 장소인 작은 장터로 사람들이 몰려들기 시작했다. 작은 장터는 지금의 부동교 밑에 펼쳐진 반달 모양의 백사장 하천변이다. 기독교인들과 수피아여학교, 숭일학교 학생들은 광주천, 일반 시민은 서문통(지금의 광주우체국 앞에서 황금동으로 가는 길), 농업학교 학생과 군중은 북문통(지금의 충장로2가에서 충장파출소까지)을 거쳐 이곳으로 모였다. 인원은 1천여 명에 달했다.

누군가 카랑카랑한 목소리로 "대한 독립 만세"를 선창하자 동시에 격문과 태극기가 머리 위로 뿌려졌다. 몇몇은 지팡이처럼 짚고 있던 막대기에 태극기를 매달고 휘저었다. 쌀장수는 됫박을 든 채 시위대에 따라붙었고, 걸인들은 자리를 박차고 일어나 장타령

대신 만세를 불렀다. 시위 행렬은 서문통을 지나 현 광주우체국 앞을 돌아 충장로로 내려가서 충장파출소 앞에서 금남로로 들어섰다. 댕기머리에 검정치마, 흰 저고리를 입은 윤형숙은 시위 행렬의 맨 앞에서 만세를 불렀다.

이때까지만 해도 일본 헌병과 경찰은 군중의 기세에 눌려 시위를 막지 않았다. 하지만 시위대가 옛 광주지방법원(지금의 동구 금남로 5·18민주화운동기록관) 앞을 지나 광주경찰서 쪽으로 향하자 총검을 휘두르며 무자비한 진압 작전을 시작했다. 그 과정에서 일본 기마 헌병이 만세를 외치며 태극기를 흔들던 윤형숙의 왼팔 상단부를 군도(軍刀)로 내리쳤다.

잘려나간 팔은 붉은 피를 뿌리며 땅에 떨어졌다. 급격한 출혈로 윤형숙은 잠시 정신을 잃기도 했다. 하지만 떨어져나간 손은 여전히 태극기를 붙잡고 놓지 않았다. 온몸이 핏물에 젖은 윤형숙은 이내 정신을 차리고 오른손으로 잘려나간 왼팔이 움켜쥐고 있던 태극기를 뽑아 든 뒤 더 큰 소리로 "대한 독립 만세"를 외쳤다. 이 광경을 목격한 군중은 더욱 격렬하게 항거에 나섰다. 군중이 광주경찰서로 몰려들자 일제는 무력 진압의 수위를 높였고, 경찰서 앞마당은 피로 물들었다. 이 과정에서 100여 명이 현장 구금되었다. 한쪽 팔을 잘리고도 만세를 외친 윤형숙의 행동에 일본 군경도 놀라지 않을 수 없었다. 조선총독부가 육군성에 보낸 전보에서 부상자를 언급한 것도 그런 이유였다.

응급치료를 받은 그는 일경의 취조에도 당당함을 잃지 않았다. “너의 이름은 무엇이냐? 너를 조종한 배후는 누구냐?”며 압박하는 일경에게 윤형숙은 “나는 보다시피 피를 흘리는 조선의 혈녀다”라며 꿋꿋하게 버텼다.

역사의 별이 되다

광주 만세운동은 다음 날인 11일에도 계속됐다. 오후 5시 무렵 숭일학교 학생과 농업학교 학생 300여 명이 시위를 벌이다 23명이 구속됐다. 13일 큰 장날에는 장꾼들을 포함한 1천여 명이 목이 터져라 “조선 독립 만세”를 외쳤고 20명이 체포됐다. 당시 광주의 인구가 1만여 명 수준임을 고려할 때 대단한 시위 규모가 아닐 수 없었다. 연이은 시위로 시내 경비가 삼엄해졌다. 그러나 상인들은 철시로 맞섰고, 비아, 하남, 임곡, 동곡, 평동, 삼도, 본량 등 각 면에서는 4월까지 산에 봉화가 오르는 것을 신호로 횃불을 들고 만세를 불렀다.

한쪽 팔을 잃은 윤형숙은 제대로 치료를 받지도 못한 채 계속 신문을 당했다. 일경은 굽히지 않는 그를 가혹하게 고문해 오른쪽 눈까지 멀게 했다. 징역 4개월을 선고하고, 감옥에서 그가 나온 후에도 4년간 격리 수용하며 괴롭히기를 그치지 않았다. 하지만 윤형숙은 이 같은 고통에도 굴하지 않았다. 그는 '왼팔은 조국을 위해 바쳤고 나머지 한 팔은 문맹자를 위해 바친다'는 신념으로 헌신적인 삶을 이어갔다. 함경남도 원산의 마르다윌슨신학교에서 신학 공부를 마친 뒤 전북 전주로 내려가 기독교학교와 전북고창의 유치원 등지에서 어린이 교육에 힘썼다.

역사는 윤형숙 열사에게 가혹했다. '외팔이 선생'으로 불리며 아이들을 가르치던 그에게 더 큰 비극이 닥쳤다. 윤형숙은 평소 반공 활동에도 열심이었다. 그러던 1950년 6·25전쟁이 나고 북한군이 여수까지 점령했다. 지인의 집으로 피신해 있던 그를 체포한 북한군은 서울이 수복된 9월 28일 퇴각하기 전 여수 둔덕동 과수원에서 그를 총살했다. 그때 그의 나이는 50이었다. 어이없는 죽음이었다.

전남 여수시 웅천동 여수항일독립운동
기념탑 벽에는 윤형숙 열사가
태극기를 흔들다 왼팔이 잘려나간
모습이 새겨져 있다.

그의 숭고한 삶은 사후 54년이 지난 뒤에야 가치를 인정받았다. 정부는 2004년 그에게 건국포장을 추서했다. 그가 묻힌 고향 마을 묘비석에는 이런 비문이 적혀 있다.

왜적에게 빼앗긴 나라 되찾기 위하여 왼팔과 오른쪽 눈도 잃었노라. 일본은 망하고 해방되있으나 남북·좌우익으로 갈려 인민군의 총에 간다마는 나의 조국 대한민국이여 영원하라.

광주의 지하신문, 〈조선독립광주신문〉

광주에 참빛이라. 광주라는 빛 광 자가 이제야 참말 빛이 되었구나. 지나간 삼월 십일 오후 세시 반에 조선독립단체 학생과 청년들이…… 십 년 동안 감초였던 태극기를 높이 들고…… 조선 독립 만세를 제창하니 바다가 끓고 산이 동했네.

1919년 광주 3·10만세운동을 다룬 〈조선독립광주신문〉 제1호 2면에 실린 기사 내용이다. 이 신문은 광주에서 최초로 '신문'이라는 이름을 사용한 인쇄물이다. 양림동에 있던 제중병원(현재 광주기독병원) 회계원인 황상호가 민족의식을 일깨우기 위해 발행한 일종의 '지하신문'이다.

그는 '황송우(黃松友)'라는 가명으로 병원 등사판을 이용해 신문을 제작한 뒤 비밀리에 살포했다. 당시 서울에서 윤익선의 명의로 발행되던 〈조선독립신문〉을 보고 생각해낸 것으로, 제중병원 약제사인 장호조와 간호인인 홍덕주의 협조를 얻어 3호까지 발행했다.

제1호는 1919년 3월 11일자로 300부를 인쇄해 13일 광주 큰 장터에서 시민들에게 배포했다. 크기는 9절지(시험지) 두 장에 한 면씩 등사한 것으로, 첫 면에는 서울에서 온 〈조선독립신문〉 기사 내용을 간추려 쓰고 두 번째 면에는 10일 광주 만세운동 상황을 자세히 소개했다.

신문 발행을 주도한 이들은 모두 일제에 체포돼 황상호는 3년, 홍덕주와 장호조는 각각 2년 6개월의 옥고를 치렀다. 이 신문의 원본은 1983년 전남 목포 정명여고 선교사 사택을 보수하던 중 천장에서 독립가, 3·1독립선언문, 2·8독립선언문, 격문 등과 함께 발견됐다.

광주 독립운동사를 연구해온 노성태 광주국제고 수석교사는 "이 신문은 1919년 4월 8일 목포 정명여학교와 영흥학교, 양동교회 교인들이 주축을 이룬 4·8독립만세운동에 영향을 준 것으로

광주 최초 신문인
〈조선독립광주신문〉. 1호
신문은 1919년 3월 11일
300부가 인쇄돼 13일에
시민들에게 배포됐다.

보인다"며 "일제의 폭압에 굴하지 않고 강건하게 일어난 광주의 정신을 보여준 귀중한 사료"라고 말했다. 이 신문의 원본은 충남 천안의 독립기념관에 보관돼 있고 사본은 광주기독병원 1층 역사·의학자료전시관에 전시돼 있다.

도화선

어찌하여 궐기하지 않는가

전북 군산 금강 하구언에 위치한 구암동산의 3·1운동역사공원에는 군산 3·1운동 100주년 기념관이 있다. 호남 최초 3·1만세운동을 벌인 영명학교(군산제일고 전신)를 기념하기 위해 지은 것으로 당시의 서양식 3층 건물로 외관을 꾸몄다.

영명학교는 1903년 서양인 선교사가 구암동산 자락(당시 전북 옥구군 개정면 구암리)에 세운 근대식 교육기관이다. 군산 최초의 사립학교이자 호남 지역 명문학교였다. 이곳에서 서해 쪽으로 3 킬로미터 정도 떨어진 곳에 옛 군산항과 뜬다리(수위에 따라 상하로 움직이는 다리) 부두가 있다.

일제강점기 군산항에는 늘 포개진 쌀가마들이 산처럼 쌓여 장관을 이뤘다. 일본 오사카 등지로 반출되던 쌀이었다. 당시 군산항은 전국 제1의 미곡항(米穀港)이자, 일제의 쌀 수탈기지였다.

3·1운동 직전인 1919년 2월 하순 학교에는 터질 듯한 긴장감이 감돌기 시작했다. 군산경찰서의 일본 순사들이 "불온한 움직임을 보이는 자가 군산에 나타났다"는 첩보를 입수하고 '반일감정의 온상'으로 지목해온 영명학교를 주시했기 때문이다.(군산제일고등학교총동문회,《군산제일100년사》)

이 정보는 정확했다. 그해 2월 26일 졸업생이자 세브란스의전에 다니던 김병수가 영명학교 교사로 재직 중이던 이모부 박연세를 만나 경성의 상황을 전달했다. "경성에서는 (고종) 국장일을 기하여 독립운동을 계획하고 있는데 이곳에서는 아무 일도 없는지요?"(박연세에 대한 광주지방법원 군산분청 신문 조서) 김병수는 박연세에게 독립운동 참여를 다짐받듯 이렇게 물은 뒤 경성에서 숨겨온 독립선언서 90여 장을 건넸다. 박연세는 "경성에서 일이 그렇게 벌어진다면 이곳에서도 동시에 운동을 개시하겠다"고 화답한 뒤 교사들을 자신의 집으로 불러들였다. 삼남 지방에서 최초로 일어난 만세운동의 시작이었다.

일경의 허를 찌른 3·5만세운동

박연세 등은 3월 6일 군산 서래 장날을 거사일로 잡고 준비에 나섰다. 영명학교 남학생들과 영명학교 바로 옆에 위치한 멜본딘 여학교의 학생들, 같은 선교재단인 구암예수병원의 직원들도 동참을 약속했다. 영명학교 학생들은 밤을 도와 학교 지하실과 기숙사 2층 다락방에서 독립선언서 7천여 장을 등사했고, 멜본딘여학교 학생들은 교내에서 일본인 선생들의 눈을 피해가며 태극기를 만들었다.

학교 병원 등에 밀정을 심어뒀던 일본 경찰은 거사 이틀 전인 4일 이런 분위기를 감지하고 5일 오전 영명학교를 급습했다. 10여 명의 일본 순사들은 증거물들을 찾아냈고, 거사를 주모한 교사들을 연행하려 했다.

이때 영명학교 학생들이 몰려들었다. 위협을 느낀 일본 순사들은 총을 뽑아 공포탄을 쏘며 물러서라고 위협했다. 그럼에도 학생들은 "쏴봐, 쏴봐" 하며 가슴을 풀어헤치는 등 대항했다. 일경은 결국 박연세, 이두열 두 교사만 연행해 가는 데 그쳤다.(1919년 윌리엄 불 선교사의 비밀 보고서)

거사의 주역들이 체포되자 그동안 모습을 드러내지 않던 교사 김윤실이 교사들과 학생들을 긴급 소집했다. 모임 참가자들은 이대로 주저앉아선 안 된다는 데 뜻을 모으고 당일(5일) 오후 일경

군산 독립만세운동을
주도한 영명학교와 학생들.
(사진 제공: 군산제일고)

의 허를 찔러 거사를 벌이기로 결의했다.

영명학교와 멜본딘여학교 학생들, 병원 직원, 구암리 주민 등 140여 명으로 시작한 시위대는 군산부 내 본정(本町) 큰 거리에 이를 때쯤 500여 명 수준으로 불어났다. 시위대는 군산경찰서까지 진출한 뒤 체포 교사 석방과 대한 독립 만세를 외쳤다.

예상치 못한 시위와 시위대 규모에 크게 당황한 일경은 인근 익산 헌병대까지 동원한 뒤 무차별 총격과 함께 시위대 탄압에 나섰다. 이날 체포된 한국인은 90여 명에 달했다. 영명학교 교사와 학생들이 주도한 군산의 3·5만세운동은 이것으로 일단락되는 듯했다.

청년 노동자들이 일어서다

그러나 한번 켜진 만세운동의 불씨는 쉬이 사그라지지 않았다. 일한병합기념비(日韓併合記念碑)에 쇠똥을 바르고 길바닥에 독립 만세를 대문짝만 하게 쓰는 등 일제에 대한 반감을 감추지 않는 이들이 속출했다.

위기감을 느낀 군산 거주 일본인들이 대응하기 시작했고, 일경은 검문검색을 강화하며 공포 분위기 조성에 나섰다. 하지만 군산 주민들은 꺾이지 않았다. 당시 잡화상을 하던 청년 권재길은 3월 8일 "우리 일반 청년 및 노동자들은 궐기하고 있는데 학생들은 어찌하여 궐기하지 않는가"라는 내용의 문서를 작성한 뒤 군산 지역 학교에 뿌렸다. '구암리에서 온 편지'라는 제목의 이 글을 받아 본 군산공립보통학교(군산초등학교 전신) 학생들이 이에 호응했다.(권재길 등 판결문) 18, 19세의 보통학교 상급생들은 3월 14일 독립운동 격문을 첨부한 퇴학계를 작성해 학생들에게 배포했고, 70여 명이 퇴학원을 내고 학교로 돌아가지 않았다.

보통학교 상급생들은 또래의 노동자들과 연대해 만세운동을 벌이기로 했다. 정미소 종업원 이남률과 김수남 등 청년 노동자들도 이에 가세하기로 했다. 청년 및 학생들은 군산항 부두로 나가 다른 노동자들에게 만세운동에 참여할 것을 권유했다. 또 군산부 노동조합 사무실과 강호정(江湖町, 현 죽성로) 거리 등에서 독립선언서와 격문 등을 나눠 주며 만세운동의 정당성을 알렸다.

하지만 두 번째 독립만세운동 계획은 실행되지 못했다. 일본인 교장과 교사들이 학부모를 동원해 자퇴한 학생들을 회유하고, 아예 없던 일로 처리한 것이다. 이남률과 김수남은 학교의 조치에 크게 분개했다. 3월 23일 오후 8시경 두 사람은 "독립을 위해서는 식민지 교육의 온상인 보통학교를 없애야 한다"며 화염병을 던져 군산공립보통학교 시설 일부를 불태워버렸다. 군산 지역에선 이를 제2 군산 만세운동으로 여긴다.

인근 지역 만세운동의 도화선

3월 30일 밤, 군산에서 세 번째 만세운동이 펼쳐졌다. 이번에는 한밤중 횃불 시위였다. 수천 명의 군중이 횃불과 등불을 들고 군산경찰서와 재판소 앞에 모여들었다. 군중은 "만세운동은 빼앗긴 국권을 도로 찾으려는 것인데, 이것이 무슨 죄가 된다고 구속하고 형을 선고하는 것이냐"며 구금자 석방을 요구했다. 다음 날 광주지방법원 군산분청에서 열릴 영명학교 만세운동 참여자 30여 명의 재판을 염두엔 둔 행동이었다.(국가기록원,《독립운동 관련 판결문 자료집》)

사태 확산을 두려워한 일경은 총칼을 앞세워 무자비한 탄압을

영명학교가 자리 잡았던 구암동산에 옛 영명학교 건물 외관을 재현해 개관한 군산 3·1운동 100주년 기념관.

벌였다. 여기에 일본인 재향군인회와 민간인들도 가세해 목총과 칼을 들고 비무장이던 한국인들을 무차별 살상했다.

　이튿날 개최된 재판의 파행은 예고된 일이었다. 영명학교 만세 운동 주도자들이 재판정으로 들어오는 순간 현장에 있던 방청객들이 일제히 독립 만세를 외치기 시작한 것이다. 어수선한 분위기 속에 재판은 진행됐고, 전원(34명)이 유죄판결을 받았다. 3차례에 걸쳐 군산에서 펼쳐진 만세운동은 이후 호남과 인근 충남 지역의 만세운동에 촉매제가 되었다.

쌀 수출로 붐비던 군산

군산은 1899년 개항됐다. 당시 군산은 일본인들에게 '황금의 땅'이었다. 땅이 비옥한 데다 땅값도 일본의 10분의 1 수준에 불과했기 때문이다. 군산에 거주하던 일본인들은 현 일본 총리 아베 신조의 정치적 고향이자 정한파(征韓派)의 근거지인 야마구치(山口)현 출신이 대다수였다. 이들은 한국 진출에 적극적이었고, 토지 확보를 위해 탈법과 불법을 서슴지 않았다.

군산에 진출하려는 일본인은 갈수록 늘어났다. 1919년 군산 거주자(1만 3,604명)의 절반 이상(6,806명)이 일본인이었다. 일본인들은 군산을 '쌀의 군산'이라 부르며 제2의 고향이라 여기고 영원히 정착하길 바랐다. 만세운동 탄압에 일본 민간인들이 적극 나선 이유가 여기에 있다.

일본인 대농장이 많아질수록 한국 농민들은 몰락했다. 청년들은 일본인이 운영하는 매갈잇간(도정공장)의 매갈이공으로, 부녀자들은 쌀을 고르는 정미소 미선공으로 내몰렸다. 군산 출신 소설가 채만식의 소설 《탁류》는 당시 군산 거주 한인들의 피폐한 삶을 고스란히 보여준다.

저항과 축제

전남 최대 규모의 만세운동

앞뒤로 덤비는 이리 승냥이 바야흐로 내 마음을 노리매/ 내
산 채 짐승의 밥이 되어 찢기우고 할퀴우라 내맡긴 신세임
을/ 나는 毒을 차고 선선히 가리라/ 막음 날 내 외로운 魂 건
지기 위하여(김영랑의 시, '독을 차고')

순수 서정시인으로 알려진 영랑 김윤식(1903~1950)이 1939년
11월 잡지 〈문장(文章)〉에 발표한 작품이다. 영랑이 주로 활동하
던 1930~1940년대는 한국을 식민지화한 일본의 야욕이 정점을
달리던 시기였다. 영랑은 당시 상황을 '이리'(일제)와 '승냥이'(친

일파)가 판을 치는 짐승 같은 세상이라고 보고, 독(毒)을 차는 극단적인 방식으로 저항의 의지를 불태웠다.

그의 저항정신은 실천으로 옮겨지기도 했다. 열여섯 살 어린 나이에 김영랑은 고향인 전남 강진에서 3·1운동에 가담했다가 3개월간 옥고를 치렀다. 당시 강진은 영랑뿐만 아니라 26인의 의사(義士)들이 청년 학생들과 함께 만세운동을 펼친 항일의 중심지 중 하나였다. 강진의 만세운동은 2차례에 걸쳐 진행됐다. 1차는 안타깝게도 성사되지 못했지만 2차 시위는 치밀한 준비를 거쳐 전남 최대 규모의 만세운동으로 역사에 남았다.

구두 안창에 독립선언문을 숨기다

1919년 이전에도 강진에선 만세운동의 열기가 꿈틀대고 있었다. 향리(鄕吏)가의 자제들이 보통학교나 외지 유학을 통해 신지식에 일찌감치 눈을 뜬 데다 교회를 중심으로 한 기독교인들의 활동이 활발해 독립운동의 뜻을 품은 사람들이 많았기 때문이다.

불이 붙은 시점은 3월 20일 일본 메이지(明治)대 유학생이자 조선청년독립단의 핵심 멤버였던 김안식이 귀향하면서부터다. 김안식은 강진읍에 사는 김영수, 김학수 등과 함께 독립운동에 앞장설 것을 결의하고, 뜻을 같이할 사람들을 규합하는 등 시위 준비에 나섰다.

이때 서울 휘문의숙에 다니던 김윤식과 경성법학전문학교에 재학 중이던 양경천이 고향을 찾아 내려왔다. 김윤식은 3·1운동으로 학교가 휴학하자 독립선언서와 애국가 가사를 구두 안창에 숨겨서 가져왔다. 양경천은 내의의 섶을 따고 그 속에 〈독립신문〉을 넣어 왔다. 김안식과 김윤식은 8촌 형제였다.

이들은 비밀리에 몇 차례 모임을 갖고 거사 계획을 세웠다. 만세운동을 2차례로 나눠 1차는 3월 하순, 2차는 4월 초순에 각각 진행하기로 했다. 시위를 주도할 1진에서는 김안식이, 뒤를 이을 2진에서는 평양신학교 졸업생 이기성이 각각 책임자가 됐다.

1진은 3월 25일 장날을 기해 거사를 벌이기로 했다. 날짜가 정해지고 태극기와 선언서를 만드는 작업은 서성리 김현균의 집 뒤 대밭 속 작은 초가에서 이뤄졌다. 보안을 위해 밤을 틈타 작업하고, 만든 태극기와 선언문을 대밭에 파묻는 등 주의를 기울였다.

하지만 작업이 계속되고 참여자가 늘어나자 거사 계획이 일본 경찰에 발각되고 말았다. 3월 20일 주동자 12명이 체포되고 제작했던 태극기와 독립선언서가 모두 압수당하면서 1차 시위는 수포로 돌아갔다.

체포된 이들은 광주지법 장흥지청에서 1년에서 1년 2개월의 징역형에 처해졌지만 5월 대구복심법원에서 무죄판결을 받고 모두 풀려났다.

태극기 펄럭이자 천둥 치듯 울려 퍼진 만세 소리

2차 시위 준비는 약속대로 이기성을 중심으로 진행됐다. 구속돼 재판을 받은 이들이 2차 시위 계획을 철저히 함구했기에 가능한 일이었다. 이기성은 3월 22일 같은 마을 청년인 김현봉, 황호경과 모임을 갖고 1차 시위의 실패 원인을 분석한 뒤 새로운 작업 방침을 정했다.

우선 태극기를 만들고 독립선언서를 인쇄하는 작업 장소를 여러 곳으로 분산했다. 각 작업장은 독립적으로 운영하되 상호 연락을 취하도록 했다. 여성들에게 외부의 경계와 일경의 움직임을 파악하는 임무를 맡겼다. 또 교회 신도를 중심으로 시위 준비 동참자들을 모았다. 2차 거사일을 장날인 4월 4일로 정한 이들은 예배당의 정오 종소리가 울리고 군청 뒤 북산에 태극기가 내걸리면 일제히 만세를 부르기로 했다. 하지만 북산에 태극기를 누가 게양하느냐가 문제였다. 이때 농사를 짓는 김후식이 "내가 걸겠다"고 나섰다.

준비는 순조로웠다. 강진보통학교 학생 가운데 나이가 많고 통솔력이 있는 이은표가 학생 동원을 담당하기로 했다. 김현봉, 황호경, 김후식, 오승남 등은 밤을 새워가며 태극기 300여 장, 선언서 70여 통, 독립가 20여 통을 준비해 4월 3일 밤 이기성의 집으로 운반했다.

거사일인 4월 4일 오전, 이들은 이기성의 집에 모여 마지막 점검을 한 뒤 각자 만든 태극기와 독립선언서, 독립가 등을 시장 상품이나 어물 상자에 넣어 강진읍 장터로 이동했다. 정오가 되자 만세 시위 시작을 알리는 예배당의 종소리가 울렸다. 이에 김후식은 집에서 준비한 태극기를 품에 안고 강진읍이 한눈에 내려다보이는 북산에 올랐다. 그는 일명 '비둘기 바위' 정상에 태극기가 걸린 장대를 소나무에 단단히 묶었다.

북산에 태극기가 펄럭이자 장터에는 천둥 치듯 독립 만세 소리가 울려 퍼졌다. 강진보통학교 학생들도 학교 밖으로 뛰쳐나와 남문거리에서 시위 군중과 합류했다. 군중은 남문 앞 광장에 집결해 가두행진에 나섰다. 이기성, 황경호, 오승남 등이 선두에 나서자 1천여 명이 뒤를 따랐다.

시위 군중이 불어나자 강진경찰서는 해남에 주둔하던 일본군

매년 4월 4일 3·1운동 기념비와 읍내 장터에서 열리는 '강진 4·4독립만세운동' 재현 행사. (사진 제공: 강진군)

수비대와 장흥에 있는 헌병대에 지원을 요청했다. 해가 저물 무렵 시위대가 경찰서로 진입하자 지원 나온 병력들이 강제 해산에 나섰다. 이 과정에서 주동자 22명이 경찰에 끌려갔다.

이들 가운데 8명은 풀려나고 14명이 기소돼 재판을 받았다. 태극기를 만들고 시위에 참여한 박영옥은 재판정에서 심문하는 일본 검사에게 "부모 잃은 자식이 부모를 찾는 것이 당연하듯 조국을 잃은 내가 나라를 찾겠다는 것이 무슨 죄냐"며 따졌다. 2차 시위를 주도한 이기성, 김현봉, 황호경, 오승남 등은 서울고등법원에까지 상고하며 독립운동의 무죄를 주장했지만 기각당하고 최고 2년 형이 확정돼 옥살이를 했다.

"강진 만세운동은 저항이자 축제였다"

강진 만세운동의 특징은 청년, 학생들이 시위를 1, 2차로 나누어 계획하는 치밀함을 보였다는 점이다. 1차 시위의 실패로 2차 시위 준비는 더욱 용의주도하게 진행됐다. 태극기와 선언서를 분담해 만들고, 작업 시 경계를 위해 감시자를 두는 등 철저한 조직 관리를 통해 거사를 성공시킬 수 있었다.

이기훈 연세대 사학과 교수는 "강진의 만세운동에 참여한 민중에게 시위는 저항인 동시에 축제였다"며 "이는 의병과 동학의 전통을 계승하는 것이며 민주화운동의 역사적 기원이 됐다"고 평가했다.

강진에는 3·1운동을 기념하는 조형물이 2곳에 있다. 하나는 1976년 강진읍 서성리에 건립된 3·1운동 기념비. 동아일보와 강진 유지들로 구성된 건립위원회가 세운 기념비로 뒷면에 당시 독립 만세를 외쳤던 26명의 이름이 새겨져 있다. 강진읍 남포마을 입구의 기념비는 4·4만세 시위에 가담한 마을 출신 강주형, 박학조, 박영옥, 차명진, 정헌기를 기리기 위해 주민들이 세운 것이다.

1976년 5월 9일 동아일보와
3·1운동기념비건립위원회가
강진읍 서성리에 건립한
3·1운동 기념비 준공식.
(사진 제공: 강진군)

3·1운동 100년 – 역사의 현장 2

강진 만세운동 주동자들과
동아일보의 인연

2011년 강진군이 펴낸 《강진군지》에 따르면 강진 만세운동 1차 시위를 계획한 김안식과 2차 시위를 주도한 김현봉은 1920년 동아일보 강진분국의 국장과 분국 기자였다. 김안식은 1919년 6월 무죄 판결을 받기 전까지 3개월의 옥고를 치렀고, 김현봉은 1년 6개월을 선고받고 형을 살았다.

　1920년 4월 1일 동아일보 창간 당시 강진분국은 목포지국에서 관리하고 있었다. 당시 목포지국은 김현봉의 형이자 김안식과 함께 강진의 1차 시위를 준비했던 김현상이 운영하고 있었다.

　김안식은 이런 인연으로 1921년 고려대 전신인 보성전문학교 교수를 맡았다. 1933년 전남도평의원(지금의 도의원), 금릉중학교 2대 교장을 거쳐 1935년 강진지국 고문으로 위촉됐다. 김현봉은 1922년 동아일보 강진분국의 국장으로 승진했다. 그해 3월 22일자 〈동아일보〉는 사고(社告)를 통해 김현봉을 분국 국장으로 임명했으며 분국을 서성리에 설치했다는 사실을 알렸다. 강진분국은 1927년 강진지국으로 승격되면서 2차 만세 시위에 참여한 차

부진을 기자로 임명했다. 지국장을 포함해 기자를 4명으로 늘린 강진지국은 이후 청년회와 신간회 활동, 일제와 결합된 지주들의 부당한 소작료 횡포에 맞서는 소작쟁의운동 등을 집중 보도하며 항일의 중심으로서 역할했다.

열망

내 입에서 만세 소리만은 막을 수 없다

군인들이 군중들에게 총을 쏘자 수 명의 사상자가 나왔다. 동시에 소방대원들이 군중 속으로 뛰어들어 닥치는 대로 곤봉과 갈고리로 사람들의 머리를 내리쳐 부상자가 속출했다. 한 일본 군인이 시위대를 이끌던 젊은이를 연행하려고 하자 그는 "나는 죄를 지은 게 없으니 갈 수 없다"고 버텼다. 군인이 다시 "그렇다면 여기서 당장 죽일 수도 있다"고 위협하자 그는 머리를 곧추세우고 가슴을 내밀면서 "죽일 테면 죽여라. 그러나 내 입에서 만세 소리만은 막을 수 없다"고 하였다. 이에 군인이 무자비하게 젊은이를 칼로 찌르니 그는 피를 쏟으며 땅바닥에 쓰러졌다. 그는 마지막 숨을 몰아쉬면서 "조선 독립 만세"를 크게 세 번 외친 뒤 젊은 삶을 마감했다. 이 일로 모두 6명이 죽었는데 모두 기독교인이었다.

1919년 선교사 윌리엄 불(한국명 부위렴)이 익산 4·4만세운동 현장을 지켜본 뒤 미국 남장로교 총회에 보낸 보고서 내용의 일부다. 그는 당시 전북 군산에서 사목 활동을 하고 있었다.

익산 4·4만세운동은 일제에 농지를 빼앗기고 소작으로 전락한 농민들의 분노가 분출된 대표적인 농민 저항운동이었다. 또 일제의 야만적인 만행을 국내외에 알리는 계기가 됨으로써 항일독립운동사에 뚜렷한 족적을 남겼다.

농지 수탈의 상징 대교농장

익산의 옛 이름은 '솜리'다. 익산은 사방 십 리가 갈대로 뒤덮인 늪지로, 가을이면 만개한 갈대꽃들이 솜처럼 보여 붙여진 이름이다. 일제강점기에 솜리의 일본식 이름인 속 리(裡) 자를 써서 '이리(裡里)'로도 불렀다.

청일전쟁에서 승리한 일제는 호남 지역 농산물 반출을 위해 군산항을 전진기지로 삼고 전주와 군산을 잇는 전군도로와 익산과 군산을 연결하는 철도를 잇달아 개설했다. 교통 요충지가 된 익산에는 자연스럽게 일본인 거주지가 조성됐고 상인들이 들어와 자리를 잡았다. 한일 강제 병합 이후에는 그 수가 급증해 300여 호에 1천 명이 넘는 일본인들이 정착했다.

일본인들은 땅을 헐값에 사들여 수리시설을 만들고 농지로 개간한 뒤 '기업형 농장'을 설립했다. 당시 전북에는 일본인 농장 40여 곳이 있었는데 그중 절반이 익산에 밀집돼 있었다. 익산 남부시장(옛 솜리장터) 언덕에 위치한 대교농장은 논 면적만 1,300헥타르에 달하는 대표적인 일본인 농장이었다.

농장주는 농민들에게 농사를 짓게 하고 턱없이 비싼 도조(賭租, 논밭을 빌린 대가로 해마다 내는 벼)를 내도록 했다. 그 결과 농민들은 일본인에게 상대적인 박탈감과 함께 민족적인 울분을 느낄 수밖에 없었다. 이를 감지한 대교농장주는 일본인 여관업자 등과 함께 자경단을 조직해 경비를 강화하고 총독부를 움직여 일본인 수비대와 헌병대를 익산에 주둔하도록 했다. 하지만 시간이 지날수록 농지 수탈을 자행하는 농장에 대한 분노와 원망은 커져갔다.

달아오르는 독립만세운동의 열기

1919년 3월 5일 전북 지역 최초로 군산 영명학교 학생들과 교인들이 만세를 불렀다. 이후 만세운동은 전북 전역으로 확산했고, 4월에 접어들면서 열기가 달아오르기 시작했다. 전북 각지에서 만세 시위가 벌어지자 일제는 군과 경찰 병력을 늘렸다. 특히 일본인이 많이 사는 익산에는 일본군 제4연대 소속 병력 1개 중대를 추가로 배치했다. 다른 지역에 비해 익산에서 시위가 늦게 시작된 것도 이처럼 일제의 철저한 감시가 있었기 때문이었다. 하지만 익산의 민족주의자들은 삼엄한 일제의 경계를 뚫고 만세 시위를 준비하고 있었다.

첫 번째 거사는 천도교 쪽에서 도모했다. 3월 10일을 거사일로 잡았지만 사전에 발각되고 말았다. 이어 3월 16일 익산역 주변에서 산발적인 시위가 있었으나 조기 진압되면서 운동의 열기를 확산시키는 데는 실패했다. 이후 일제와 일본인들은 병력을 늘리고 자경단 조직을 강화했다. 그 결과 3월 익산에서는 시위다운 시위를 보기 어려웠다. 하지만 전국 각지에서 만세 시위가 이어지고 있다는 소식이 잇따르면서 익산에서도 독립만세운동의 분위기는 무르익고 있었다.

핏빛 함성 울려 퍼진 솜리장터

이를 폭발시킨 도화선은 오산면 남전교회 신도들이었다. 그 중심에 남전교회가 운영하는 도남학교 교사였던 문용기와 남전교회 신자 김치옥, 박성엽이 있다. 특히 군산 선교부에 근무하고 있던 박성엽은 군산 만세 시위 때 뿌려진 독립선언서를 갖고 있었다. 이들은 다른 교인들과 함께 4월 4일 익산 장날을 거사일로 정하고 태극기와 선언서를 제작했다. 또 시위대를 3대(隊)로 나눠 1대는 익산역, 2대는 장터, 3대는 동익산역에서 각각 출발해 당시 일제의 상징처럼 여겨지던 대교농장에 모이도록 했다.

거사일이 밝자 아침부터 남전교회 주변은 사람들로 분주해지기 시작했다. 하얀 한복으로 차려입은 교인 150여 명이 교회 안마당에 모였다. 이들은 태극기와 독립선언서를 한 뭉치씩 받아든 뒤 여자들은 허리춤에, 남자들은 바짓가랑이 속에 숨기고 장터로 향했다.

정오 무렵 장터 네거리에 '조선 독립 만세'라고 빨갛게 쓴 대형 깃발이 휘날리자 문용기가 1천여 명의 군중 앞에 나섰다. 그는 우렁찬 목소리로 전국 각지에서 요원의 불길처럼 번지고 있는 만세운동의 의미와 필요성을 역설했다. 이어 김치옥이 품고 있던 조선독립선언서를 꺼내 큰 소리로 낭독했다. 낭독이 끝나자 시위대는 하늘을 찌를 듯한 우렁찬 함성과 함께 시장 골목길을 따라 대교농장을 향해 행진하기 시작했다.

시위대에 놀란 대교농장 자경단과 일제 헌병들은 창검과 총, 곤봉, 갈고리 등을 마구 휘두르기 시작했다. 하지만 행진은 멈추지 않았다. 위기감을 느낀 헌병들은 시위대를 향해 총을 쏘기 시작했다. 이에 군중이 잠시 동요하자 문용기가 태극기를 힘차게 흔들면서 앞으로 나섰다.

일제 헌병은 대검으로 태극기를 들고 있던 그의 오른팔을 내리쳤고, 상처를 입은 손에서 태극기가 떨어져나갔다. 문용기가 다시 왼손으로 땅에 떨어진 태극기를 주워 흔들려고 하자 헌병은 대검으로 왼팔마저 베었다. 양팔에 큰 부상을 입었지만 문용기는 굴하지 않고 버티면서 "조선 독립 만세"를 큰 소리로 외쳤다. 흥분한 일제 헌병들이 다시 몸통을 찔러대기 시작했지만 문용기는 물러서지 않은 채 "여러분, 나는 이 붉은 피로 우리 대한의 신정부를 음조(陰助)하여 여러분이 대한의 신국민이 되게 하겠소"라는 말을 유언처럼 남긴 뒤 현장에서 숨을 거뒀다. 그의 나이 41세였다.

한말 의병운동의 맥을 이은 항거

이날 시위에선 문용기를 비롯해 박영문, 장경춘, 박도현 등 시위를 주도했던 남전교회 교인과 시위대를 따르던 서공유, 이충규 등 6명이 유명을 달리했고, 20여 명이 중경상을 입었다. 그 밖에 39명이 체포됐다.

이덕주 감리교신학대 명예교수는 "익산의 4·4만세운동은 일제의 정치·경제·사회적 침략에 대한 저항운동의 성격이 강하다"며 "이런 점에서 국권을 회복하기 위해 항일투쟁을 전개했던 한말 의병운동과 일맥상통하고 있다"고 평가했다.

현재 익산 시내에는 선열들의 숭고한 희생을 기리는 기념물들이 곳곳에 세워져 있다. 익산 시민들은 광복 이후인 1949년, 4·4만세운동이 일어났던 남부시장에 순국열사비를 세웠다. 순국열사비 왼편에는 당시 현장에서 순국한 문용기 선생 동상이 2015년 건립됐다. 익산시는 이 일대를 4·4만세기념공원으로 조성해 역사 교육의 장으로 활용하고 있다. 기념공원 뒤편 공터는 대교농장이 있던 자리다. 당시 대교농장 사무실로 쓰던 일본식 2층 가옥(등록문화재 제209호)은 아직도 자리를 지키고 있다.

오산면행정복지센터 앞에는 문용기, 박영문, 장경춘 등 오산면

익산 4·4만세운동의
진원지인 남전교회.

출신 애국지사를 기리는 충혼비가 세워져 있다. 이곳에서 2킬로미터 정도 떨어진 곳에 익산 4·4만세운동의 진원지인 남전교회가 있다. 1897년 익산에서 처음으로 설립된 남전교회는 2000년 한국기독교장로회로부터 역사적인 가치를 인정받아 '총회 유적 제1호 교회'로 지정됐다. 익산역 광장에는 3·1운동 기념비가 있다. 1971년 8월 15일 동아일보사가 익산 지역 유지들로 구성된 건립협찬회와 함께 세운 것으로, 전국 1호 기념비다.

부창부수였던 독립운동가의 기개

독립운동가 문용기 선생(1878~1919)은 익산 4 · 4만세운동의 정신적 지주다. 선생이 익산 만세 시위의 상징으로 자리매김한 데는 아내 최정자 여사(1887~1955)의 심모원려(深謀遠慮)가 자리잡고 있었다.

아침에 나간 선생이 주검으로 돌아오자 그의 노모와 아홉 살 난 딸이 혼절해 그길로 세상을 떠났다. 네 살 난 딸도 병을 앓다가 그해에 죽어 최 여사는 한 해에 네 번의 초상을 치러야만 했다.

최 여사는 이처럼 황망한 상황에도 냉정함을 잃지 않았다. 그는 남편이 입었던 피 묻은 두루마기와 솜저고리를 항아리에 담아 땅에 묻었다. 언젠가 광복이 되면 일제의 만행을 생생하게 증언해줄 증거물이 될 것이라는 판단에서였다. 나중에 일본군이 찾아와 선생의 유품을 내놓으라고 협박했지만 그는 꿈쩍도 하지 않았다.

최 여사는 남편의 혈의(血衣)들이 탈색될 기미를 보이자 항아리에서 꺼내 자신의 한복 치마로 싼 뒤 대들보에 정성스럽게 매달아두기도 했다. 마침내 광복이 되자 최 여사는 비로소 피 묻은 두루마기와 솜저고리를 꺼내 마당에 깔린 멍석 위에 펼쳐놓고 제

2009년 〈동아일보〉에 공개된
문용기 선생의 저고리. 왼쪽 가슴
부분에 일본 헌병의 칼에 찔려
생긴 구멍과 핏자국이 선명하다.

를 올린 뒤 아들과 함께 대성통곡했다.

　이 혈의는 며느리 정귀례 씨가 1985년 독립기념관에 기증했다.
독립기념관은 이후 4년간 선생의 혈의를 전시하다 1989년부터
보존을 위해 수장고에 보관하고 있다. 현재 독립기념관 제3전시
관(겨레의 함성)에서 볼 수 있는 혈의는 복제품이다. 일본 헌병의
대검에 찔려 생긴 저고리 왼쪽 가슴 부분과 옷깃, 소매의 선혈 흔
적은 100년이 지난 지금도 당시 일제의 야만적인 탄압 상황을 생
생히 말해주고 있다.

의향(義鄉)

열과 성을 다해 조선 독립을 소리 높여 외치자

아, 동포 제군이여! 신성한 단군의 자손으로 반만년 동방에서 웅비한 우리 조선민족은 경술년이 원수로다. 금수강산이 식민지도(植民地圖)로 출판되고 신성한 자손은 노예의 민적(民籍)으로 들어가게 되었다. 이러한 치욕을 당하고 무슨 면목으로 지하의 조상님들을 뵙고 어찌하여 세계의 다른 나라를 대할까나. 몽고도 독립을 선언하고 폴란드도 민족자결을 주장하고 있도다. 이에 분발하고 떨쳐 일어나 가슴 가득히 열과 성을 다해 조선 독립을 소리 높여 외치자. 만세! 만세! 조선 독립 만만세!

1919년 4월 3일 전북 남원군 덕과면 길가에 '경고아동포제군 (警告我同胞諸君)'이라는 격문이 뿌려졌다. 나라를 빼앗긴 분노와 독립에 대한 열망이 담긴 글이었다. 격문을 작성한 이는 덕과면 장 이석기였다. 일제 행정의 말단 책임자가 엄혹한 식민 치하에 서 독립을 외친 일의 파장은 컸다. 덕과면 주민들의 가슴에 불을 질렀고, 주민들이 만세 대열에 나서는 기폭제가 됐다. 이후 남원 4·4만세운동의 불씨가 됐고, 남원이 '의향(義鄕)'으로 불리는 디 딤돌로 작용했다.

식수기념일에 기습 시위

1919년 한강 이남 최초의 만세 시위가 3월 5일 전북 군산에서 일어난 뒤 조국 독립에 대한 열망은 인근 지역으로 확산했다. 지 리산 자락의 남원도 예외는 아니어서 3월 초부터 분위기가 심상 치 않았다. 경성에서 내려온 독립선언서가 천도교인들에 의해 전 파됐다. 어떤 이들은 대담하게 면사무소와 헌병 분견소 게시판에 독립선언서를 붙이기도 했다. 이를 감지한 일제 헌병과 경찰은 시위를 막기 위해 눈에 불을 켰다. 그 퍼런 서슬에 남원군 주민들 은 제대로 된 저항 한 번 못 하고 3월을 넘겼다.

남원의 뜻있는 인사들은 이를 수치스럽게 여겼다. 조선인 면장

이석기도 그들 중 하나였다. 그는 당시 임실군 오수보통학교 교사였던 조카 이광수를 불러 거사를 논의했다. 이광수는 3월 10일에 있었던 오수보통학교 학생 만세 시위를 주도한 교사로서 민족정신이 투철했다. 만세운동을 준비하던 3월 25일 오수에서 또다시 대대적인 만세 시위가 펼쳐졌다. 어린 학생들의 만세운동에 자극을 받은 오수면민들이 장날을 기해 벌인 것이다.

이에 이석기는 더 이상 거사를 늦출 수 없다고 판단했다. 한꺼번에 많은 인원을 동원해 만세 시위를 벌일 방법을 고심하던 그의 머릿속을 스친 것이 '식수기념일(植樹紀念日)'이었다. 조선총독부는 1911년부터 4월 3일을 식목일로 정하고 각 행정단위와 학교 등에 나무 심기 행사를 하게 했다. 관청에서 연례적으로 벌이는 일이니 의심을 사지 않고 많은 사람을 모을 수 있다는 판단이 섰다.

이석기는 3월 31일 저녁 친족인 이형기, 이성기, 이두기, 이범수 등과 면서기인 조동선을 불러 비밀 회합을 가졌다. 이후 이들은 4월 3일 각 가정마다 힘이 센 장정 한 명씩을 덕과면 신양리 뒷산 동해골(일명 도화골)에서 열리는 식수 행사에 참석시키라고 연락했다. 또 사매면 3개 마을 주민들도 도로 보수를 명목으로 계명당 고개에 모이도록 했다. 2개 면 주민들을 모아 만세운동을 벌일 작정이었다. 이석기는 각 면장들에게 보낼 '만세운동 참가 취지서'와 '경고아동포제군'이라는 격문도 작성했다.

동해골에 울려 퍼진 만세 함성

4월 3일 아침부터 동해골은 면민 500여 명이 모여들어 시끌벅 적했다. 이들은 대부분 단순한 나무 심기 행사로 알고 참석한 사 람들이었다. 이석기는 식수 행사로 위장하기 위해 헌병 주재소 소장과 보조원까지 초청하는 치밀함도 보였다. 이날 오후 나무 심기 행사가 끝나자 이석기는 참석자들의 노고를 위로한다며 막 걸리를 내놨다. 막걸리가 몇 순배 돌고 취기가 오르자 이석기는 "여러분 지금 삼천리 방방곡곡에서는 독립 만세의 함성 소리가 날로 드높아져 가고 있소. 우리도 만세를 불러야 하지 않겠소"라 고 큰 소리로 제안했다. 이에 참석자들이 일제히 손을 치켜들고 "우리도 독립 만세를 부릅시다"라고 호응했다.

이후 이석기의 선창에 따라 참석자들은 "대한 독립 만세"를 외 쳐댔다. 남원 만세운동의 시작이었다. 행사 참석자들은 시위대가 돼 사매면에 있는 헌병 주재소로 몰려갔다. 이어 율천리를 지날 무렵 이석기는 길가 초가지붕에 올라가 자신이 지은 격문을 큰 소리로 낭독한 뒤 수십 장을 허공에 뿌렸다. 면장이 선봉에 서자 시위대의 사기는 하늘을 찌를 듯했다. 계명당 고개에서 도로를 보수하고 있던 사매면민 300여 명도 시위에 합류했다.

시위대의 기세에 놀란 헌병 주재소장은 곧바로 남원 헌병청에 병력 증파를 요청했다. 무장한 헌병들이 남원에서 차를 타고 출동하자 인명 피해를 우려한 이석기는 "내가 주동자"라며 시위대 앞으로 나섰다. 이석기를 비롯한 조동선, 이재화, 김선량, 이풍기, 이승순 등이 현장에서 체포되고 시위대는 일단 해산했다. 이석기는 그해 10월 4일 고등법원에서 보안법 위반 혐의로 1년 6개월 형을 받았고, 대구복심법원에서 2년 6개월로 형이 가중돼 서대문감옥에서 옥고를 치렀다.

무자비한 일제 총칼에 8명 순국

4월 3일 덕과·사매면 만세운동 이튿날인 4월 4일은 남원읍 장날이었다. 남원읍장(邑場)은 남원군은 물론 서쪽의 순창·임실군과 남쪽으로 전남 구례와 곡성군 주민들까지 몰려드는 큰 장이었다. 읍과 각 면의 지사들은 장날을 거사일로 정하고 밤을 도와 천도교인과 기독교인을 통해 각 부락에 계획을 전달했다.

오후 2시경 남원읍 북시장에 모여들기 시작해 1천여 명으로 불어난 시위대는 태극기를 앞세우고 만세를 부르며 헌병청을 향해 행진했다. 같은 시각 광한루 앞 광장에서도 만세 함성이 터져 나왔다. 남원읍내 전역이 독립 만세의 환호성으로 진동하고 태극기의 물결로 넘실댔다. 당황한 일제 헌병들은 헌병청 앞으로 몰려드는 시위대를 향해 무차별 사격을 퍼부었다.

이날 8명이 현장에서 순절하고 수십 명이 중상을 입었다. 20여 명은 주동자로 체포됐다. 전북 지역에서 가장 많은 사상자가 발생했지만 당시 주민들은 굴하지 않고 마을별로 장례비를 모았고 명정(銘旌)에 '의용지구(義勇之柩)'라고 크게 써서 만세운동으로 순절한 이들의 높은 뜻을 기렸다.(윤영근 외,《남원항일운동사》)

당시 만세운동 현장에는 독립 정신을 기리는 기념물이 세워져 있다. 옛 남원역 광장에는 동아일보와 남원청년회의소(JC)가 건립한 3·1운동 기념비가 있다. 덕과면과 사매면에는 각각 3·1운동 발상지 기념탑과 대한독립만세탑이 세워져 역사 교육 공간으로 활용되고 있다. 남원시 동충동에도 조국의 독립을 위해 싸운 이들을 기리는 남원항일운동 기념탑이 있다.《남원항일운동사》를 펴낸 윤영근 씨는 "남원의 만세운동은 민중들의 자발적인 봉기였다는 점에서 의미가 크다"고 말했다.

동아일보와
남원청년회의소가 1974년
3월 1일 남원역 광장에
세운 3·1운동 기념비.

삼대가 희생한 방극용 가족

서울 종로구 탑골공원에는 3·1운동 당시 전국적으로 기억할 만한 10대 사건이 동판으로 제작돼 전시되고 있다. 그중 호남에서는 유일하게 남원 4·4만세운동이 새겨져 있다. 이른바 '남원의 삼순절(三純節)'로 불리는 방극용 가족 이야기다.

방극용은 평소 독립에 대한 열망이 누구보다 강한 청년이었다. 4월 4일 장날을 맞아 만세성이 울려 퍼진다는 소식을 접한 그는 가까이 지내던 이웃과 친척에게 참여를 권했다. 그는 시위대 맨 앞에서 만세를 부르다 무차별 사격을 가하는 헌병의 총탄에 맞고 절명했다. 남원 4·4만세운동의 첫 번째 희생자였다.

남편의 죽음을 들은 그의 아내가 냇가에서 빨래를 하다가 빨랫방망이를 들고 달려와 헌병에게 대들다가 총에 맞아 숨졌다. 며느리의 죽음을 지켜본 시어머니는 "충용을 다해서 독립을 회복하고 우리 아들과 며느리의 원혼을 달래주시오"라고 부르짖은 뒤 자결했다. 세 사람의 장렬한 죽음은 남원군민이 보여준 애국 충정의 귀감이 되었다.

이날 만세 시위 현장에서는 방극용을 비롯해 방양규, 방진형,

방명숙, 방제환 등 남양 방씨 일가 5명이 순국했다. 같은 날 집안 사람 다섯 명이 한꺼번에 목숨을 잃은 것이다. 방극용 열사의 조카인 방태혁 씨는 "남양 방씨 가문의 12대조가 임진왜란 때 의병을 일으킨 만오공 방원진"이라며 "이런 사실을 잘 알고 있는 문중 어른들이 시위대 맨 앞에 서다 보니 희생이 컸던 것 같다"고 말했다. 남원시는 2017년 주생면 사계정사 입구에 항일독립만세운동 순국 추모비를 세우고 당시 순국한 남양 방씨 출신 5명의 애국정신을 기리고 있다.

남원시 덕과면 사율리
남원 3·1만세운동
발상지 기념탑에서 열린
독립만세운동 재현 행사.
(사진 제공: 남원시)

신호탄

구국의 횃불을 들어 올리다

일본이 조선을 속국으로 만들기 위해 침략의 마수를 뻗치던 1886년 7월 25일 전남 완도군 소안도. 섬 주민 200여 명이 맹선리 짝지에 집단 거주하던 일본인들의 가옥에 불을 질렀다. 사건 발생 2개월 뒤 현장을 조사한 일본영사관 직원은 "주민들이 몽둥이를 들고 나카무라와 그의 집을 습격해서 일본풍 건물과 가옥 3채를 불태우고 저장 창고에서 술과 된장에서부터 의류, 가재도구에 이르기까지 모조리 불태웠다"고 본국에 보고했다. 일본 제국주의에 저항하고 삶의 터전인 어장을 지키려는 소안도 주민들의 첫 의거였다.

그로부터 23년이 흐른 1909년 2월 24일 새벽녘, 소안도 맹선리를 출발한 작은 배가 3.7킬로미터 떨어진 당사도 등대 아래 절벽에 조심스럽게 다가갔다. 일본이 만든 당사도 등대는 조선에서 수탈한 물자를 실어 나르던 일본 상선의 뱃길을 밝히는 역할을 했다. 소안도 출신 동학군 이준화와 마을 청년 6명이 배에서 내려 바위를 타고 기어올랐다. 잠시 뒤 4발의 총성이 어둠을 갈랐다. 등대를 지키던 일본인 간수 등 4명이 죽고 등명기는 바다에 던져졌다. 등대가 불을 밝힌 지 두 달 만의 일이었다. 주민들의 기개를 보여준 이 사건은 본격적인 완도 항일운동의 신호탄이 되었다.

남도 외딴섬에서 울려 퍼진 만세 함성

당사도 등대 습격 사건이 있은 지 10년 뒤 발발한 1919년 3·1운동에 완도 주민들은 또다시 일어섰다. 소안도의 송내호, 정남국, 최형천, 신준희, 김경천, 강정태, 백태윤 등이 완도읍 나봉균, 최사열과 함께 완도읍 장날인 3월 15일에 거사를 일으켰다. 청년 지식인들이 주도한 이날 시위는 일제 경찰의 무력 진압으로 해산되었다. 유관순 열사가 4월 1일 천안 아우내장터에서 만세 시위를 벌인 때보다 보름이나 빠른 시기였다.

2차 시위는 완도보통학교 학생들이 주도했다. 3월 하순 목포에서 전국의 시위 상황을 접하고 온 차종화는 김우진과 만나 독립운동을 하기로 했다. 4월 7일 보통학교 기숙사에서 김우진, 차종화, 박응두, 문종렬, 이철암, 김기찬 등이 모여 다음 날로 예정된 시위 계획을 점검했다. 각자 태극기를 준비하고 등교해 운동장에서 "대한 독립 만세"를 부른 뒤 시가행진을 벌이기로 했다. 하지만 7일 밤 주민들에게 시위 사실을 알리는 벽보를 붙이다 일제 경찰에 발각돼 계획은 물거품이 됐다. 〈매일신보〉 4월 11일자에는 이 사건 직후 해남에 주둔하던 일본군 일부가 완도로 파견됐다는 기사가 실렸다. 시위 주동자였던 김우진과 차종화는 구속돼 그해 4월 22일 광주지법 장흥지원에서 보안법 위반으로 각각 징역 6개월을 선고받았다. 당시 신지면에서도 임재갑, 임재경, 김재교 등이 상산과 독계령에 태극기를 꽂고 산상(山上) 시위를 벌였다.

1년 뒤 만세운동의 불씨는 고금도에서 다시 타올랐다. 1920년 1월 고금보통학교에 다니던 정학균과 이현렬, 홍철수, 이수열 등은 고종 황제 서거 1주기인 1월 22일 만세운동을 벌이기로 했다. 정학균이 기숙사에서 태극기 70장을 만들고 이현렬은 격문을 제작했다. 오전 11시경 덕암산 정상에서 학생들이 태극기를 흔들며 "대한 독립 만세"를 외치자 일제 경찰은 이들을 검거하기 위해 산으로 올라갔다. 그 틈을 타 고금보통학교 앞에서 300여 명의 군중이 집결해 태극기를 흔들며 만세를 외쳤다. 이날 시위로 80

완도읍 화흥포항과
소안도항을 오가는
여객선 대한호.
뱃머리에 태극 문양이
선명하다.

여 명이 체포됐고, 주동자인 정학균 등 6명은 기소돼 옥고를 치렀
다.(완도군항일운동기념사업회,《완도군 항일운동사》)

국내 항일운동의 3대 성지

이처럼 완도 3·1운동은 1919년 3월부터 이듬해 1월까지 3차례
에 걸쳐 진행됐다. 1차 시위는 청년, 지식인, 종교인들이, 2차와 3
차 시위는 보통학교 학생들이 주도했다. 해가 바뀌었는데도 3·1
운동 당시를 방불케 하는 시위가 전개된 것은 매우 이례적이었다.

시위가 오래 지속될 수 있었던 원동력은 높은 교육열이었다.
일제강점기에 완도 유지들은 신학문과 신교육에 관심이 높았다.
1905년 사립육영학교(1911년 완도공립보통학교로 변경)를 시작으로 소안도에 개교한 사립중화학원(사립소안학교 전신), 노화도의 사립영홍학교, 고금도의 약산사립학교 등 근대적인 사립학교가 곳곳에 세워졌다. 당시 사립학교는 근대 민족의식을 키우는 터전이었다.

완도 항일운동사에서 빼놓을 수 없는 인물이 송내호(1895~1928)다. 소안도에서 태어나 서울 중앙학교를 졸업한 뒤 완도에서 3·1만세운동을 주도한 그는 사립중화학원과 사립소안학교, 사립영홍학교에서 교사로 재직하면서 많은 독립운동가를 길러냈다. 1914년 비밀결사체인 수의위친계를 조직해 완도를 중심으로 전라도, 경상도에까지 인맥을 형성하고 1915년 한강 이남에서는 최초로 배달청년회를 조직했다. 그는 1927년 배달청년회 사건으로 검거돼 옥고를 치르던 중 폐결핵이 악화해 33세를 일기로 세상을 떠났다. 그의 동생 송기호(1900~1928)도 광주농업학교 재학 중 광주 3·1운동을 주도하다 구속됐다.

완도의 3·1운동은 1920~1930년대 소안도와 고금도, 신지도, 약산도 등지의 청년운동, 노동운동, 사회운동의 이념적 토대가 됐다. 박찬승 한양대 역사학과 교수는 〈완도군 항일운동 전개 과정〉이란 논문을 통해 완도가 민족운동을 활발히 전개하고 걸출한 운동가를 배출한 배경으로 신교육과 청년들의 진보적인 사고, 부유한 경제 여건 등을 꼽았다.

현재 국가보훈처로부터 포상을 받은 완도 지역 독립유공자는

59명이다. 독립유공자 서훈을 받지 못했지만 항일운동에 참여한 인사는 이보다 훨씬 많다. 《완도군 항일운동사》에 완도군의 민족운동가로 소개된 이는 모두 122명이다. 부산 동래, 함경도 북청과 함께 완도가 '항일운동의 3대 성지'로 불리는 이유다.

구국의 햇불을 들어 올린 소안도

완도군에서 항일운동이 가장 활발했던 곳은 소안도다. 항일 독립운동가 89명을 배출했고 이 중 정부로부터 건국훈장을 받은 인사만 20명에 달한다. '편안히 살 만한 곳'이라는 의미에서 붙여진 소안도(所安島)는 일제강점기에 그리 편안하지 못했다. 완도읍 본섬에서 한참 떨어진 데다 인구가 6천여 명밖에 안 되는 섬에서 항일 구국의 햇불을 들어 올렸기 때문이다.

일제를 상대로 13년의 법정공방 끝에 승소한 토지소유권 반환 소송이 대표적이다. 1905년 일제가 소안도 주민의 토지 전체를 몰수해 사도세자의 5대손이자 일제로부터 자작 칭호를 받은 이기용에게 넘겨주자 1909년 소송을 제기해 1921년 승소했다. 토지를 되찾은 기쁨은 사립소안학교 설립으로 이어졌다. 소안도 주민들은 1913년 문을 연 사립중화학원을 정규 학교로 승격시키기로 하고 1만 454원을 모금하기도 했다. 당시 소 한 마리 값이

70원인 점을 감안하면 꽤 큰 액수다. 사립소안학교는 국경일에 일장기를 달지 않고 민족의식을 일깨우며 항일정신을 가르쳤다. 일제는 이 학교를 '항일운동의 배후'로 지목하고 1927년 강제 폐교했다. 소안도 주민은 격렬히 저항했고 학교를 다시 열기 위해 탄원서를 돌리기도 했다. 이 일로 주민 800여 명이 불령선인으로 낙인찍혀 고초를 겪었다. 이후에도 주민들은 수의위친계, 배달청년회, 살자회 등 항일 비밀결사를 만들어 조직적인 저항운동을 벌였다. 소안도 주민들은 감옥으로 끌려간 이웃을 생각하며 엄동설한에도 요를 깔지 않고 잠을 잤다고 할 정도로 유대감이 강했다.

이대욱 소안항일운동기념사업회장은 "일제강점기 소안도 주민이 투옥된 기간을 합하면 300년이 넘을 정도로 독립운동의 정신이 드높았다"며 "이를 기리기 위해 매년 추모제와 전국학생백일장대회, 당사도 등대 습격 재현 행사 등을 열고 있다"고 말했다.

1994년 동아일보와 전남도, 완도군, 신지도 주민들이 선열들의 항일운동을 기념하기 위해 건립한 신지 항일운동 기념탑.

영춘(迎春)

밭을 갈면서 봄을 기다리다

1919년 3·1운동이 일어나기 이틀 전인 2월 27일 전북 임실군 천
도교 임실교구 전도실(운암면 지천리). 동학농민혁명 당시 북접(北
接) 대접주로 맹활약한 최승우, 독립선언서 서명 민족대표 33인
에 포함된 박준승과 양한묵을 천도교 측 대표로 천거한 동학 원
로 김영원, 공주 우금치전투에 참여한 임실교구장 한영태 등 동
학군 출신 천도교 지도자들이 모임을 갖고 있었다.

　참석자들은 경성의 천도교 중앙총부로부터 전국 규모의 3·1운
동 계획 소식을 미리 듣고 '일제와의 새로운 전쟁'을 모의했다. 밤
에 불을 밝히는 봉화책, 독립선언서를 배포하는 선언서책, 사람

들을 불러 모으는 동원책 등 임무가 부여되고, 임실군 각 면을 책임지는 면책(面責)이 선정됐다.(《천도교임실교사》)

거사일은 경성에서 보낸 독립선언서가 임실교구로 도착하는 시점으로 정해졌다. 3월 2일 밤, 독립선언서가 천도교 전주대교구를 거쳐 운암면 임실교구에 전달됐다. 계획대로 임실군 각 면의 시장, 학교, 경찰서, 면사무소 등에 독립선언서가 뿌려지고 독립만세운동을 촉구하는 격문이 나붙었다. 하지만 시위 계획은 좌절되고 만다. 일제 경찰이 동학혁명의 주 무대이자 천도교 핵심 지도자들을 배출한 임실군을 지속적으로 감시해온 데다 핵심 인물인 한영태와 강계대 등이 일찌감치 체포당한 탓이다.

전주로 압송된 한영태는 시위 가담자들을 자백하지 않아 3일간 가혹한 고문을 당했다. 한영태는 실수로라도 관련자 이름을 밝히지 않으려 혀를 깨물었고, 3월 9일 옷을 찢어 만든 줄로 목을 매 자결했다. 김영원 역시 옥중에서 모진 고초를 겪다가 그해 8월 26일 운명했다.

이런 소식은 이후 임실읍, 청웅면, 둔남면 등 임실군 곳곳에서 만세운동을 지피는 불쏘시개가 되었다. 임실군에서는 3월 10일부터 4월 7일까지 약 한 달간 17차례에 걸쳐 만세운동이 이어졌고, 79명이 징역형을 선고받아 옥고를 치렀다.(삼혁당 김영원 선생 추모회,《영춘》)

보통학교 생도들의 만세운동

임실 지역의 본격적인 만세운동은 보통학교 학생들에 의해 불붙었다. 한영태의 순국 하루 뒤인 3월 10일, 임실읍에서 남동쪽으로 9킬로미터가량 떨어진 둔남면 오수리 오수공립보통학교(현 오수초등학교) 학생들이 첫 깃발을 들었다. 이날 오전 10시, 학생들은 첫 수업 후 쉬는 시간을 신호로 운동장에 모여 오수 역전(역참)으로 몰려가 "대한 독립 만세"를 외쳤다.(1919년 3월 15일, 전라북도 도장관 보고)

학생들의 기습 시위에 놀란 일본인 교장과 주재소 순사들은 학생들을 설득하고 학부모를 강압하며 시위대를 해산시켰다. 일경은 또 10대의 어린 학생들이 자체적으로 벌인 시위가 아니라고 판단하고 배후를 캐기 위한 탐문수사를 벌였다. 하지만 생도들은 "경성에서 내려온 모르는 사람이 독립선언문을 주고 갔을 뿐"이라며 비밀을 사수했다.

이날 시위의 배후 주도자는 교사 이광수(1896~1948)였다. 오수리와 인접 지역인 남원군 덕과면에서 만세운동을 주도했던 이석기 덕과면장의 조카인 이광수는 이후에도 임실 지역 청년회와 농민회를 통해 시위를 이끌었다.

학생들의 시위는 임실 지역 주민들의 마음을 움직였다. 임실읍 장날인 3월 12일 오전 10시경, 시장 한복판에서 2천여 명이 참가한 만세운동이 펼쳐졌다. "대한 독립 만세" 함성이 울려 퍼지고, 독립선언서와 〈독립신문〉이 곳곳에 뿌려졌다. 남원 등지에서 급히 차출된 일본 수비대와 헌병, 현지 경찰들이 무차별 총격으로 진압에 나서면서 시위대는 흩어졌다.

하지만 끝이 아니었다. 이날 밤 9시경 시위대 1천여 명이 읍내와 인근 산에 모여 동시다발적으로 만세를 부르는 게릴라식 운동을 펼쳤다. 횃불을 든 시위대는 산에서 만세를 부르다 일경이 들이닥치면 숨죽였다가 다시 읍내에서 만세를 부르고, 일경이 읍내로 내려오면 다시 산에 올라가 만세를 부르며 밤을 새웠다.(전북지역독립운동추념탑건립추진위원회,《전북지역독립운동사》)

3월 15일에는 민족대표 33인 중 한 명인 박준승의 고향인 청웅면에서 만세 시위가 전개됐다. 이날 오후 9시경 구고리에서 100여 명이 모여 "대한 독립 만세"를 부른 이후 시위는 그칠 줄 몰랐

오수 3·1독립만세운동을
기리는 기념탑.

다. 16~17일에는 박용식, 이강세, 한도수, 최종수 등이 구고리에서 재차 만세를 불렀고, 이 지역 유지 박준창과 정필조 등 약 150명도 남산리에서 "대한 독립 만세"를 불렀다. 석두리와 옥전리에서도 약 100명이 만세를 불렀다. 21일에는 구고리와 남산리 주민 15명이 임실경찰서에 몰려가 체포된 사람들의 석방을 요구하는 시위까지 벌였다.

원동산의 만세 소리

임실 지역 만세운동은 3월 23일의 오수면 시위로 이어졌다. 그 중심지가 구 오수장터가 있던 원동산(현재 오수면 오수리 원동산공원)이다. 매월 3일과 8일에 장이 서는 오수 삼팔장에서 지역 유지인 이기송, 오병용, 이만의, 이병열, 김일봉 등은 시위 계획을 모의했고, 야트막한 둔덕으로 이뤄진 원동산에서 만세운동을 벌였다. 사전에 거사 계획을 감지한 임실군수와 경찰서장이 만류하고 협박했지만 통하지 않았다.

이기송은 독립만세운동의 정당성을 발표한 뒤 "대한 독립 만세"를 외치다 그 자리에서 체포됐다. 이에 나머지 유지들이 시위를 이끌었고, 군중은 삽시간에 800여 명 규모로 늘어났다. 시위대는 이기송이 끌려간 주재소를 향해 거리 행진을 벌이며 만세를 외쳤고, 그중 80여 명은 "이기송을 석방하라"며 주재소로 들이닥쳤다. 그 기세에 놀란 일본인 순사는 이기송을 바로 풀어주었다.

시위대는 이기송을 둘러싼 채 장터로 나가 거리를 돌며 시위를 이어갔다. 저녁 무렵이 되자 시위대는 2천여 명으로 불어났다. 시위대는 철시한 시장에서 일본인 점포를 부순 다음 면사무소로 달려갔다. 면장과 면서기 등에게는 "너희도 조선 사람이니 함께 만세를 부르자"고 독려해 만세 대열에 합류시켰다.

시위대는 다시 오수 주재소로 향했다. 이만의는 주재소를 접수하고 유치장에 갇혀 있던 독립운동 참가자들을 풀어주었다. 이때 주재소에 있던 순사보 고택기가 총으로 위협했지만 이만의가 덤벼들어 총을 빼앗은 뒤 그에게도 만세를 부르도록 했다. 일제 경찰들은 많은 군중 앞에서 어찌할 바를 모르고 우왕좌왕하기만 했다.

당시 오수는 일제에서 벗어난 '해방구'나 마찬가지였다. 잠시 후 비상 연락을 받고 남원에서 출동한 일제 헌병과 임실경찰서 무장 병력이 나타나 시위대에게 총격을 가하며 진압을 시도했다. 이 과정에서 삼계면 출신 허박이 그 자리에서 순국하는 등 많은 사상자가 발생했고, 50여 명이 체포됐다. 특히 둔덕면의 이기송 등 둔덕 이씨 일가만 무려 16명이 투옥됐다.

100년 전 '임실의 독립 선언' 장소였던 원동산에는 현재 당시를 기억할 만한 게 거의 없다. 전라북도 민속문화재 제1호로 지정된 오수 의견비(義犬碑)와 개를 형상화한 동상이 그 자리를 차지하고 있고, 주변에 누정과 관찰사 등의 선정비만 세워져 있다. 오수면의 3·1운동을 기리는 기념탑(오수면 오수리 산3)은 이곳에서 한참 떨어진, 사람들의 눈에 잘 띄지 않는 비탈진 곳에 '외롭게' 서 있다.

둔덕 이씨 가문의 비밀 독립운동단체

임실군에서 가장 치열한 시위가 전개된 오수 3·1만세운동에선 전주 이씨(일명 둔덕 이씨)들의 활약이 돋보였다. 민족대표 33인이 받은 최고 3년 형보다 무려 4년이 높은 7년 형을 선고받은 이기송을 비롯해 모두 16명의 둔덕 이씨가 재판에 회부돼 고초를 겪었다.

이들은 옥고 후에도 독립운동을 접지 않았다. 최근 이기송 선생의 후손 집에서 발견된 자료집 《영춘계안(迎春契案)》에 이런 사실이 수록돼 있다. 자료를 찾아낸 김철배 학예사는 "1921년 임실군 오수 지역에서 조직된 경착영춘계(耕鑿迎春契, 밭을 갈면서 봄을 기다리는 계)는 오수 만세운동으로 옥고를 치렀던 지사 35명이 출옥하면서 차례로 가입해 만든 비밀 독립운동단체"라고 설명했다. 8·15광복 후 계원 35명 가운데 21명이 순차적으로 국가유공자로 추서됐다.

'영춘'이라는 이름에서도 독립의 염원을 읽을 수 있다. 봄을 의미하는 '춘(春)'이 실은 조국 독립을 의미하는 은유적 표현이며, 영춘은 조국 독립을 맞이하는 행위라는 설명이다. 영춘계원이던

1921년 오수 만세운동 주도자 35명이 출옥해 만든 비밀계 조직인 경착영춘계의 강령 등을 기록한 《영춘계안》.

이성기 선생(1890~?)이 1977년에 증언한 자료에 따르면, 영춘계는 보통계와 같은 모양을 갖췄지만 '춘(春)을 맞는다'는 뜻을 내포해 춘풍추국(春風秋菊)에 모임을 갖고 독립운동을 벌이는 비밀결사였다. 영춘계는 일제 경찰의 탄압으로 4~5년 만에 해산되고 말았다.

그동안 베일에 가려 있던 영춘계의 존재가 알려지게 된 것은 임실 지역의 '아픈' 독립운동 가족사와 연결돼 있다. 이기송 가문은 만세운동 이후 여러 친지와 이웃들까지 일제로부터 탄압을 받자 고향을 떠났고, 그 후손들은 이런 사실을 모르고 살아왔다. 김철배 학예사는 "《영춘계안》도 광주에서 사는 후손이 무언지 모르고 보관해오다가 우연히 눈에 띈 것"이라고 밝혔다.

산마루
너는 조선 사람이 아니고 왜놈의 개냐?

"이럴 때가 아닙니다. 빨리 고향으로 내려가 나랏일을 하시오."

1919년 2월 말 중앙학교 교장 송진우는 고종 황제 국상에 참여하기 위해 경성에 도착한 박지선, 김현곤, 송수연 등 전북 정읍군(현 정읍시) 태인면 출신 청년들에게 이렇게 말했다. 고하 송진우는 3·1만세운동 거사 계획을 넌지시 알리며 정읍 지역에서도 궐기할 것을 당부했다. 세 사람은 인촌 김성수 등 경성에 거주하는 호남 출신 인사들을 만나며 거사의 중요성을 깨달은 뒤 즉시 태인으로 독립선언서 등을 구해 태인으로 돌아갔다.(송진우 선생과

15인회, 〈신동아〉 1965년 3월호)

이들은 고향에 도착한 즉시 항일독립만세운동을 목적으로 비밀결사조직 '15인회'를 조직했다. 회장 김현곤, 총무 박지선 등 전원 태인면 청년들로 구성된 이 조직은 태인 3·1만세운동을 주도해나갔다.

"너는 왜놈의 개냐?"

1919년 음력 2월 보름에 거행된 태인 3·1만세운동의 준비 과정은 치밀했다. 15인회 회원들은 지역 유지인 김달곤의 집을 거점 삼아 밤마다 촌락들을 돌아다니며 만세운동 참가자들을 모았다. 그 결과 20, 30대의 청년 50여 명이 뜻을 함께하기로 했다.

15인회 회장이자 태인면사무소 서기인 김현곤은 몰래 면사무소의 등사판을 가져와 회원 송한용의 집에서 태극기와 독립선언서 수천 장을 찍었다. 총무를 맡은 박지선은 각 지역에 인쇄물을 전달하는 한편 일본 헌병들의 동태 파악에 힘썼다.

마침내 거사일이자 태인 장날인 3월 16일, 헌병 분견소의 정오 타종을 신호로 농민들과 장꾼들이 면사무소(현 태인면 피향정 자리) 앞 우(牛)시장에 모였다. 15인회는 3개 조로 나뉘어 종이로 만든 태극기를 군중에게 나눠 주며 큰 소리로 독립선언서를 낭독했다.

15인회의 사전 연락을 받은 태인보통학교 학생과 졸업생 등 청년 200여 명도 면사무소 인근에서 태극기를 들고 "대한 독립 만세"를 외치며 행진하기 시작했다. 만세운동에 호응해 상인들은 상점 문을 닫았다.

삽시간에 수천 명 수준으로 불어난 시위대는 일제 관공서로 몰려가 만세를 불렀다. 놀란 일본 주재소(현 태인파출소 자리) 헌병들은 주재소 안에서 공포(空砲)만 쏘아댔다.(정읍군, 《태인지》)

일경의 진압에도 시위대의 기세는 꺾이지 않았다. 날이 어두워지자 시위대는 태인읍을 둘러싸고 있는 성황산과 항가산 등에 올라 봉화를 올린 뒤 다시 독립 만세를 외쳤다. 이날 태인읍의 산마루에선 밤새 횃불이 꺼질 줄 몰랐다.

산마루의 횃불은 신호가 돼 민가에서도 일제히 만세를 불렀다. 일부는 "왜놈들아 물러가라"고 외치며 석유로 적신 솜방망이에 불을 붙여 주재소로 던지기도 했다. 격렬했던 태인의 만세운동은 이튿날인 17일 새벽 수백 명으로 증원된 일본 군경에 의해 15인회 전원이 체포되면서 일단락됐다.

꺼질 줄 모르는 봉화

만세운동의 주역들이 모두 끌려갔지만 한번 지펴진 독립운동의 불씨는 살아남았다. 태인면에서는 이후 10여 일간 민중의 자발적인 '야간 산상 봉화' 운동이 이어졌고, 이웃 지역으로도 번졌다. 3월 21일 새벽 신태인 쪽 산에서 봉화가 오르자 사방에서 불을 놓아 이에 호응했다. 이날 오후 5시경 정읍군 읍내 뒷산에서도 봉화가 올랐다.

정읍군 읍내에서도 천도교인과 기독교인들이 함께 만세운동을 계획하고 있었지만 쉽게 실행에 옮기지 못하고 있었다. 당시 읍내에는 헌병 분대와 검사국 등 일제 통치기관이 자리 잡고 있는 데다 일본인 밀집 주거지가 있어 일경이나 밀정에게 포착되기 쉬웠기 때문이다. 하지만 3월 16일 발생한 태인 만세운동과 시위 주도 인물들이 체포돼 비인간적인 대우를 받는 모습에 정읍 민중은 크게 자극받기 시작했다.(김재영,《한국민족운동사와 정읍》)

마침내 지역 유지인 이익겸, 박환규 등은 3월 23일 장날에 만세시위를 전개하기로 결의했다. 천도교인들과 기독교인들은 전도 형식을 빌려 여러 곳을 돌아다니며 시위 참여를 권유했고, 부인들이 이에 적극 호응했다.

하지만 거사는 계획대로 진행되지 못했다. 거사 전날인 22일 밤, 일본인 소학교 교사의 밀고로 주동자 두 사람이 체포된 탓이다. 일본 헌병대는 백로지(갱지)에 청색과 홍색 염료로 태극기를 제작하던 현장을 급습했다. 거사일인 23일 시장에 모인 군중 100여 명은 맨손으로 독립 만세만 외쳤을 뿐 시가행진도 못 한 채 해

3·1운동 100주년을
기념해 전북 정읍시
태인면에서 개최된
3·1운동 재현 행사.
(사진 제공: 정읍시청)

산했다. 그 와중에도 덕천면의 송기룡과 박재구, 읍내의 도상철
과 박근수 등 애국지사들은 4월 2일 장날을 맞아 다시 만세운동
을 전개하며 항일운동을 이어갔다.

일제의 잔인한 고문 속에서도

1919년 3월에서 5월까지 정읍군에서 일어난 만세운동 시위는
31회에 걸쳐 1만 8천 명이 참여한 것으로 집계됐다. 특히 치열했
던 태인 만세운동에는 일제 헌병과 경찰에 검속된 군중만 80여
명이고, 이 가운데 정읍검사국에 송치된 사람도 25명에 달했다.

15인회의 주모자로 지목된 송수연과 김현곤은 각각 징역 2년
형과 1년 6개월 형을 언도받았다. 이들은 태인의 토착 종족(宗族)

인 여산 송씨와 김해 김씨를 대표하는 인물들이다. 일경에 체포
돼 선고받은 독립운동가 25명 중 여산 송씨는 7명(송수연, 송한용,
송진상, 송영근, 송문상, 송근상, 송순용), 김해 김씨는 6명(김현곤, 김부
곤, 김달곤, 김진근, 김진호, 김승권)이었다. 이들은 모두 선고받기 전
까지 견디기 힘든 고문을 받았다. 일경은 특히 15인회 총무를 맡
았던 박지선에게 조직 및 연락책을 실토하라며 참기 힘든 고문을
자행했다.

태인의 애국지사들은 6개월 내지 1년 반의 옥고를 치른 뒤에도
독립운동을 멈추지 않았다. 요시찰 대상자가 된 이들은 단 10리
도 마음대로 움직일 수 없었고, 신고 없이 이동하다 발각되면 곤
장치레를 당해야만 했다. 하지만 김현곤, 박지선, 송한용 등은 옥
고로 상한 몸을 이끌고 밤마다 정읍 지역 동지들을 찾아다니며
독립군에 건넬 군자금을 모았고, 7천 원의 거금을 상하이 임시정
부 파견원(국창현)에게 전달했다. 훗날 박지선은 자신들이 보낸
자금이 이청천 장군에게 전달됐다는 얘기를 듣고 한없이 기뻐했
다고 술회했다.

백범 김구, 정읍을 방문하다

"백범 선생(김구)이 정확히 이 집(15인회 회원 김부곤의 자택)에
오셨어. 내가 1958년에 장가를 오니 장모(김부곤의 아내인 김
용복, 1996년 작고)께서 그러시는 거야. 저기 다다미방으로 만
든 응접실에서 백범 선생이 여러 사람과 회의를 하고 또 이
집에서 주무셨다고……."

정읍시 태인면 태흥리 오리마을에 위치한 독립운동가 김부곤
의 자택에서 사위인 곽규 씨는 백범의 정읍 방문은 사실이라고
밝혔다. 그동안 진위를 놓고 논란이 됐던 백범의 정읍 방문과 "상
해 임정이 정읍에 큰 빚을 졌다"는 백범의 발언이 사실로 확인된
셈이다. 한국 종교사를 연구해온 안후상 박사도 "김제 출신의 고
승 탄허 스님(1913~1983)에 의하면 백범이 정읍을 방문하면서 그
렇게 말했다"고 밝혀 백범의 정읍 방문이 실제 있었던 일임을 뒷
받침했다.

임정이 정읍에 큰 빚을 졌다는 발언에는 근거가 있다. 3·1만세
운동 후 출범한 상하이 임시정부는 부족한 군자금을 확보하기 위

해 국내외 각지로 연락원들을 파견했다. 그 결과 전국 각지에서 군자금을 지원받았는데 정읍 지역에서 특히 많은 군자금을 모아 보내줬다.

백범이 직접 찾은 김부곤 지사는 태인 3·1만세운동에 참여한 이후 군자금을 모아 보내는 데 주력했다. 김 지사는 태인의 제일 부자 김재일 등 부호들로부터 자금을 거둬 임정에 보낸 것으로 알려졌다. 당시 영원면의 부호 라홍균은 한 번에 거액인 1천 원을 희사하기도 했다.

정읍 지역의 종교단체들도 군자금 지원에 힘을 보탰다. 안후상 박사는 "정읍에 본부를 둔 민족종교인 보천교는 특히 많은 군자금을 보낸 것으로 확인된다"고 말했다. 3·1운동 민족대표 48인으로 활약한 임규(보천교 간부)는 보천교에서 5만 원을 받아 라용

광복 직후 백범 김구가
찾아와 머문 애국지사
김부곤의 자택. (사진 제공:
정읍역사문화연구소)

균(도쿄 2·8독립선언 참여, 상하이 임시의정원 의원)을 통해 임정에 전달했다.(김준영 외,《전북인물지》) 보천교가 만주에서 무장 항일투쟁을 벌이던 김좌진 장군에게 5만여 원을 지원한 정황이 담긴 일제 정보기관(관동청 경무국) 보고서가 최근 발견되기도 했다.

분기(奮起)

가슴에 있는 의지를 잃지 말자

"조선의 현 상황이 유유히 천렵이나 즐기고 있을 때가 아니다. 이미 남원, 담양의 각 보통학교 생도 등은 솔선하여 조선 독립을 부르짖고 있는데, 곡성만 아무것도 하지 않고 평온한 것은 너희들에게 애국심이 없기 때문이다. 썩어빠진 곡성 청년들은 이러한 용기가 없을 것이다."

1919년 3월 24일 전남 곡성군 곡성보통학교 훈도(교사) 신태윤(1884~1961)은 학교 숙직실 뒤쪽 냇가에서 물고기를 잡아 끓여 먹던 졸업생과 재학생들에게 이같이 꾸짖었다.

실제로 당시 상황은 그만큼 긴박했다. 보름 전인 3월 10일 광주에서 일어난 독립 만세 시위가 이웃한 담양, 나주, 장성 등지로 들불처럼 확산했고, 밤을 이용한 산상 봉화 시위도 곳곳에서 전개되고 있었다. 스승의 말에 자극받은 정내성, 김중호, 양성만, 박수창, 김경석, 김기섭, 김태수 등 청년들은 "곡성 생도들도 그 정도의 일은 할 수 있다"며 만세운동에 앞장서기로 했다.

이튿날인 25일 신태윤의 애제자인 정내성이 "우리 곡성의 제군이여! 가슴에 있는 의지를 잃지 말자. 우리도 대한 사람이니 이 기회를 놓치지 말고 분기하라! 우리도 제군과 함께 궐기할 것이다"라는 내용의 격문 20여 장을 작성했다. 그는 이어 26일 자신의 집에서 만세운동을 위한 비밀 모임을 열었다. 이 자리에 참석한 신태윤은 "독립운동 계획은 비밀리에 철저히 세워야 한다. 다음 장날에 거사하는 것이 좋겠다"고 거사 계획을 밝혔다. 이에 신태윤의 제자들은 태극기를 제작하는 준비 작업에 나섰다.

신태윤은 3·1운동을 독려하는 동시에 역사의식도 강조했다. 그는 담양보통학교 졸업생 김중호에게 조선 개국 이래의 역사를 간략히 정리한 '조선역사'를 건넨 뒤 "그대들이 조선을 독립시키고자 한다면 먼저 조선의 역사를 알아야 한다. 우선 이것을 서당에 가져다놓으면 내가 가서 가르쳐주겠다"고 말했다. 신태윤은 이전부터 수업이 끝난 뒤 별도로 마련된 서당에서 원하는 학생과 청년들에게 민족의식을 기르는 역사 교육을 진행해왔다. 학교에서는 조선 역사를 가르칠 수 없었기 때문이다.

마침내 3월 29일 곡성 장날, 신태윤은 태극기를 들고 거사를 시작했다. 정내성 등 곡성보통학교 졸업생과 재학생 수십 명이 태극기를 들고 스승의 뒤를 따랐다. 학생 시위대가 "대한 독립 만세"를 소리 높이 외치며 시장을 돌자 장에 모인 주민들이 따라붙었다. 시위 규모가 커지자 놀란 일제 경찰은 무력 진압에 나섰고 신태윤과 정내성, 박수창, 김경석, 김중호 등은 현장에서 체포됐다.

곡성의 만세운동은 일제의 삼엄한 감시망 때문에 몇 차례의 산발적 시위로 끝나고 말았다. 하지만 곡성 사람들은 항일 의병 활동의 중심지로서 많은 희생을 치렀던 과거를 딛고 일어나 만세운동을 펼침으로써 절의지향(節義之鄕, 충절의 고향)의 명성을 이어갔다.

전남 곡성군 3·1공원(봉황대)에 조성된 곡성 3·1운동 기념탑(가운데). 경내에는 곡성 만세운동을 주도한 신태윤 선생의 동상(왼쪽)이 세워져 있고, 뒤쪽 언덕배기에는 1931년에 중창한 단군전(등록문화재)이 우뚝 서 있다.

조상 사당으로 위장한 단군전

3·1운동을 주도한 곡성보통학교(현 천주교곡성성당 자리)와 시위 장소인 옛 장터의 흔적은 지금 사라지고 없다. 다만 곡성군 곡성읍 봉황대에 조성된 몇 개의 기념물이 그날의 역사를 간직할 뿐이다.

3·1공원으로도 불리는 봉황대에는 곡성 만세운동을 기념하는 곡성 3·1운동 기념탑과 신태윤의 독립운동을 기리는 백당기념관, 일제강점기에 설립된 단군전 등 건축물이 삼각형 구도로 자리 잡고 있다.

봉황대를 안내한 김학근 국사편찬위원회 사료조사위원은 "백당(신태윤의 호)은 3·1만세운동 당시 곡성 사람들의 독립 정신에 불을 지피는 데 큰 역할을 했기 때문에 3·1운동 기념탑과 함께 그의 업적을 기리는 기념관을 조성하게 됐다"고 설명했다. 이어 단군전에 대해서 "백당은 1910년 나라를 잃게 되자 국운과 민족정기를 바로잡아야 한다는 생각으로 단군전을 조성하는 등 한평생 단군 숭모운동을 벌여왔다"고 덧붙였다. 1950년대에 신태윤으로부터 직접 가르침을 받았던 김 위원은 "백당은 광복 후에도 '우리의 국조(國祖) 단군을 모시고 애국, 애족, 애향 운동을 해야 한다'면서 늘 주체 의식을 강조했다"고 밝혔다.

민족정기와 바른 역사를 주창한 신태윤이 단군과 인연을 맺게

된 것은 경성 한성사범학교에 재학(1906~1908년)하던 때다. 그는 당시 주시경, 어윤적, 이능화 등 애국지사들의 민족계몽 교육에 큰 감명을 받고, 단군을 받드는 대종교를 창시한 나철과 인연을 맺었다. 이현익의《대종교인과 독립운동연원》에는 "백당 신태윤 선생은 홍암 대종사(나철)의 유훈을 받고 국내 비밀사원으로 활동했다"고 기록돼 있다.

대종교 비밀결사대원이었던 신태윤은 곡성보통학교 교사로 근무하던 1914년 학교 인근인 삼인동에 초가로 단군묘(檀君廟)를 세웠다. 선조의 사당을 짓는다고 했지만 실제로는 단군의 위패인 '단조홍성제(檀祖弘聖帝)'를 모셨다. 당시는 일제가 반일 및 불온한 사상을 부추긴다는 이유로 단군 신앙을 철저히 탄압하던 시대였다. 현재의 봉황대 단군전은 신태윤이 3·1운동으로 징역살이를 하다가 출옥한 뒤 삼인동의 단군 사당을 옮겨 와 1931년에 다시 세운 것이다.

백당 신태윤(왼쪽에서 두 번째)이 1914년 곡성군 삼인동에 초가로 단군묘를 조성한 후 촬영한 기념사진. (사진 제공: 곡성 단군전)

봉황대 단군전은 1910년 한일강제병탄 이후 설립돼 남아 있는 단군 사당으로 충남 서산의 와우리 단군전에 이어 두 번째로 조성되었으며, 남한 지역의 단군 사당으로는 유일하게 등록문화재(제228호·2005년)로 지정돼 있다. 김 위원은 "현재도 백당 선생의 뜻을 받들어 곡성 지역 유림들 중심으로 매년 어천절(3월 15일)과 개천절(10월 3일)에 춘추봉제(春秋奉祭)를 올리고 있다"면서 "국내에서 단군과 역사 정신을 기치로 삼아 3·1만세운동을 주도한 이는 백당이 유일할 것"이라고 말했다.

황새가 빼앗은 학의 둥지

신태윤의 독립운동은 곡성과 이웃한 담양에도 영향을 미쳤다. 그가 3월 29일 곡성 만세운동으로 체포돼 광주로 이송될 때였다. 곡성군 옥과면 주민들뿐만 아니라 담양군 창평면 사람들이 도로에 나와 울부짖으며 애통해할 정도로 신태윤은 곡성과 담양군민들의 지지를 받았다. 그는 감옥에서 출소한 뒤 1928년 담양의 지곡학교에서 근무하며 지곡리 만수동에 단군전을 세우는 등 민족의식을 고취하는 활동을 계속했다.

담양이 고향인 신태윤은 어린 시절 담양군 창평면 창흥의숙(창흥학교·창평공립보통학교, 현재는 창평초등학교)에 다니며 신학문을 접했다. 신학문과 민족 계몽교육에 일찌감치 눈을 뜬 담양은 곡성보다 먼저 3·1만세운동이 일어난 곳이었다.

담양에서는 10대 후반에서 20대 초반의 청년과 보통학교 학생들이 만세운동을 주도했다. 담양보통학교 학생 임기정은 김길호(4학년생), 김홍섭(3학년생) 등과 함께 학생들을 모아 만세운동을 벌이기로 하고 3월 17일 조선인을 학에, 일본인을 황새에 빗댄 격문을 썼다.

황새가 날아와 학의 둥지를 빼앗아 1,700여 만의 학들이 비탄에 잠겼으나 하늘은 이를 그대로 방임하지 않을 것이다. 언젠가는 황새를 쫓아낼 기회가 있을 것이다.

임기정은 격문 끝에 붉은 물감으로 '금일 시장에서 호만세(呼萬歲, 만세를 외치자)'라는 글귀를 넣었다. 거사일인 담양읍 장날(3월 18일)이 밝았다. 그런데 이날 오전 5시경 담양시장 십자로 다리 밑에 숨겨둔 태극기 150장이 발각됐다. 만세운동 주도자들은 담양 헌병 분견대에 체포돼 시위 자체가 물거품이 돼버릴 상황에까지 처했다. 하지만 담양 청년과 학생들은 주저하지 않았다. 김길호, 김홍섭 등은 그대로 시장으로 뛰쳐나가 만세를 외쳤다. 수백명의 시위 군중이 그 뒤를 따라 시내를 행진했다.

담양의 만세운동 열기는 이듬해인 1920년에도 이어졌다. 그해

담양군 창평초등학교의
연원을 밝혀주는
'창흥의숙' 표석.

1월 창평면에서 한익수, 조보근 등이 10여 명을 모아 만세운동을 벌이기로 했다. 특히 신태윤이 공부했던 창평보통학교(이전 창흥의숙)의 후배인 한익수는 15명으로 구성된 창평소년회 회장을 맡아 만세운동을 주도했다. 1920년 1월 23일, 이들은 태극기를 앞세우고 '대한독립가'를 합창하며 창평장터와 창평리 신작로를 행진했다. 독립사상을 고취하고 민심을 동요케 하여 독립의 기세를 올려야만 외국으로부터 독립을 승인받을 수 있다고 판단해 열렬히 독립 만세를 외쳤다. 주민들은 이들의 뒤를 따랐다. 1919년의 3·1만세운동 1년 후, 시위를 주도한 어린 소년들의 기개는 일경도 혀를 내두를 정도로 드높았다.

항거

우리는 같은 해 같은 월 같은 날에 죽자

1919년 4월 2일 전남 순천군(현 순천시) 낙안면 신기리 뒷산. 칠흑 같은 어둠을 뚫고 8명의 사내들이 모여들었다. 이들은 그 자리에서 "우리는 같은 해 같은 월 같은 날에 죽자"고 약속한 뒤 '도란사(桃蘭社)'라는 결사체를 조직했다. '도란'은 중국 한나라 때 유비, 관우, 장비 3명이 했던 도원결의와 진나라 때 문사들의 모임인 난정(蘭亭)의 고사에서 한 글자씩 따온 것으로, '뜻있는 유생들이 모여 독립만세운동에 목숨을 바치는 결의'를 의미한다.(독립운동사편찬위원회,《독립운동사》3)

안호영(대한제국 시절 내관), 이병채(훈장) 등이 주축이 된 도란사

회원들은 이튿날인 4월 3일 일본 도쿄 유학생들의 2·8독립선언에서 이름을 딴 '이팔사(二八社)'라는 행동대도 결성했다. 일제의 감시를 피하기 위해 위친계(爲親契, 상부상조를 위한 친목모임)로 가장한 이팔사 대원은 33인 민족대표를 상징하는 33명으로 구성됐다.(광주지방법원 순천지청 재판 기록, 1919년 5월 2일)

이들은 효율적인 독립만세운동을 위해 이팔사 조직을 크게 3개 대대로 나누고, 산하에 소규모 조직인 '조'를 두는 등 군대식 체계도 갖췄다. 1대대가 일제 군경에 잡히면 2대대가 일정한 시차를 두고 시위를 벌이고, 뒤를 이어 3대대가 또 다른 만세운동을 펼치는 게릴라식 전술 체제였다.(낙안기미독립운동유적보존회,《낙안기미독립운동사》)

순천 만세운동은 이처럼 군대식 편성을 바탕으로 조직적인 시위를 일으켰다는 점에서 다른 지역 만세운동과 구별된다. 여기에는 두 가지 요인이 있다. 하나는 일제와의 전투 경험이다. 문인향(文人鄕)이라고 불릴 만큼 유림적인 전통이 강했던 순천군 낙안 지역에는 1905년 을사늑약 이후부터 의병 활동 등 항일 무력 투쟁에 가담한 인사들이 적지 않았다. 이들이 만세운동에 참여하면서 시위를 체계적이고 전략적으로 이끌어갔다.

또 다른 요인은 실패 경험이다. 순천은 경성의 만세운동 소식을 접한 3월 초부터 시위 계획을 세웠지만 번번이 일제 경찰의 감시망에 걸렸다. 3월 2일 순천 천도교도들이 주도하던 시위 계획이 무산됐고, 3월 16일 기독교도들이 순천읍 난봉산에 모여 만세를 부르려던 계획도 헌병 분견대에 의해 실패로 끝났다.

박은식의 《한국독립운동지혈사》는 순천에서 6차례 시위, 1,500명 참여로, 8명 피살, 32명의 부상자가 발생했다고 기록하고 있다. 이는 모두 도란사와 이팔사 등에 의한 조직적인 만세운동이 이끌어낸 결과였다.

이팔사 대원들의 전술

순천의 본격적인 만세운동은 이팔사 대원 전평규가 이끈 1대대로부터 시작되었다. 4월 9일 벌교면 장좌리 아래장터(현재는 보성군)에 모인 이팔사 대원들은 장이 서자마자 기습 시위를 펼쳤다. 전평규가 안용갑, 안응섭 등과 함께 '대한독립기'라고 쓴 종이를 흔들며 장꾼들을 향해 "모두들 우리와 같이 조선 독립을 절규하여 그 목적을 달성하지 않으려는가"라면서 독립 만세를 크게 외쳤다. 태극기가 휘날리고 군중이 호응하자 장터는 순식간에 시위장으로 바뀌었다. 이에 일제 헌병대가 무력 진압에 나섰다. 이날 이팔사 대원 전평규와 안덕환 등 14명이 체포됐고, 부상자 여럿이 발생했다.

1대대의 시위 나흘 뒤인 4월 13일(낙안 장날), 2대대의 만세운동이 뒤를 이었다. 2대대는 낙안읍내(현 낙안읍성 민속마을) 인근의 하송리 사람들이 중심이 됐다. 2대대를 이끈 이팔사 대원 김종주는 1912년 임병찬이 주도한 대한독립의군부의 호남유사(湖南有司, 의병대장)를 맡는 등 일찌감치 독립운동에 뛰어든 지사였다.

이날 오후 2시 김종주와 유흥주는 태극기와 '대한독립기'라고 쓴 2개의 대형 깃발을 준비한 뒤 낙안읍성 서문 밖에서부터 시위대를 이끌고 "대한 독립 만세"를 외치며 성내로 진입했다. 서문을 경비하다 제지하려던 일본군 2명은 장꾼까지 가세한 시위대의 맹렬한 기세에 물러섰다. 이때 순찰 중이던 일제 헌병과 보병 6명이 총검을 휘두르며 진압에 나섰다. 시위대 맨 앞에 있던 김종주가 "찔러 죽이려면 죽여보아라"고 소리치며 가슴을 열어젖혔다. 일제 군경이 주춤대자 시위대 일부가 군인들에게 달려들어 총검을 빼앗으려 했다. 김종주도 일제 헌병의 권총을 뺏을 목적으로 격렬한 몸싸움을 했다. 이 과정에서 김종주는 일제의 칼날에 양손을 다치며 쓰러졌다. 피를 흘리며 쓰러지는 아버지(김종주)를 목격한 아들(선재)과 시위대 일부도 일제 군경에 달려들었다가 군도(軍刀)에 상처를 입었다. 조선총독부 경무국은 당시 상황을 이렇게 기록했다.

4월 13일 오후 2시 10분, 낙안면민 약 150명은 구한국기를 앞세우고 낙안읍내 시장에 들어왔는데 헌병과 보병들이 제지했음에도 극력 저항하므로 총검을 사용해 해산시켰는데, 시위자 중 4명이 부상을 당하였다. 수모자(首謀者) 5명을 체포하고 해산시켰다.

낙안 3·1운동애국지사유족회 배현진 회장은 낙안읍내 시위가 펼쳐졌던 낙안읍성민속마을에서 "객사(복원 전에는 낙안초등학교) 바로 앞쪽 '난전 음식점' 일대가 당시 낙안장이 열린 곳이고 이곳에서 만세운동이 진행됐다"고 설명했다. 현재 이곳에는 새로 단장된 낙안 3·1독립운동 기념탑과 만세 시위지임을 알리는 표지판이 세워져 당시를 기리고 있었다.

배 회장은 "해마다 이곳에서 삼일절 기념식과 만세운동 재현 행사를 개최했는데(올해는 순천시내에서 개최) 그날만 되면 기온이 뚝 떨어졌다"며 "당시 낙안 독립운동가들의 처절하고 치열한 마

만세운동이 벌어졌던
낙안읍성.

음을 전하는 듯하다"고 말했다.

혈서로 그린 태극기

━━━━━━━━━━━

낙안읍성의 2대대 시위에 이어 다음 날인 4월 14일 3대대가 주도하는 3차 시위가 진행됐다. 장소는 1차 시위가 펼쳐진 벌교장 터였다. 1대대의 1차 시위를 경험한 데다 전날의 낙안읍성 시위로 독립 만세의 열기는 달아올라 있었다.

안용갑이 이끈 3차 시위에는 1차 시위 때 검거를 피한 이팔사 대원들과 자발적으로 동참한 신기리 사람들이 주도했다. 이팔사 대원 안규삼은 왼손 무명지를 베어, 흐르는 피로 태극기를 그리면서 거사의 각오를 다졌다.

오후 3시 '대한독립기'와 피로 그린 태극기를 앞세우며 만세 시위가 시작됐다. '순천군 동초면 신기리 입(立)'이란 글씨가 덧씌워진 '혈서(血書) 태극기'가 대나무로 만든 장대에 게양돼 펄럭이며 나타나자 벌교시장은 감격과 환호성으로 가득 찼다. 시위 군중과 진압에 나선 일제 헌병대 간에 몸싸움도 펼쳐졌다.

태극기를 든 안규삼이 일제 헌병들에게 체포되자 안규진이 땅에 떨어진 태극기를 다시 주워 들어 만세를 불렀다. 안규진이 다시 붙잡히자 안운수(안은수)가 주워 들었고, 안운수가 체포되자 안상규가 뒤를 이어 태극기를 들었다. 이런 식으로 시위대는 일제 군경의 진압에 굴하지 않고 "대한 독립 만세"를 외치며 전진을 계속했다.

이날 시위는 일제의 강제 진압도 효과가 없을 정도로 활발하게 전개됐다. 시위대는 일제의 무력 진압을 뚫고 벌교에 위치한 헌병 분견대 앞까지 진출했다. 이들은 태극기를 흔들며 구금된 이들의 석방을 요구했다. 그날 밤 9시까지 이어진 봉화 시위 때에도 일제 헌병과의 무력 충돌이 펼쳐졌다. 며칠 후 산상 시위 때에는 일제 헌병대가 산 정상을 향해 대포까지 쏘았다. 이는 당시 시위가 이미 전쟁의 양상으로 발전했음을 보여준다.

배 회장은 벌교 만세운동을 주도했던 신기리에서 "낙안읍성과 벌교장터의 중간 지점에 자리 잡은 이곳은 죽산 안씨 등이 거주하면서 유림 전통이 강했고, 최익현 의병진에 가담하는 등 항일 정신이 투철했던 곳"이라고 설명했다. 이어 "지금은 신기리 출신 독립운동가들의 후손이 거의 사라진 데다 3·1운동을 기념하는 표지석도 없어 주민들조차 독립운동가를 배출한 사실을 모르고 있다"며 안타까워했다.

한편 이팔사 대원들의 3차례 대규모 시위에 영향을 준 사건이 순천읍내에서 있었다. 1919년 4월 7일 순천읍 장날에 유생 박항래가 순천시내의 남문 문루인 연자루에 올라 "현재 경향 각지에서 조선 독립을 위해 독립 만세를 부르고 있으므로 순천에도 그

1956년 6월 8일, 전남 순천시 낙안읍에서 거행된 기미독립운동 기념탑 제막식. 사진은 낙안 3·1운동에 참가했던 생존 독립운동가들과 관계자들의 기념촬영. (사진 제공: 낙안3·1운동애국지사유족회)

와 같이 만세를 외치자"고 연설한 뒤 단독으로 만세를 외치다 일경에 체포된 일이다. 그는 광주감옥에서 옥고를 치르다 그해 11월 3일 옥중에서 순국했다. 현지 향토사학자들은 "그의 외로운 함성이 이후 낙안과 벌교 등에서 펼쳐진 대규모 시위에 영향을 줬다"고 해석했다.

제4부

충청 · 강원 · 제주

도호의숙

살아도 죽은 것 같고 죽어서도 묻힐 곳이 없다

충남 당진 대호지면 사성리의 '남병사 댁'은 기미년 3월 3일 고종 장례일을 앞두고 갓 쓴 사람들의 출입이 부쩍 잦았다. 남병사 댁은 고종 때 장위영 경무사(병마절도사급)를 배출한 의령 남씨 집을 가리킨다. 대호지면의 최고 부자이기도 했던 남병사 댁 주인 남계창과 조카 남주원은 평소에도 집을 외부인에게 개방했다. 덕택에 2,400여 평의 드넓은 대지에 100칸은 족히 넘는 대저택은 시국을 걱정하는 애국지사들과 문장으로 명성을 떨치는 묵객들로 늘 북적거렸다.(김상기, 〈민족교육의 산실 도호의숙〉)

남기은 당진문화원 향토사학회 회장은 "청산리 대첩의 주역인 김좌진 장군과 33인 민족대표 중 한 사람인 만해 한용운도 남병사 댁을 거쳐 서울을 왕래했다"며 "홍성 출신인 두 분은 남병사 댁과 밀접한 관계를 맺고 있었다"고 소개했다. 남씨 문중은 이웃 지역 홍성에서 의병 운동을 지휘한 거유(巨儒) 김복한(1860~1924)과 교류하고 있었다. 특히 김좌진은 김복한을 스승으로 모신 인연으로 남병사 댁과 친분을 나누었다고 전해진다.

도호의숙의 유생들

자연스럽게 남병사 댁은 경성 소식을 누구보다도 빨리 접해 주위에 퍼뜨리는 정보 창구가 됐다. 경성에서 진행되는 3·1만세운동 움직임도 남병사 댁 정보망을 통해 이미 대호지면 유생들 사이에 퍼져나갔다. 집주인인 남계창과 남주원도 2월 27일(혹은 28일)경 일찌감치 경성에 올라가 만세운동 정황을 파악하고 있었다. 뒤이어 경성에 도착한 대호지면 유생들도 탑동공원의 3·1운동을 보게 된다.(김남석, 〈대호지 3·1운동의 전개와 특성〉)

상경한 유생들은 모두 의령 남씨의 문중 서당인 도호의숙(桃湖義塾) 동문이었다. 대호지면 도이리에 자리한 도호의숙은 전국적으로 유명한 유학자들을 스승으로 초빙하고, 남씨 문중 후손뿐 아니라 다른 성씨 인사들에게도 문호를 개방하는 등 '열린 교육'을 펼쳤다.

이런 교육 방침은 의령 남씨 집안의 역사와 관련이 깊다. 집안 선조 중 남유는 1598년 정유재란 당시 노량해전에서 이순신 장군과 함께 전사했다. 그 아들 충장공 남이흥은 1627년 정묘호란 때 후금의 군사들과 싸우다 안주성에서 순절했다. 부자 2대에 걸쳐 나라를 위해 목숨을 바친 충신의 직계 후손인 대호지면 남씨들은 그 명예를 자랑스럽게 지켜왔다.

남씨 집안 인사들은 대한제국 시절 〈황성신문〉 등 언론에서 민족의 위난을 극복한 영웅담으로 조상인 남이흥의 충의정신이 소개되는 것에 대해 자부심이 대단했다. 한편으로 일제강점기 노량 전적지에 세운 남유의 유허비가 고의적으로 멸실된 사실을 뒤늦게 알고서는 가슴 깊이 분노를 새기고 있던 터였다.

석유램프에 태극기를 숨기다

이런 분위기에서 경성의 만세운동을 목격한 도호의숙 학생들이 직접 시위에 참가한 건 당연했다. 이들은 고향에 돌아가서도 만세운동을 전개하기로 결의했다. 문제는 국기(태극기)와 독립선언서를 고향으로 무사히 빼돌리는 일이었다. 이때 일행 중 한 명인 남상락이 일본인이 경영하는 경성백화점에서 신상품으로 내놓은 석유램프를 이용하자는 꾀를 냈다. 실제로 긴 목을 가진 최신형 램프에 국기와 선언서를 돌돌 말아 넣은 뒤 백화점 포장지로 포장하면 감쪽같았다. 결국 삼엄한 검문을 피해 국기와 선언서는 대호지면에 무사히 도착했다.

남상락의 아들 남선우 씨(2004년 작고)는 〈동아일보〉와의 인터뷰(1984년 8월 15일자)에서 "부친 등 7명이 고종 황제의 인산일에 상경해 한용운 선생으로부터 독립선언서와 태극기를 받았다"고 증언했다. 또 "모친이 명주천에 직접 수를 놓아 만든 태극기를 부친은 항상 몸에 지니고 다녔다"고 밝혔다. 남상락이 독립선언서를 숨겨 와 '남상락 람프'로 이름 붙여진 램프와 명주천으로 만든 태극기는 현재 독립기념관에 보관돼 있다.

도호의숙 학생 남상락이
경성에서 태극기와
독립선언서를 숨기고
들어오는 데 사용한 램프.
(사진 출처: 〈동아일보〉 DB)

면장과 면서기도 나서다

고향으로 돌아온 도호의숙 유생들은 '독립만세운동 추진위원회'를 구성했다. 이들은 거사 과정에서 생사를 함께하기로 의형제도 맺었다. 흥미로운 사실은 대호지면의 만세운동 추진위에 일제의 식민지 통치 말단기구인 면사무소 면장과 면서기(면사무소 직원)들이 포함됐다는 점이다.

당시 면사무소는 식민 통치를 원망하는 시위대의 공격 대상이 되기 일쑤였다. 하지만 대호지면은 달랐다. 면장과 면사무소 직원들이 오히려 만세운동을 주도했다. 면장 이인정은 경북 자인군(현재 경산시 일대) 군수를 지낸 뒤 대호지면 사성리의 전주 이씨 동족마을로 낙향했다가 61세 고령의 나이에 면장을 하고 있었다. 민재봉, 김동운, 강태완, 송재만 등 면사무소 직원들도 이 지역 출신으로 지역민들과 가까웠다.(당진문화원,《당진지역 항일독립운동사》)

대호지면의 거사 계획은 면장-면서기-소사-구장(이장)으로 연계되는 관공서 조직을 이용하면서 일사천리로 진행됐다. 일제가 대호지면의 치안을 이웃 정미면 천의주재소(서산경찰서 관할)에 맡긴 것도 도움이 됐다. 일제는 대호지면을 정치·경제적으로 이익이 없는 곳으로 분류하고, 면사무소 이외에 별도의 통치기관을 두지 않았다.(박걸순,〈당진대호지·천의장터 3·1운동의 성격과 특징〉)

송재만 등 면사무소 직원과 대호지면의 젊은 청년들로 구성된 선봉행동대는 3월 하순부터 바삐 움직였다. 거사 날짜는 4월 4일, 장소는 대호지면사무소에서 동남쪽으로 7킬로미터 떨어진 정미면 천의장터로 정해졌다. 삼면이 바다인 대호지면은 워낙 궁벽한 곳이라 장이 서지 않지만 천의시장에서는 이날 5일장이 열렸다.

만세운동 참가자도 쉽게 동원할 수 있었다. 면장 명의의 공문을 통해 각 집에서 한 명씩 면사무소로 모이도록 했다. 4월 4일 오전 8시, 대호지면 면사무소에는 400~500명이 모였다. 이때 면사무소 광장에는 흰 광목으로 만든 대형 태극기가 30척(약 9m)짜리 죽간(竹竿)에 달려 펄럭이고 있었다. 영문을 몰랐던 사람들도 그제야 범상치 않은 자리임을 알아차렸다. 이때 면장 이인정이 연설을 시작했다.

"여러분을 집합시킨 것은 독립운동을 하기 위한 것이니 각자는 이에 찬동하여 조선 독립 만세를 소리 높여 부르면서 정미면 천의시장으로 나아가자."

뒤를 이어 남병사 댁의 남주원이 독립선언서를 낭독하고, 도호의숙의 훈장 한운석이 스스로 지은 애국가를 제창했다. 태극기를 맨 앞에 세우고 이인정 면장이 말을 타고 행진을 하자 군중은 "조선 독립 만세"를 외치며 뒤를 따랐다. 남주원은 군중이 용기를 내도록 술을 내어 대접까지 했다.

격화하는 만세운동

시위대는 오전 11시경 목적지인 천의시장에 도착했다. 당시 우시장까지 들어설 정도로 번성했던 장터에서 장꾼까지 합세하자 시위대 수는 1천여 명으로 늘어났다. 대호지면에서 시위 군중이 천의장터로 행진해 오고 있다는 소식에 천의주재소 소속 일본인 우에하라 순사와 한국인 순사보가 출동했지만 역부족이었다.

오후 4시, 이때까지 만세운동을 펼쳤던 시위대는 평화롭게 해산할 계획이었다. 하지만 천의주재소로부터 지원 요청을 받은 당진경찰서 소속 니노미야와 다카시마 순사가 현장에 출동해 시위대와 맞닥뜨리면서 상황이 급변했다. 일경들은 시위대가 지니고 있던 태극기를 뺏으려 했고, 시위대는 반항하며 투석으로 맞섰다. 위급함을 느낀 일경들이 권총을 발사하자 시위대 4명이 중상을 입는 사고가 발생했다.

분노한 시위대에 밀린 일경들은 주재소로 도망갔다. 시위대는 주재소를 부수고, 일경들을 잡아 발포한 이유를 따졌다. 권총과 칼도 빼앗았다. 일제는 수비대를 급파해 시위 주도자 등 21명을 붙잡았다. 하지만 시위대의 위세가 수그러들 기미가 보이지 않자 천의주재소를 폐쇄하고 이 지역에서 거류하던 일본인 14명을 서산으로 철수시켰다.

이 과정에서 시위대의 희생도 컸다. 198명이 재판에 회부됐고,

그중 130명이 유죄판결을 받았다. 시위 현장과 옥중에서 순국한 사람도 6명이나 됐다. 소단위 지역에서 벌어진 한 번의 시위에서 이처럼 많은 사람이 희생되고 처벌받은 것은 3·1운동사에서도 드문 예다.

도호의숙 유생들의 만세운동은 충청 유림의 체면을 세워주었다는 평가를 받는다. 조선조 이래 국내 최대 세력을 형성하고 있던 유림계(儒林界)는 독립선언서의 민족대표 명단에서 빠져 있던 데다 만세운동에서도 이렇다 할 행동을 보여주지 못했다. 그런 상황에서 도호의숙 유생들의 만세운동은 돋보일 수밖에 없었다.

3·1운동 당시 일제의 경찰관 주재소가 있던 자리에 세운 당진시(당시는 서산군) 정미면의 4·4독립운동 기념탑.

아우내장터

망국의 한과 항일의 염(念)이 있을 것이니

긔미 독립운동 때 아내서 일어난 장렬한 자최라. 긔미 삼월 일일 독립선언이 나며 국내, 국외 만세 소리 서로 연하얏었다. 그 가운데도, 충남 목천 아내 장터일은 가장 장렬한 운동의 하나다. 그날 적의 총칼에 넘어진 이만 노소남녀 스므 분이요…….

충남 천안시 동남구 병천면 아우내장터가 내려다보이는 구미산에 세워진 긔미독립만세 기념비에 새겨진 글은 이렇게 시작된다. 이 비문은 국학자 정인보 선생이 짓고 서예가 김충현 선생이

썼다. '아내'는 아우내의 옛말이다. 2개의 내(개천)를 아우른다는 뜻이고, 이곳의 지명인 병천(倂川)을 우리말로 풀어쓴 것이기도 하다. 경상도와 한양 땅을 이어주는 길목이어서 조선시대 전국 곳곳의 상인들이 모여들어 큰 장이 서기도 했던 곳이다.

100년 전 음력 3월 1일(1919년 4월 1일)에도 이곳은 3천여 명의 인파로 북적였다. 전날 시장을 중심으로 천안 길목과 수신면 산마루, 진천 고갯마루에 봉화 횃불이 올려져 거사를 알린 터였다. 곧 아우내장터의 만세운동이 벌어질 참이었다.

아우내장터의 영웅들

아우내장터 만세운동은 독립운동사편찬위원회가 쓴 《독립운동사: 3·1운동사》에서 3단계로 나뉘어 기술될 만큼 큰 주목을 받는다. 독립운동사에 정리된 갈전면(현재의 병천면) 병천시장(아우내장터) 만세운동 전개 과정은 다음과 같다.

① 오후 1시께 3천여 명의 군중은 '대한 독립'이라고 쓴 큰 기에 태극기를 달고 이를 앞세워 "대한 독립 만세"를 부르며 시가를 누비는 큰 시위를 벌였다. 그러자 주재소의 헌병들은 주재소를 향해 오는 군중에게 발포하여 많은 사상자

를 내고, 또 천안에서 헌병과 수비대가 급히 출동하여 발포와 총검으로 마구 찌르는 만행을 벌여 수십 명의 사상자가 났다.

② 오후 4시께 격한 군중이 사망자의 시체를 주재소에 운반하여 갖가지 항의를 제출, 일부는 투석도 하고 철조망도 파괴하며, 소방기구도 마구 흩어 주재소장을 혼내주었는데, 적은 발포로 응수하였다.

③ 그 후 군중은 부근의 산과 시장에 모여 천안과 병천 간의 전선을 절단하고 면사무소와 우편소에서도 운동을 벌였다.

《독립운동사》가 아우내장터의 시위에 큰 의미를 부여한 근거는 호서 지방 최대의 만세운동으로 꼽히는 규모뿐 아니라 뛰어난 응집력에 있다. 당시 천안군에서는 앞서 목천면 보통학교 학생 120명의 의거(3월 14일), 입장면 입장시장 군중 700여 명의 시위(3월 20일), 입장면 양대시장에서 광부 200여 명과 일제 헌병 간의 충돌(3월 28일), 천안면 3천여 명 군중의 만세운동(3월 29일) 등 일련의 사건들이 이어지고 있었다. 경성에서 공부하던 17세 여학생 유관순이 고향 천안 동면으로 내려와 만세운동을 제안했을 때 동리 어른들이 즉각 호응할 만큼 천안 곳곳의 시위 바람은 거셌다.

아우내장터 만세 시위는 유관순 열사의 활약으로 잘 알려져 있기도 하지만 이것이 독립운동사의 대표적인 만세운동으로 꼽히는 이유는 만세운동을 기획하고 열정적으로 참여한 수많은 촌부(村夫) 촌부(村婦)들의 활약이 있었기 때문이다. 모두 '아우내장터의 영웅들'이라고 부를 만하다.

실제로 유관순 열사의 고향인 동면 지렁이골의 만세운동이 얼마나 치밀하게 준비되었는지는 당시 시위에 참여한 조병호(1903~1973)의 증언을 통해 상세하게 확인할 수 있다.(유관순과 병천 장날, 〈신동아〉 1965년 3월호)

조병호의 부친으로 동면의 어른이었던 조인원(1865~1931)이 아우내장터에서 각각 천안, 수신, 진천과 통하는 세 갈래 길목의 책임자를 지명했고, 열여섯 살 조병호와 스물한 살 조만형, 스물일곱 살 박봉래가 각각 책임을 맡았다. 밤에는 마을의 남녀노소가 예배당에 모여 태극기를 그리면서 교제를 나눴다. 지도자급

2013년 천안시 병천면에서 재현된 봉화제 모습.

인사였던 이백하(1899~1985)와 조인원은 음력 2월 그믐날에 천안 길목과 진천 고갯마루, 수신면 산마루에 횃불을 놓아 다음 날의 거사를 알리도록 계획했다. 아우내장터의 만세운동을 예고하는 '봉화제'였다. "병천장터에 주둔해 있던 야마모토 등 네 놈의 일본 헌병은 전혀 이 움직임을 알지 못한 듯했다"라고 조병호가 회고할 만큼 시위대의 계획은 은밀하게 진행됐다. 그리고 마침내 "가슴이 두근거리는 가운데 날이 밝아왔다".

극적인 영화 같은 만세 시위

오롯이 동면 사람들만 만세운동에 참여한 건 아니었다. 사람이 많이 모이는 장날을 앞두고 인근 각 면의 주민들이 만세운동을 기획하고 있었다. 수신면 김교선(1892~1970)도 그중 한 명이었다. 스물일곱 살 농군이었던 그는 경성에서 3·1운동이 일어났다는 소식을 3월 말이 돼서야 마을 친구인 이순구(1892~1950)에게서 전해 들었다. 수신면민을 동원해서 전국에서 일어나는 항일운동에 호응해야겠다고 이순구와 뜻을 모은 김교선은 마을 유지인 박영학(1878~1920)을 찾아가 상의한 뒤 만세운동을 펼치기로 결의한다. 그는 마음 맞는 동지 몇을 모아 마을 뒷산에 횃불을 올려놓고 무턱대고 독립 만세를 불렀다.(충청남도,《충남의 독립운동가》)

이때 기이한 일이 벌어졌다. 수신면 발산리의 횃불이 자정이 지나도록 꺼지지 않고 타오르자 여기저기서 호응하는 횃불이 피어오르기 시작했다. 먼 곳에서도 만세 소리가 들려왔다. 새벽까지 횃불을 올리면서 만세를 부른 뒤 김교선은 다음 단계의 일을 구상하고자 수신면 복다회리의 어른 김상훈(1874~1925)을 찾아갔다. 그는 김상훈에게서 "병천 쪽에서도 한창 일을 꾸미고 있으니 합류하기로 하지"라는 얘기를 들었다.

이튿날 김교선은 병천의 연락원에게서 간단히 쓰인 쪽지 한 장을 받았다. "3월 1일(음력) 장날을 이용하여 아내(아우내)장터에 모여 거사키로 작정했다."(수신면민을 동원했던 김교선, 〈신동아〉 1965년 3월호) 이렇게 해서 수신면과 동면이 마음을 합해 아우내장터에서 만세운동을 벌이게 된 것이다. 계획된 만남이 아닌 조우(遭遇)였지만, 그랬기에 더욱 파급력이 컸다.

아우내장터의 만세운동 현장은 그해 경성복심법원과 공주지방법원 판결문에 생생히 기록돼 있다. 김교선, 이백하, 이순구, 조병호, 조만형 등이 피고로 적힌 판결문이다. 유관순도 피고들 중 한 명이었다. 《독립운동사》에도 재현돼 있는 이 만세운동의 장면은 극적인 영화(映畵)를 보는 것 같다.

일본 헌병의 발포로 사상자가 나오자 시위대는 주재소로 몰려갔다. 조인원은 저고리를 벗어버리고 주재소장의 총부리를 잡아제쳤다. 유중무(유관순의 숙부)는 두루마기 끈을 풀어젖히고 헌병

아우내장터 인근
아우내독립만세운동
기념공원에 조성된
만세운동 조형물.

에게 항의하다가 이를 만류하는 헌병 보조원 맹성호에게 "너는
보조원을 몇십 년 하겠느냐"고 소리 질렀다. 시위대 중 한 명인
스물네 살 김용이도 주재소 보조원 정춘영에게 "조선 사람이면서
무엇 때문에 왜놈의 헌병 보조원을 하느냐"라면서 주전자를 던졌
다. 김교선은 주재소 뒤쪽으로 돌아가 전화선을 끊었다. 천안 헌
병본대의 지원을 받지 못하게 하려는 의도였다. 그런 노력에도
본대 헌병 20여 명이 트럭을 타고 들이닥쳤다. 맨주먹의 장꾼들
은 흩어졌고, 일본 헌병들의 총칼에 쓰러진 피투성이 시체 30여
구가 장바닥에 늘어졌다. 주도자들은 대부분 붙잡혔다.

　수신면 주민들이 머리를 맞대고 만세운동을 계획할 때의 마음
을 김교선은 이렇게 회고했다. "지각이 있는 사람이라면 누구나
망국의 한과 항일의 염(念)이 있을 것이니……." 이는 곧 아우내
장터에서 울려 퍼진 만세 소리에 담겼던 염원이기도 했다.

지사(志士)

조밥을 먹기도 힘든 때에 웬 뽕나무인가

충청과 경상, 전라도의 접경지에 위치한 충북 영동 지역의 만세 운동은 서울의 지도부 조직과 연결이 약해 자생성이 강했던 사례로 꼽힌다. 식민통치에 대한 반항의식이 바탕을 이룬 상황에서 일제의 농민에 대한 수탈과 강제 노역 등으로 만세운동이 시작되자 전 군으로 확산했다. 항일 의병운동을 일으킨 이들이 다시 3·1운동을 주도하기도 했다.

일제의 헌병 분견소까지 불태워

만세운동은 3월 하순부터 4월 초순까지 지속적으로 전개됐다. 처음에는 면사무소 등에서 독립을 선언하고 비폭력, 평화적 운동으로 진행됐으나 일제가 야만적인 무력 탄압으로 주동 인물을 검거하고 살상하자 군민들은 경찰서와 면사무소 등을 습격하며 격렬하게 맞섰다.

영동군 매곡면의 3·1운동을 주도한 안준은 1897년에 태어나 15세에 황간학교에 입학하여 4년을 배운 뒤 농사일을 하면서 서당 훈장도 했다. 그는 3·1운동을 주도하다 체포됐는데 옥중에서 고문으로 병을 얻어 대구 동산병원에 입원하는 등 1년 6개월의 옥고를 치렀다.

매곡의 만세 시위는 4월 2일부터 6일까지 이어졌다. 옥전리에 살던 안준은 독립선언서를 얻어 와 안광덕과 본격적으로 거사를 준비했다. 이들은 400여 장의 태극기와 베껴 쓴 독립선언서를 들고 면 소재지인 노천리에 내려와 김용선, 남도학, 임봉춘 등과 논의하여 4월 2일 밤나무 묘포장의 부역꾼들과 함께 면사무소 마당에서 거사하기로 했다. 당일 오전 11시경 부역꾼 100여 명과 각 마을에서 모인 300여 명이 합세해 독립선언서를 낭독하고 태극기를 흔들며 면장과 직원들도 만세운동에 가담하도록 했다. 일부는 마침 장날이었던 황간 방면으로 진출을 시도했다.

4월 3일과 4일에는 시위대 800여 명이 면사무소에서 만세를 불렀다. 이때 추풍령 헌병 분견대가 출동해 주동 인물인 안광덕, 임봉춘, 남도학 등을 체포했다. 구속된 이들을 구출하기 위해 시위대는 추풍령 헌병 분견소까지 추격했다. 6일에는 300여 명이 추풍령 분견소에 쇄도하였으나 밀고를 받은 헌병이 출동해 제지당했다. 이날 안준을 비롯해 장복철, 안병문, 김용선, 신상희 등 4명이 체포됐고 이후 이장노, 장출봉, 김용문 등 8명이 추가로 붙잡혔다.

매곡면 3·1운동 애국지사숭모회장을 지낸 안병찬 씨는 "지형이 험한 지리적 위치 때문에 영동의 3·1운동은 3월 말부터 4월 초까지 집중됐다. 정확한 기록으로 입증되지는 않지만 일제 헌병이 주둔해 있던 추풍령 분견소에 불이 났는데, 매곡 사람들 짓이라는 소문이 났다"고 전했다. 매곡 시위의 현장이었던 면사무소에서 추풍령 분견소까지는 6킬로미터 정도로 어른 걸음으로 1시간 거리였다.

일제의 수탈 정책에 맞서

매곡면에 앞서 학산면에서는 3월 25, 28일에 만세운동이 일어났다. 이곳 시위의 직접적 발단은 영동-무주 간 도로공사 강제 노역 동원 및 뽕나무 묘목 강제 배부 등 일제의 악랄한 수탈 정책이 었다.

이때의 시위는 학산과 양산면민의 연합으로 전개됐다. 특히 3월 30일에는 학산면 소재지인 서산리에서 도로공사 부역에 나섰던 군중이 양산면 사람들과 함께 태극기를 흔들고 만세운동을 펼쳤다. 이들은 경찰 주재소에 돌을 던져 창문과 전화기를 파괴했다. 구속된 지사의 구출에 나섰지만 일본의 지원 병력이 출동하면서 7명이 체포되고 38명이 중상을 입기도 했다. 4월 3일에도 독립만세운동이 일어났다. 양봉식, 이기영, 전재득, 정해용, 이건양, 전만표 등이 주도하다 검거됐다.

이들은 4월 3일 오후 4시경부터 6시까지 서산리시장에서 약 300명의 군중과 함께 태극기를 흔들고 만세를 부르면서 시장을

충북 영동군 매곡면
3·1독립운동의거 승모비.

누볐다. 오후 8시경에도 200여 명의 군중이 면사무소에 달려가 "조밥을 먹기도 힘든 때에 웬 뽕나무인가"라고 외치면서 임시로 심어놓은 2만 8천 그루의 뽕나무 묘목을 뽑아 불에 태웠다. 이들 중에서도 지도적인 역할을 한 양봉식은 경술국치 후 비분강개해 의병으로 활동하다가 서간도로 망명했던 인물이다. 그는 1919년 2월 진남포를 경유해 독립선언서 수십 장을 얻어 와 옥천, 이원, 금산, 무주 등에 배포했다.

영동 지역의 중심지인 읍내에서도 3월 말 영동 장날에 시장 남쪽 다리 위에 사방 130센티미터의 태극기가 달려 있었고 여러 곳에서 종이로 만든 150여 장의 태극기가 나돌았다. 4월 4일 영동 장터에서 2천여 군중이 경찰서를 습격하고 투석하면서 만세운동을 전개했다. 시위 주동자는 박성하, 한의교, 정성백, 장인덕, 김태규, 정우문, 한광교 등 7인이었다. 이들이 장터에 흩어져 독립만세를 외치자 군중은 호응하여 읍내를 누비며 행진했다. 놀란 일본 경찰은 강제 해산을 시도했다. 이때 일경의 발포로 6명이 죽고 8명이 크게 다쳤다. 1991년, 영동읍 주곡리에는 이들의 뜻을 기리기 위한 7지사(志士) 독립운동 기념비가 세워졌다.

3·1운동에 힘을 보탠 독립군 나무

충북 영동군 학산면 박계리 마을 입구에는 '독립군 나무'(영동군 보호수 제43호)로 불리는 느티나무가 있다. 높이 20미터, 둘레 10미터로 수령은 350여 년으로 추정된다. 이 나무는 원래 각각 떨어진 두 그루이지만 밑동이 붙어 자라면서 멀리서 보면 한 그루처럼 보인다.

이 나무가 독립군 나무로 불리게 된 것은 일제강점기 주민들이 나무에 흰 헝겊을 달아 일본 헌병의 동태를 살핀 데서 유래했다. 영동 지역은 충북 옥천, 전북 무주, 경북 김천으로 통하는 지역이다. 이곳을 지나가야 했던 독립군들은 이 나무를 통해 정보를 교

독립군 나무로 불리는
충북 영동군 학산면의
느티나무.

환하면서 신변의 안전을 도모했다.

독립군 나무는 오랜 풍파로 쇠약해졌지만 영동군이 몇 년 전부터 보호 작업을 하면서 활력을 되찾았다. 영동군은 나무의 생육을 촉진하기 위해 밑동 주변의 흙을 걷어내고 영양제가 섞인 마사토를 새로 깔고 나무줄기에 영양제도 투입했다. 낡고 부서진 둘레석을 말끔히 정비하고 자투리 공간에 자연친화적 휴식 공간을 설치했다. 최향숙 문화관광해설사는 "3·1운동에 대한 다양한 이야기를 발굴하고 전하는 것도 후손들에게 물려줄 중요한 문화자산"이라고 말했다.

공연

연극 공연장에 울려 퍼진 만세 함성

충남 홍성군에서는 '홍주 천년'이라는 홍보 글귀를 쉽게 볼 수 있다. '홍주(洪州)'는 홍성(洪城)의 옛 이름이다. 1018년 고려시대부터 '홍주'라는 지명이 쓰였지만 1914년 일제에 의해 이름이 바뀌었다. 표면적으로는 군·면 통합령에 따랐다지만 의병 활동이 활발했던 이 지역의 항일 분위기를 누르기 위한 개명(改名)이었다는 분석이 정설처럼 여겨진다. 실제로 이 지역의 일제에 대한 저항은 거세고 매서웠다.

연극 무대에서 부르짖은 "조선 독립 만세!"

경성에서 3·1만세운동이 일어난 직후 홍성 지역에선 크고 작은 시위가 잇따랐다. 3월 7일 홍성읍 장터에서 벌어진 만세 시위에는 시야 김종진(1901~1931)이 함께한 것으로 알려져 있다. 그는 청산리 전투로 유명한 백야 김좌진 장군의 육촌 동생이다. 열여덟 살 나이에 만세를 부르다 체포된 김종진은 미성년이라는 이유로 석방됐지만 이후 중국으로 건너가 독립운동에 투신했다.

3월 8일 광천면 광천시장에 독립선언서와 격문이 나붙으면서 일경들을 긴장시키기도 했다. 주동자는 광천면 출신 박세화였다. 그는 경성에서 가져온 독립선언서를 이웃 주민들에게 보여주고 만세 시위를 기획했다.

3·1운동 직후 홍성에서 잇따라 만세운동이 벌어진 것은 투철한 항일의식이 깔려 있었기 때문이다. 유림과 농민이 다수를 차지하던 홍성은 전통의식이 강했다. 역사적인 경험도 있었다. 이곳에선 1896년과 1906년 2차례에 걸쳐 유생들의 주도로 격렬한 의병 항쟁이 일어났다. 후대에 '홍주 의병항쟁'으로 불리는 이 항쟁은 홍성 만세운동의 사상적 기반이 됐다.

4월 1일 홍성군 금마면 가산리에서 펼쳐진 만세운동은 여러 가지 면에서 주목할 만한 사건이었다. 우선 시간과 장소가 남달랐다. 당시 대부분의 만세 시위는 대낮에 장터에서 벌어졌다. 하지만 이곳에선 오후 8시에 임시로 만들어진 연극 공연장에서 만세 운동이 일어났다.

《독립운동사》에 소개된 금마면 시위 기록은 다음과 같다.

> 민영갑은 이재만과 공모하여 4월 1일 금마면 가산리 이원 교 집에서 한국 연극의 흥행이 있을 때 독립 만세를 부르고 자 김재홍, 최중삼, 조재학과 조한원의 찬동을 받고 민영갑, 이재만, 김재홍, 최중삼, 조재학, 조학원은 이날 밤 8시경 동 연극 흥행장에서 "대한 독립 만세"를 수창하여⋯⋯.

당시 전국적으로 신파극이 유행했고 지방 곳곳에 가설 공연장이 세워졌다. 주로 마당이 넓은 집에 연극 무대가 만들어졌는데 4월 1일 금마면 이원교의 집도 그중 하나였다.

관련 판결문에 따르면 이날 관객은 수백 명이었다. 공연이 진행되던 중에 민영갑 등 시위 주도자들이 조선 독립 만세를 외쳤고, 관객들도 호응해 함께 우렁찬 목소리로 만세를 불렀다.

치열했던 장곡면 시위도 홍성에서 일어난 중요 만세운동이다. 이 시위도 밤에 일어났다. 4월 7일 장곡면 화계리 주민 오경춘이 종을 쳐서 주민들을 모았다. 이웃 광성리와 신풍리 주민들도 합세해 300여 명이 화계리 앞산에서 만세를 불렀다. 이들은 또 도산리로 이동해 면사무소 뒤편 응봉산으로 올라가 독립 만세를 외

홍성군 홍주읍에 세워진
의병 기념탑의
의병 인물상 모습.

쳤다. 오후 8시, 면사무소 앞에 진출한 시위대는 돌과 막대기 등
으로 유리창 17장을 깨고 굴뚝과 문기둥을 부쉈다.(김진호, '홍성
지역의 3·1운동', 〈한국독립운동사연구〉 제23집)

다음 날 오후 11시에는 학생과 주민 60여 명이 같은 장소에 다
시 모여 만세를 부르면서 면사무소를 공격했다. 이를 진압하기
위해 일제 경찰과 보병이 출동해 총기를 발포하면서 2명이 부상
하고 11명이 체포됐다.

무력 탄압에 맞선 평화적 횃불 시위

횃불 독립만세운동은 3·1운동이 지방으로 전개되는 과정에서
돋아난 시위의 한 형태다. 그해 3월에 평남 용강군, 함북 길주군,

충북 청주군 주민들이 야간에 불을 피우고 독립 만세를 외쳤다. 3월 하순부터는 충남으로 번졌다. 홍성의 대표적인 만세운동 형태이기도 했다.

4월 초 홍성군에서 횃불 만세운동이 벌어졌다. 한 곳이 아니라 군내 여러 지역에서였다. 장곡면에선 4월 7일의 공격적인 만세운동이 벌어지기 사흘 전에 횃불 만세운동이 일어났다. 윤형중, 윤익중, 윤낙중 삼 형제의 주도로 전개된 운동이었다. 경신학교 2학년이었던 윤낙중이 2월 말 중앙고보 4학년인 형 윤익중으로부터 만해를 비롯한 민족대표 33인이 주도하는 3·1운동 소식을 듣고서였다. 윤익중과 윤낙중 형제는 독립선언서 100여 장을 품고 3월 20일 낙향했다. 그들은 고향에 있던 큰형 윤형중 및 이웃 주민들과 함께 만세운동을 계획했다. 그리고 4월 4일 매봉산에 올라 횃불을 올리면서 독립 만세를 외쳤다.

4월 5일 밤 홍동면 신기리 주민 100여 명이 마을 뒷산에 모여 불을 피우면서 만세를 불렀다. 4월 7일 구항면에서도 마을 주민들이 횃불 만세운동을 전개했다. 구항면의 횃불 만세운동은 의병장 이설의 제자였던 이길성이 주도했다. 그는 독립 만세를 부를 것을 결심하고 집에서 '大韓國獨立萬歲(대한국독립만세)'라고 쓴 큰 종이 깃발을 만들었다. 이길성은 마을 주민들과 함께 일월산 남쪽 기슭에 올라 이 깃발을 세우고 횃불을 올리면서 독립 만세를 불렀다. 일제 군경의 총격으로 일단 하산하지만, 이길성 등

5명의 시위 주도자들은 장소를 이동해 산 정상에서 홍성 시가를 바라보면서 다시 만세를 불렀다.

횃불 만세운동은 평화적 시위였지만 일제의 대처는 폭압적이었다. 무차별 사격으로 2명이 죽고 대대적인 검거 작전으로 체포 및 구금된 13명이 태형을 당했다.

김진호 연구원은 "횃불 독립만세운동은 충남의 대표적인 3·1 운동으로서 만세 시위가 일반화되면서 농민들의 적극적인 주도와 참여로 전개됐다. 홍성 곳곳에서 횃불 만세운동이 동시다발적으로 벌어졌는데, 이것은 농민의 참여가 아니고서는 불가능했다"고 설명했다.

홍성군 장곡면에서 벌어진
만세운동을 기념하는
장곡 3·1운동 기념비.

유림이 주도한 파리장서운동

"국내의 여러 사람을 얻어 연명하여 파리에 글을 보내어 內
敵(내적)과 外寇(외구)의 情跡(정적)을 밝혀 舊臣(구신)과 遺民
(유민)의 원통함과 분함을 표명하고자 하니 그대 뜻은 어떠
한가?"

충남 홍성군 서부면 이호리에 거주하던 지산 김복한(1860~1924)
은 인근에 살고 있던 임한주를 찾아가 이렇게 말했다. 두 사람은
유학자였다. 김복한이 파리강화회의에 보낼 '朝鮮復國原書(조선
복국원서)'를 작성하기 전의 일이었다.

파리장서운동은 1919년 당시 유림을 대표하는 137명의 인사가
장문의 한국독립청원서를 파리강화회의에 보낸 일을 가리킨다.
기독교와 천도교, 불교가 합동해 독립선언서를 발표하고 전국적
인 독립운동을 개시하자 유림들이 호응해 벌인 운동이었다. 의병
운동을 주도했던 호서 지방의 유림들인 김덕진, 안병찬, 김봉제,
임한주 등이 중심이 됐고, 김복한이 서한 집필을 맡았다. 현재 서
한의 원본은 사라지고 없지만, 알려진 요지는 다음과 같다.

여러 차례에 걸친 일본의 기신배약(棄信背約)을 듣고 고종과 명성황후의 시해에 온 국민이 품는 분울한 정을 말하고, 끝으로 우리의 국토를 찾고 이씨 왕조를 일으킬 뜻을 기술하였다. (독립운동사편찬위원회, 《독립운동사》)

호서 유림들이 작성한 서한을 파리로 보내기 직전 김창숙, 곽종석 등이 속한 영남 유림들도 같은 계획을 세운 뒤 장서를 작성했음을 전해 들었다. 독립에 대한 유생들의 열망이 같았음을 확인하는 순간이었다. 이에 호서 유림과 영남 유림의 양측 대표가 만나 논의한 끝에 영남본이 뜻을 잘 전달할 수 있다고 결론짓고 영남본 장서를 보내기로 했다. 서명 순서도 첫째는 영남의 곽종석, 둘째가 호서의 김복한이었다.

당시 호서 유림 사이에선 서명 순서에 대한 지적이 나오기도 했지만 김복한은 "모든 것은 오직 우리의 성의에 있는 것이지 어찌 서명의 선후를 다투겠는가? 비록 가장 말석에 참여한다 해도 달게 여기겠다"고 말한 것으로 전해진다. 호서 지역 인사로 장서에 서명한 유림은 모두 17명이었다.

영남 유림 김창숙은 이 장서를 짚신으로 엮어 상하이 임시정부로 가져갔고, 임시정부는 이를 영문으로 번역한 뒤 한문 원본과 같이 인쇄해서 파리강화회의에 전달했다. 이 장서가 중국과 국내 곳곳에도 배포되면서 수많은 유림이 체포되고 투옥됐다. 김복한도 100여 일 동안 옥고를 치러야 했다.

호서본 장서가 채택되지 않았고, 원본이 남아 있지도 않지만 파리장서운동은 홍성이 꼽는 중요한 독립운동 가운데 하나로 자리 잡고 있다. 이를 기념해 홍성군은 2006년 홍성읍 대교리 대교공원에 한국유림독립운동파리장서비를 세웠다.

발양(發揚)

산에 만세하러 갔소

밤에 산에 올라가 봉화를 올리고 오직 만세만을 부르는 운
동자가 있었다. 이 운동자는 성격이 온순하며 목이 쉬도록
만세를 고창(高唱) 절규(絶叫)하다가 피로해지면 스스로 해
산한다. 그 인원도 노인, 어린이 등이 뒤섞여 있어 한동네
집집마다 1인 또는 2인 정도가 의무적으로 나가는 듯하다.
그래서 시험 삼아 그 집에 가서 물어보면 부인들은 "산에 만
세 하러 갔소"라고 대답하는 것이다.

《독립운동사자료집》에 있는 충북 청주 일대의 횃불 만세운동

에 대한 기록이다. 횃불 만세운동은 1919년 3·1만세운동이 20여일 지난 3월 23일경부터 4월 6일까지 청주 전역에서 계속됐다. 특히 4월 1일에 펼쳐진 횃불 만세운동이 절정이었다. 청주 일대 8개 면의 산 위에서 동시에 전개돼 수백 명이 횃불을 밝히며 독립만세를 소리 높여 외쳐 충북 지역의 독립에 대한 뜨거운 열망을 드러냈기 때문이다.

조동식 지사의 횃불 만세운동

횃불 만세운동을 창안한 이는 청주 강내면 태성리에 살던 조동식 지사(1873~1949)였다. 그는 횃불 만세운동을 시작한 이유를 이렇게 밝혔다.

"우리나라에서 옛날부터 긴급한 상황을 봉화로 알리는 봉화고변(烽火告變)의 예를 따라 산꼭대기에 횃불을 올려 독립 만세를 외치면 독립만세운동의 기세가 발양(發揚)될 것이다."

횃불 만세운동은 그의 주도로 시작된 뒤 충청도의 대표적인 독립만세운동으로 발전했다.

조동식은 3월 23, 24, 26일에 잇따라 주민들과 산 정상에서 횃불을 올리고 독립 만세를 고창했다. 횃불 만세운동은 강내면 각 마을과 옥산과 남이면, 충남과 경기도 일부 지역으로 확산했다. 특히 3월 26일과 27일에는 강내면과 충남 연기군의 주민들이 사전에 연락해 동시에 마을 뒷산에 올라가서 횃불을 올리고 독립 만세를 고창하는 연합 독립만세운동을 벌였다.

4월 1일에는 청주 중심지에서 40리 정도 떨어진 산 위에서 수백 명이 모여 횃불을 올리고 독립 만세를 불렀다. 4월 2일에는 읍내에서 만세를 부르기로 했으나 일경들의 감시 강화로 실패하자 오후 10시경 500여 명이 읍내 부근 산 위로 올라가 횃불을 밝혔다.

강내면에 조성된 조동식 지사의 묘역에는 횃불을 높이 들고 있는 조 지사 동상과 손자 조남기 장군의 흉상이 있다. 또 조 지사 동상에는 일제 법정에서 그가 밝힌 준엄하고 당당한 상고(上告)의 취지가 새겨져 있다.

본인의 금번 행위는 일본 정부가 승인한 민족자결주의 소식을 듣고 정의 인도에 기초를 두고 자주 자립을 표시한 고로 세인이 이에 동정하고 이를 처벌한 판사나 인도 정의의 존중을 알고 있는 일본인도 모두 이를 축하하였고, …… 포로로서 취급하는 것은 가하나 형벌에 처하는 것은 부당하다고 생각하여…….

횃불 만세운동을 창안한
조동식 지사의 동상.
그의 손에는 횃불이 들려 있다.

번개대장 한봉수 의병장의 활약

청주시 내수읍 일대의 3·1만세운동은 의병장 출신인 한봉수 (1884~1972)가 주도했다. 그는 조선 후기 의병사에서 중부 지방을 대표하는 의병장이었다. 1907년 의병으로 봉기해 1910년 초까지 30여 회에 걸쳐 일제와 교전을 벌이고 군자금도 모금했다. 특히 번개대장이라고 불릴 만큼 기습과 변장 등을 활용한 유격전에 뛰어났던 것으로 알려졌다.

한봉수는 1910년 체포돼 '내란죄 수범(首犯)'이라는 죄목으로 교수형을 선고받았다. 하지만 이에 불복하고 항고해 15년 형으로 감형을 받은 뒤 옥고를 치르다 일제의 이른바 합방 대사령으로 출옥했다. 이후 그는 고종의 인산에 참배하기 위해 상경한 뒤 충북 괴산의 홍명희와 함께 고향 선배인 의암 손병희의 집을 방문했다.

손병희는 이 자리에서 3·1운동 계획을 전하며 각각 귀향해 만세운동을 주도해줄 것을 당부했다. 귀향한 한봉수는 기회를 엿보다 4월 1일 세교리장터에서 만세 시위를 주도했다. 한봉수는 이튿날인 2일에도 독립 만세를 부르기 위하여 장터로 나갔다. 그는 식목 행사 때문에 이곳을 지나던 내수보통학교 학생들과 인솔교사 엄익래와 이건간에게 만세운동에 동참할 것을 요청했고, 이를 수락한 학생 및 교사들과 함께 독립 만세를 고창했다. 일제에 의해 다시 체포된 그는 보안법 위반 혐의로 1년 형을 선고받고 다시 옥고를 치러야만 했다.

황경수 청주대 교수는 "아직 논란이 있지만 한봉수 의병장은 4

의병 항쟁에 이어 3·1운동을 주도한
한봉수 의병장. (사진 제공: 청주시)

월 시위에 앞서 3월 4일 청주 육거리에서 만세운동을 벌였다는 기록도 있다"라며 "선생은 의병 항쟁에서 3·1만세운동으로 이어지는 항일독립운동을 상징하는 대표적 인물"이라고 평가했다.

최대의 만세 시위지 미원 장터

2016년 기준으로 청주 출신 독립유공자는 94명이다. 이 가운데 3·1운동 참여자는 34명으로 36퍼센트에 달한다. 1919년 대한민국 임시정부에서 간행한 《한일관계사료집》과 박은식의 《한국독립운동지혈사》에는 청주에서 7차례에 걸쳐 5천 명이 만세 시위에 참여했고, 이 가운데 20명이 체포당한 것으로 기록돼 있다. 황 교수는 "시위 현장에서 일제와 직접 충돌한 전국 평균 비율이 37퍼센트인데 충북은 55퍼센트로 전국 최고 수준"이라며 "일반적으로 알려진 대로 충북의 지역 정서가 점잖은 양반 분위기였지만 의병과 3·1운동 등을 통해 드러난 항일의식은 매우 뜨거웠다"고 소개했다.

청주시의 3·1공원은 이 같은 충북 지역의 불타올랐던 독립운동 열기를 생생하게 확인할 수 있는 공간으로, 충북의 독립유공자 513명의 이름이 적힌 항일독립운동 기념탑과 민족대표 5인의 동상이 있다. 민족대표 33인 가운데 충북 출신이었던 손병희, 권

동진, 권병덕, 신홍식, 신석구의 동상이다. 당초 정춘수의 동상도 있었으나 시민단체가 친일 행적을 이유로 철거해 없어졌고, 그 자리에 횃불 조형물이 대신 자리 잡고 있다.

1919년 3월 30일 미원장터에서 1,500여 명의 군중이 벌인 만세운동은 청주 지역 최대 규모이자 가장 격렬한 시위였다. 일제의 진압 과정에서 다수의 사상자가 발생했을 정도였다. 이날 시위를 주도한 이들은 이수란, 이용실, 신경구 등이었다. 신경구는 김태복의 집에서 이용실을 만났고, 이용실의 담뱃대를 신봉휴가 만든 태극기의 깃대로 삼아 시장으로 나갔다. 그는 시장 네거리에서 독립 만세를 부르도록 권유하고 태극기를 흔들면서 "대한 독립 만세"를 외쳤다.

이에 호응한 군중이 함께 독립 만세를 고창하기 시작했다. 소식을 들은 일제 헌병이 출동해 시위대를 해산시키고자 했지만 군중은 더욱 격렬하게 독립 만세를 외쳤다. 시위대를 해산시키기 어렵다고 판단한 헌병들은 주동자 가운데 한 명인 신경구를 체포해 주재소로 연행했다. 이 소식을 접한 군중은 "주재소를 파괴하라" "신경구를 석방하라" 하고 소리치며 주재소에 돌을 던지고 정문 기둥과 담장을 부쉈다. 당황한 헌병들은 군중을 향해 마구잡이로 사격을 가했고, 그 자리에서 장일환이 순국하고 다수의 사상자가 발생했다. 하지만 미원의 독립만세운동은 이 같은 폭압적인 탄압에도 굴하지 않고 사흘간 계속됐다.

청주의 만세운동에는 면서기들까지 나섰다. 4월 1일 오후 8시경, 북이면 신기리 주민들은 면서기 김호상의 주도 아래 근처 산으로 올라가 독립 만세를 외쳤다. 동료 면서기였던 김정환, 이시우, 장성이 등도 김호상의 권유에 동참할 것을 결의하고 주민들과 만세 시위 대열에 합류했다. 이 과정에서 김호상은 일제에 체포돼 1년 형의 옥고를 치렀고, 김정환 등은 90대의 태형 처벌을 받았다.

신장(新場)

나는 독립운동을 하다가 잡혀가는 것이다

"서천의 만세 시위는 전북 군산의 직접적인 영향을 받았습니다. 금강을 사이에 두고 군산과 맞닿아 있었던 지리적 영향이 큽니다. 1919년 3월 초 군산에서 만세운동이 벌어진 지 얼마 지나지 않아 서천에 소식이 알려졌지요."

유승광 서천지역사회연구소장은 1919년 3월 8일 충남 서천군 화양면 주민 조남명이 일제 경찰에 체포된 사건의 경위를 소개한 뒤 서천에서 만세운동을 일찍이 시도할 수 있었던 이유에 대해 이같이 말했다.

"내가 체포된 것은 독립운동 때문"

조남명이 이웃 주민 유재경을 통해 독립선언서를 구한 때는 1919년 3월 4일이었다. 3월 5일 군산에서 벌어진 호남 최초의 만세운동보다 앞선 2월 하순부터 시위를 준비했다는 뜻이다. 하지만 조남명이 동지들을 모으고 거사 계획을 본격화한 것은 군산 만세운동이 벌어진 다음 날이었다. 조남명에 대한 재판 기록에선 다음과 같이 전한다.

> 6일 화양면 구동리 이근호 집에 와서 동인과 한백희, 최경진에 대하여 동 선언서를 보이며 학생들은 국사를 위하여 지금 군산서에 유치되어 조사를 받고 있으니, 우리들은 이를 보고만 있을 수 없으므로 우리도 독립운동을 하자고 하여……. (독립운동사편찬위원회, 《독립운동사: 3·1운동사》)

조남명과 뜻을 함께한 주민들은 만세운동에 합류하기 위해 군산으로 향했다. 그러나 이들의 여정은 곧 중단된다. 일제 경찰들에게 계획이 누설돼 체포된 탓이다. 비록 불발됐지만 화양 만세운동의 열망은 매우 뜨거웠다. 조남명은 서천으로 압송되던 중에 서천면 삼산리의 시장 사람들에게 "내가 일경들에게 체포당하여 끌려가는 것은 강도나 절도로 범죄를 저질렀기 때문이 아니다.

독립운동을 하다가 잡혀가는 것이다"라고 외쳤다.(한국독립운동
사연구소,《한국독립운동의 역사》) 이후 그는 그때껏 부르지 못했던
"대한 독립 만세"를 이 자리에서 목청껏 불렀다.

2천여 명이 함께 부른 독립 만세의 함성

서천군 마산면 신장리에 살던 송기면이 태극기를 제작하기 시
작한 때는 1919년 3월 23일부터였다. 그는 류성렬, 이근호, 임학
규 등 동리 사람들과 함께 만세운동을 계획했다. 거사일은 3월 29
일 장날로 정해졌다. '서천 마산 신장 만세운동'의 시작이었다.

서천 주민들의 독립에 대한 열망은 무르익어 있었다. 1906년
사립학교인 한영학교가 세워진 게 계기 중 하나였다. 한영학교
교장은 선교사 윌리엄 불(한국명 부위렴)이 맡았고 보통과 학생 10
명, 고등과 학생 16명이 수학했다.

전문가들은 이 학교에서 민족의식 교육이 이뤄졌을 것으로 추
정한다. 김진호 충남대 충청문화연구소 연구원은 "기독교 계통의
학교로 종교 교육도 했지만 강한 민족의식을 고취하고 일본 제국
주의 침략에 대항해 국권 회복을 위한 학습 내용으로 교육과정
이 이뤄졌을 것으로 보인다"고 말했다. 유승광 서천지역사회연구
소장이 한영학교에 대한 기억을 갖고 있던 김옥준 옹에게서 들은

이야기도 이를 뒷받침한다. "학교가 달랐다. 애국가를 불렀고 운동장에서 공을 방망이로 치던 생각도 난다. 그때 교육 내용이 일본인과는 등지게 가르쳤던 것 같다."(유승광, 《서천, 서천 사람들》) 마산 신장 만세운동을 기획한 송기면, 이근호, 임학규 등은 20, 30대 청년으로 모두 이곳 한영학교 출신이었다.

기독교의 영향도 컸다. 서천은 우리나라 최초의 성경 전래지다. 1816년 서천 마량진에 표류한 영국의 함선을 통해 성경이 전해졌다. 기독교 선교사가 정식으로 입국해 선교 활동을 전개하면서 1902년 서천 지역에 화산교회가 세워진 것을 시작으로 인근 곳곳에 교회가 설립됐다. 이들 교회는 기독교 전파와 함께 근대교육과 의식 보급에 기여했다. 류성렬, 송기면, 이근호, 임학규, 송여직, 이동홍 등 마산 신장 만세운동을 주도한 사람들은 서천

충남 서천
3·1운동기념비건립위원회와
동아일보사가 세운 새장터
3·1운동 기념탑.

지역 기독교 신자들이었다.(김진호, '서천 지역의 3·1운동', 〈충남문화
연구〉 창간호)

마산 신장 3·1운동은 치열했다. 다른 지역에선 만세운동이 여
러 차례 벌어지면서 시위가 점차 공격적으로 전개되는 양상을 띠
었지만 마산 신장 만세운동은 서천 지역에서 처음 일어난 시위였
음에도 일제와의 충돌이 거셌다. 더욱이 마산면 신장리의 장터는
서천군에서 가장 많은 물품이 거래되는 시장이었고, 강경 광천과
함께 호서 지방의 3대 시장으로 불려온 곳이었다.(유승광, 〈서천 마
산 신장 3·1운동과 교육적 활용〉) 그만큼 큰 장이었기에 참여한 군중
만 2천여 명에 달했다.

공격받은 출장소에 기둥과 지붕만 남아

태극기를 가마니에 싣고 장터에 도착한 송기면, 류성렬 등은
군중에게 태극기를 나눠 주었다. "我(아) 조선은 자주독립하여 자
유를 향유하고 장래의 안락을 도모한다면 어찌 기쁘지 아니하랴"
라는 송여직(송기면의 형)의 연설이 장터에 울려 퍼졌다. 시장에서
독립 만세를 부른다는 소식은 일제 경찰에게 곧장 전달됐다. 출
동한 일경이 송기면과 류성렬, 송여직 등을 체포하자 이근호와
나상준이 군중을 이끌고 만세를 부르면서 경찰 출장소로 향했다.

일경은 이근호와 나상준도 체포했지만 이 과정에서 시위 군중은 더욱 늘었다. 체포되지 않은 사람들 중 고시상, 이동홍, 양재홍 등은 만세를 부르는 군중에게 "체포된 인사들을 탈출시키기 위해 출장소를 공격하자"라고 요청했다. 군중은 출장소에 돌을 던져 창문과 유리창을 부수고 실내로 들어가 책상과 의자 등 기물을 파손했다. 고시상은 송기면 등을 체포했던 순사보를 향해 죽이겠다고 달려들었고, 정일창은 군중의 뒤편에서 출장소 파괴를 적극적으로 후원했으며, 이승달은 "붙들려간 사람들을 구출하지 않고는 물러갈 수 없다"면서 군중을 독려했다. 출장소는 파괴되어 기둥과 지붕만 남게 되었다.(독립운동사편찬위원회,《독립운동사: 3·1운동사》) 당시 시위자들의 형량이 대부분 징역 1년 형 정도였지만 출장소를 직접 공격한 고시상, 이동홍, 양재홍, 이승달, 박재엽 등은 징역 3년에서 5년 형의 중형을 선고받았다.

충남 서천군 마산면 신장 사거리에서 재현한 만세운동 기념행사. (사진 제공: 서천군)

구금됐던 인사들이 출장소를 탈출해 군중과 함께 서천읍으로 향하던 중 군수 임익채가 말을 타고 달려왔다. "일제 헌병이 매복해 있으니 해산해달라"는 그의 말에 군중은 격렬하게 항의했다. 이날의 시위는 여기에서 멈췄지만 군중은 다음 날 종천면 화산리에 다시 모여 만세운동을 이어갔다.

김진호 충청문화연구소 연구원은 "타 지역의 독립만세운동은 마을 단위나 면 단위 인사들이 주도해서 전개했지만 서천의 마산 신장 만세운동은 여러 면의 인사들이 한자리에서 함께 주도하고, 참여한 것이 특징"이라고 말했다. 사전에 치밀하게 시위가 기획됐다기보다는 장을 보려던 목적으로 신장을 찾았다가 시위에 참여하게 된 사람들이 운동을 주도하면서 폭발력을 갖게 된 셈이다.

전주- 군산 만세운동 이끈 김인전

1923년 5월 13일자 〈동아일보〉에 '김인전 씨 장서'라는 제목의 부고가 실렸다. "상하이 임시정부에서 일찍이 내무차장을 지낸 김인전 씨는 12일 상해에서 이 세상을 떠났는데……"라는 내용이었다. 〈동아일보〉는 사흘 뒤인 16일자 지면을 통해 전주에서 추도회가 열린다는 소식을, 22일자 지면을 통해 추도회가 장엄하게 진행됐다는 소식을 전했다. 그만큼 주목받은 인사였다.

김인전(1876~1923)은 1919년 3·1운동이 일어났을 때 만세운동의 배후 지도자로 지목됐다. 당시 그가 목사로 부임한 전주 서문외교회에 모여든 학생들이 전주 3·1운동의 주축이 됐기 때문이다.

앞서 그가 평양신학교에 재학했을 때 방학 중 가르쳤던 군산 영명학교 학생들도 군산 3·1운동에 앞장섰던 터였다. 일경의 표적이 된 김인전은 국내 3·1운동의 진상을 해외에 알리고 독립운동을 계속 전개하기 위해 상하이 망명의 길을 택했다.

독립운동가 김인전이 사회 활동의 첫발을 내디딘 곳이 한영학교였다. 서천에서 나고 자란 김인전은 그의 집안이 설립한 한영학교의 교사로 근무했다. "교사로서 김인전의 활동상으로 보아 그의 교육은 학생들로 하여금 민족의식을 고취하여 항일의식을 형성하는 데 초점을 맞췄을 것"이라는 게 김진호 충청문화연구소 연구원의 설명이다. 군산과 전주의 학생들은 물론이고 서천 한영학교 출신 젊은이들도 고향에서 적극적으로 만세운동에 나선 데는 김인전의 영향이 컸다는 것이다.

김인전은 망명 뒤 대한민국 임시정부의 임시의정원 의장을 지냈으며 김구 등과 함께 한국노병회를 창건했다. 1923년 세상을 떠났을 때 전주에서 열린 추도회에는 800여 명이 모여 독립운동에 헌신했던 그의 생애를 기렸다.

통문(通文)

어떻게 하든지 빼앗긴 나라를 되찾아야 한다

저녁 무렵 홍범식(1871~1910)은 재판소 서기 김지섭을 불러 상자 하나를 주면서 집으로 보냈다. 금산군수로 부임한 홍범식은 고향 인 충북 괴산을 떠나 관아의 객사에서 지내고 있었다. 귀가한 김 지섭이 열어본 상자에는 가족에게 보내는 유서가 들어 있었다.

"망국노의 수치와 설움을 감추려니 비분을 금할 수 없어 스 스로 순국의 길을 택하지 않을 수 없구나. 피치 못해 가는 길이니 내 아들아, 어떻게 하든지 조선 사람으로 의무와 도 리를 다하여 빼앗긴 나라를 기어이 되찾아야 한다."

경악한 서기는 군수를 찾아 나섰다. 곳곳을 수소문하던 서기와 고을 사령들이 군수를 찾아낸 곳은 객사 뒷산 소나무였다. 경술국치의 날이었다.

아들이 아버지의 유언을 실행에 옮긴 것은 9년 뒤였다. 괴산의 자택 사랑채에서 아들은 동향의 청년들과 머리를 맞댔다. 괴산 3·1운동의 시작이었다.

지축을 울린 만세 소리

홍범식의 장남 홍명희(1888~1968)가 만세운동과 맺은 인연은 경성에서 사람들을 만난 것이 계기가 됐다. 고종의 국장에 참석하기 위해 상경했던 홍명희는 충북 청주 출신 의병장 한봉수를 만나 함께 손병희를 방문했다. 이 자리에서 홍명희는 손병희로부터 3·1운동에 대한 설명을 듣고 만세 시위에 참여할 것을 권유받았다.(독립운동사편찬위원회,《독립운동사: 3·1운동사》)

홍명희는 동아일보 편집국장 겸 학예부장이자 역사소설《임꺽정》의 작가로 활약했다. 3·1운동 당시에는 일본에서 유학하다 부친의 자결 소식에 귀국한 상태였다. 그는 서울에서 만세운동을 목도하고 고향으로 돌아온 직후인 1919년 3월 18일 자택에서 숙부 홍용식과 함께 만세운동을 계획했다. 당시 괴산군 관내에는 홍명희와 이재성 등 의혈 청년을 비롯한 홍씨 문중의 지식인들이 제제다사(濟濟多士)였기에 논의는 빠르게 진행됐다. 홍명희는 인근 괴산공립보통학교와 청주공립농업학교 학생들에게도 만세운동 참여를 권유했다. 이후 그는 자택에서 선언서를 작성하며 "최후의 1인까지 조선의 독립운동을 하지 않으면 안 된다"고 강조했다. "어떻게 하든지 빼앗긴 나라를 되찾아야 한다"는 부친 홍범식의 유서와 맥을 같이한다.

만세 시위를 논의한 이날에 대한 재판 기록은 다음과 같다.

> 3월 18일경 홍명희 집에서 19일 괴산 장날 독립선언서를 인쇄할 것을 결의하고, 홍명희는 독립 정신을 고취하는 뜻이 실린 선전문을 작성하여 이것을 이재성에게 주었다. 이재성은 이것을 18, 19 양일간에 자택에서 홍용식과 같이 등사판으로 300매를 인쇄하고 19일 괴산 시장에서 군중에게 반포하고 "대한 독립 만세"를 불렀다.

3월 19일 시위는 저녁 무렵 시작됐다. 이날 낮 괴산공립보통학교 학생들이 무리를 지어 읍내를 활보하며 준비에 나섰다. 이들을 수상하게 여긴 일제 경찰이 학생 3명을 구금하고 읍내 경계를 강화했다. 하지만 만세운동의 의지를 꺾을 수는 없었다. 홍용식과 홍명희 등은 학생들과 함께 오후 5시경 괴산읍내 장터에 모인 사람들에게 선언서를 배포하고 "대한 독립 만세"를 크게 외쳤다. 괴산공립보통학교 4학년 급장 곽용순도 학생 35명과 같이 학교를 뛰쳐나왔고 청주공립농업학교 학생 홍태식도 군중이 독립 만세를 부르도록 독려했다. 학생들은 종이로 만든 태극기를 흔들었고 군중은 화답하듯 만세를 소리쳤다.

당황한 일제 경찰은 홍명희, 이재성, 홍용식 등 주도자 18명을 체포하고 태극기와 선언서를 압수했다. 하지만 시위대는 점점 불어나 1천여 명을 헤아렸다. 시위대가 괴산경찰서를 포위하고 연행자들의 석방을 요구했지만 일제 경찰은 진압에만 매달렸다. 성난 시위대가 돌을 던지기 시작하자 겁을 먹은 일제 경찰은 충주에 주둔한 수비대와 인근 경찰들에게 지원을 요청했다.(김근수, 〈충북 최초의 괴산 항일 만세운동〉) 시위대는 결국 출동한 일본군 수비대 등에 의해 오후 10시경 해산당했지만 여러 집단으로 나뉘어

괴산군 임꺽정로에 있는
홍범식 고가의 사랑채.

시위를 이어갔다. 오후 5시에 시작된 시위는 이튿날 오전 2시까지 계속됐다. 괴산장터의 시위는 충북 최초의 만세운동이라는 점에서 의미가 크다.

조직적 만세운동의 동력이 된 '통문'

괴산읍의 만세운동은 19일 하루로 그치지 않고 3차례 더 이어졌다. 우선 닷새 뒤인 24일에도 시위가 펼쳐졌다. 이날의 만세운동은 홍명희의 동생 홍성희가 주도했다. 그는 괴산면 서기 구창회, 소수면 서기 김인수 등과 시위를 주도했다.

오대류 독립기념관 독립운동사연구소 연구원은 "면서기가 동참한 것은 괴산 만세운동의 중요 특징 중 하나"라고 소개했다. 실제로 이날 펼쳐진 괴산장터 만세운동에서 면서기 구창회와 김인수의 활약상은 두드러졌다. 오후 6시경 홍성희와 구창회는 시장에 집결한 700여 명의 군중 앞에 나서 독립 만세를 외치도록 이끌었다. 이 자리에 김인수도 함께했다. 김인수는 앞선 3월 19일 시위 때에도 만세를 외치다 붙잡혔다가 훈계 방면된 상태였다. 현장에서 홍성희가 경찰에 체포되자 김인수는 모자를 휘두르며 군중을 독려해 만세를 외치도록 했다. 시위대는 괴산경찰서와 괴산우편국, 괴산군청 등지로 이동하면서 독립 만세를 불렀다.

음성시장의 상인이었던 민광식도 괴산장터 만세운동에 합류했다. 괴산 수진교에 서 있던 민광식은 시장에서 집으로 돌아가는 사람들에게 "우리 동포가 경찰에 체포됐는데도 집에 돌아가는가? 시장에 돌아가 만세를 부르고 독립운동을 하는 것이 마땅하다"며 눈물로 읍소했다. 수진교에는 현재 괴산 만세운동유적비가 세워져 있다.

다음 장날인 29일에도 괴산장터에선 만세운동이 펼쳐졌다. 오후 6시경 집결한 시위대 1,500여 명이 독립 만세를 외쳤다. 일경은 군인 15명과 함께 무력으로 이들을 해산시켰다. 닷새 뒤인 4월 4일에도 200여 명의 시위대가 모여 읍내에서 만세운동을 전개했다.

괴산군 장연면의 만세운동도 주목할 만하다. 형제가 주도한 데다 '통문'이라는 형식을 통해 전개됐다는 점에서 차별화된 특징을 갖는다.(오대록, 〈괴산지역 3·1운동의 전개와 의의〉)

장연면 오가리에 살던 김의현과 김의대 형제는 마을에 서당을 열고 인재를 양성하던 중 고종의 사망 소식을 들었다. 김의대는 국장에 참석하기 위해 제자 박영래와 함께 상경했다가 3·1운동 현장을 목격하고 귀향했다. 김의대는 형 김의현과 뜻을 함께할 사람들을 모은 뒤 만세운동을 계획하고 선언서와 태극기 수백 장을 준비했다. 거사 날짜는 4월 1일로 정해졌다. 태극기와 선언문을 각 동리에 나누는 일을 맡은 박영래는 야간을 틈타 일을 처리했다.

독립운동사편찬위원회의 《독립운동사: 3·1운동사》에는 장연면의 만세운동을 상세하게 소개하고 있다.

약속한 4월 1일 오가리 면사무소 앞 광장에 각 동리에서 수백 명이 모였다. 정오를 기하여 김의현은 선두에 서서 선언문을 낭독하고, 김의대는 태극기를 휘날리며 독립 만세를 외쳤다. 모여든 군중이 이구동성으로 부르짖는 독립 만세 소리가 천지를 진동했다.

이날 시위를 마치고 모인 주도자들은 다음 날인 2일 다시 거사를 벌이기로 한다. 이들은 통문(通文)을 작성해 인근 이장들에게 배포하고 주민들의 만세운동 참여를 호소했다. "4월 2일 밤 면사무소를 습격하고 독립 만세를 외치자"는 내용이었다. 통문에는 참여하는 사람들의 이름이 차례로 적혀 있었기에 호소력이 컸다. 이에 호응한 주민 200여 명이 4월 2일 만세운동에 참가했다. 거사 당일 면사무소 앞에서 만세를 외치고 면사무소를 공격해 건물을 부수고 서류를 파기했다.

오 연구원은 "괴산 만세 시위는 모두 15차례에 걸쳐 전개됐으며 이 중 주재소 등 관공서를 공격한 사례는 모두 7차례나 됐다. 이 과정에서 경찰관의 발포로 7명이 순국했고 8명이 부상했으며

충북 괴산 옛 괴산장터
입구인 수진교 옆에
세워진 만세운동유적비.

2명은 재판 과정에서 악형과 고문을 받아 후유증으로 사망했을
정도로 치열하게 전개됐다"고 설명했다. 그는 이어 "특히 통문을
통해 시위가 계획적이고 조직적으로 전개됐다. 전국적으로 전개
된 만세운동 중 보기 드문 사례다"라고 의미를 부여했다.

군중(群衆)

나의 행위는 범죄가 아니다

1919년 3월 14일 충남 아산 온양면 읍내리 온양장터에서 만세 함성이 울려 퍼졌다. 스물세 살 청년 현창규가 주도한 시위였다. 서울의 3·1운동에 참여했던 그는 현장에서 만난 천도교 교사 권병덕의 권유로 고향인 온양면에서 만세운동을 벌이기로 결심했다. 거사를 계획하고 준비하는 과정에 동네 청년들도 기꺼이 동참했다.

온양장터에 모인 현창규와 청년들은 미리 준비한 독립선언서와 태극기를 사람들에게 나눠 주면서 독립 만세를 외쳤다. 그 자리에 있던 온양공립보통학교 학생들이 함께 만세를 부르기 시작하자 장터에 모인 군중이 뒤따랐다. 이 과정에서 20명 넘는 시위자가 일제 경찰에 체포됐고 혹독한 태형을 당했다.

이날 시위는 주도자가 있고 선언서가 배포되고 태극기가 등장한 전형적인 만세운동이었다. 온양면의 시위를 시작으로 아산은 12개 면 전부가 만세운동을 이어갔다. 〈동아일보〉 1949년 3월 1일자 보도에 따르면 충남 아산의 만세운동 참여자는 1만 2,800명으로 충남에서 가장 많았다.

초등학교 운동장에서 울려 퍼진 만세 소리

온양공립보통학교(현재 온양초등학교)는 1908년 6월 온양군 관아의 객사 건물에 세워졌다. 조선시대 관아가 있던 곳이자 오랜 기간 고을의 중심지로서 자리매김한 곳이다. 이런 상징성은 3·1운동 당시에도 큰 영향을 미쳤다. 반일 의식도 컸다. 동학 농민전쟁 당시 온양 일대의 동학교도들이 붙잡혀 감옥에 갇히거나 재산을 빼앗겼고, 정부군에 의해 체포된 동학 농민군이 온양군 관아 인근에서 처형된 일도 있었다. 그 뒤 온천리에 있던 조선 왕실의 온양행궁이 1904년 일본 자본가들에 의해 강탈돼 여관과 목욕탕으로 전락했고 온양군 관아가 폐지됐다.(3·1운동100주년기념사업아산시추진위원회, 〈아산 3·1운동의 역사〉) 이런 일련의 상황들로 인해 일제에 대한 저항정신이 커져갈 무렵 아산에서의 첫 시위가 일어났다.

3월 11일 온양공립보통학교 학생들은 학교 운동장에 모여 조선 독립 만세를 소리 높여 외쳤다. 당시 학교장이었던 구로기 요스케의 적극적인 만류로 학생들은 일단 귀가했다. 하지만 이게 끝이 아니었다. 3, 4학년 학생들이 동맹 휴교를 결의하고 다음 날인 12일 장터에 모여 다시 만세를 부르기로 한 것이다. 이런 정보를 입수한 일제 헌병대가 학교 부근에 임시 파출소를 세운 뒤 학생들을 붙잡고 때리며 시위를 막으려 애썼다. 하지만 학생들은 망설임 없이 거사를 감행했다. 12일 오후 2시 30분 보통학교 학생들과 시민 200여 명이 온양장터에서 독립 만세를 외치며 시위에 나섰다. 본격적인 만세운동의 시작이었다.

온양장터 시위 뒤 2주 정도 잠잠했던 아산 지역의 만세운동은 3월 말 봉화 시위로 다시 불붙기 시작했다. 봉화 만세운동은 산정에서 봉화를 올려 만세를 외치는 형식으로 진행됐다. 3월 31일 밤 탕정면, 염치면, 배방면, 송악면 등 여러 면에서는 각 동리 산 50여 곳에서 횃불을 올리고 군중 2,500여 명이 참가해 만세를 외쳤다.(독립운동사편찬위원회,《독립운동사: 3·1운동사》)

백암리 봉화 시위를 주도한 김복희 열사

김복희(1901~1986)는 3월 31일 불붙은 봉화 시위에 참여한 여성 시위자였다. 아산 염치면 백암리 구미동에서 나고 자란 그는 구미동에 세워진 백암교회 안에 설립된 영신학교에서 공부했다. 백암교회를 방문한 외국인 선교사 앨리스 샤프가 총명한 김복희를 눈여겨봤고, 영신학교를 졸업한 그를 추천해 경성의 이화학당에 편입하도록 했다. 김복희는 유관순의 2년 선배가 됐다.

3·1운동이 일어났던 때는 김복희가 졸업을 앞둔 시기였다. 총독부가 휴교령을 내리자 고향으로 내려간 김복희는 영신학교 교사인 한연순을 만났다. 그 자리에서 경성의 만세운동을 이야기하고 고향 백암리에서도 시위를 일으킬 결심을 전했다. 한연순도 뜻을 같이하고 동네 유지들과 함께 만세운동을 계획했다. 3월 31일 밤, 모든 동리민들이 횃불을 들고 동리에서 가장 높은 방화산 꼭대기에 모였다. 산상 봉화 시위였다.

산정에 모인 주민 50여 명 중 여성은 김복희와 한연순 둘뿐이었다. 주민들은 봉화를 피워놓고 한마음으로 "대한 독립 만세"를 목청껏 외쳤다. 시위 소식을 들은 온양 온천리 헌병 분견대 헌병들이 총을 쏘면서 올라왔다. 주민 대부분이 그 자리에서 헌병들에게 잡혔지만 김복희와 한연순은 헌병을 피해 산을 내려왔다. 어둠으로 인해 지척을 분간할 수 없었던지라 그 과정에서 낭떠러지 밑 돌밭에 떨어지는 사고를 당하고 두 사람 모두 큰 부상을 입었다. 김복희는 얼굴을 다쳐 피투성이가 됐을 정도였다. 헌병들은 두 사람의 상처가 아물기를 기다려 헌병대 분견소로 끌고 갔다. 김복희에 따르면 백암리 봉화 시위에서 실형을 선고받은 사람은 김복희와 한연순뿐이었다. 두 여성이 시위 주도자로 파악됐기 때문이다.

김복희는 공주감옥에 수감됐고 그곳에서 유관순을 만나 함께 수감 생활을 했다. 감방에서 나온 뒤에도 애국과 독립에 대한 김복희의 열정은 이어졌다. 결혼한 뒤 남편을 따라 자리 잡은 경기 화성군에서 천곡교회 강습소의 교사로 활동하면서 계몽운동에 나섰다. 그보다 앞서 강습소의 교사로 일한 사람은 심훈의 장편소설《상록수》의 주인공 모델이 된 최용신이었다.

"조선의 정의와 인도에 근거해서 행동했다"

아산의 봉화 시위는 4월 2일에도 있었다. 아산에서 전개된 시위 중 가장 격렬했던 신창면 학성산의 만세운동이 이때 일어났다. 이덕균의 주도로 학성산에 모인 주민 200여 명은 봉화를 피우고 1시간여 동안 "대한 독립 만세"를 불렀다. 이덕균이 "만세를 부르는 이유를 알고 있느냐"라고 묻자 군중은 모른다고 대답했다. 그러자 이덕균은 "강화회의에 임하여 한국의 독립을 운동하고 있고 이에 최근에 독립하기에 이르러서 그 때문에 나는 만세를 부르는 것"이라고 외쳤다. 그는 이어 "산 위에서 불러서는 해결되지 않으니 지금부터 가서 관청을 파괴하자"고 말했다.

산을 내려갈 때 사람들의 손에는 돌이 쥐어져 있었다. 면사무소를 향한 투석으로 인해 미닫이문이 부서졌고, 헌병 주재소의 유리창도 깨졌다. 신창보통학교로 이동한 시위대는 교정에서 독립 만세를 크게 외쳤고, 학교장이 학교에서 만세를 부르지 못하게 제지하자 격렬하게 항의했다.(김진호 외, 《한국독립운동사의 역사》) 당시 재판 기록에 따르면 교장 무나가타는 학교 유리창 272장, 미닫이문 4장이 파괴됐다고 증언했다.

아산 3·1운동이 절정에 이른 것은 4월 4일 선장면의 만세운동이다. 선장면은 바닷가와 접한 지역이었고 장날이면 인주면, 신창면, 도고면 주민들과 인근 당진 사람들도 모여들던 곳이다. 포구에는 생선이나 해산물을 실은 배가 드나들었고 장꾼들은 이 수산물을 가져다가 장터에서 판매했다.

선장 만세운동을 이끈 인물 중 주목할 만한 사람은 정수길(1895~1979)이다. 그는 동학농민전쟁에 참여했던 정태영의 아들이다. 일찍이 지역의 동학 지도자로 주목받았던 부친을 따라 천도교에 입교한 그는 10대 때 신창의 사립학교에서 신학문을 익히면서 계몽의식에 눈떴다. 그에게 지역민들과 독립선언을 하기로

충남 아산 선장면에 조성된 4·4만세운동기념공원.

뜻을 모으고 만세 시위를 계획한 것은 자연스러운 일이었다.

4월 4일 오후 3시 선장면 군덕리. 김천봉 등 4명은 장터에 모인 군중들에게 조선독립시위운동에 함께하자고 절규했다. 200여 명이 호응했고 곤봉을 휘두르는 주도자들을 따라 헌병 주재소로 이동했다. 주재소에 도착한 군중들은 구내로 몰려가 건물과 창에 돌을 던지는 등 격렬한 시위를 펼쳤다. 만세 군중이 해산한 것은 헌병의 발포로 시위 참가자 최병수가 목숨을 잃은 뒤였다.

선장면에 세워진 기미독립 무인멸왜운동 기념탑은 선장면의 4·4만세운동을 기리고 무인멸왜운동을 기념하는 탑이다. 무인멸왜운동이란 1938년(무인년) 천도교에서 일제의 패망과 우리나라의 독립을 기원하면서 독립 자금을 모금했던 운동을 의미한다. 선장 만세 시위에 참여했던 정수길은 무인멸왜운동에도 앞장섰다가 일제 경찰에 체포돼 고문을 당했다. 정수길과 함께 선장 만세운동을 주도한 김천봉은 재판 과정에서 "나의 행위는 조선민족의 정의(正義)와 인도(人道)에 근거하여 의사 발동한 것으로 범죄가 아니다"라며 당당히 맞서기도 했다.

노제(路祭)

우리도 망국의 한을 풀게 되었다

충남 청양군 화성면 수정리 물안이마을 입구엔 태극기 12기가 날리고 있다. 수정리(水汀里)가 우리말로 옮겨진 물안이마을은 주민이 50명도 채 안 되는 곳이다. 이 작은 마을에서 12명의 애국지사가 나왔다. 12기의 태극기는 이들을 상징한다.

물안이마을은 청양 독립운동의 특징을 고스란히 보여준다. 청양은 일제강점기 충남에서 인구가 가장 적을 정도로 군세(郡勢)가 열악했지만 176명의 독립유공자(2016년 기준)를 배출했다. 충남에서는 두 번째, 전국에서는 세 번째(안동 339명, 홍성 201명)로 많다. 김진호 충남대 충청문화연구소 연구원에 따르면 3·1운동

12명의 애국지사를
배출한 충남 청양
물안이마을 입구에
세워진 12기의 태극기.

때 일제에 체포돼 태형 처분을 받은 청양 인사 중 최고 태형인 태(笞) 90도(度)를 당한 사람은 50퍼센트가 넘는다. 그만큼 일제에 대한 저항 의식이 큰 지역이었다는 뜻이다.

"우리는 스스로 나라를 다스린다"

3·1운동이 전국으로 확산될 즈음 정산면 백곡리에 살던 19세 청년 홍범섭이 상경했다. 종로의 한 여관에서 독립선언문을 입수한 그는 귀가해 이웃 청년들을 집으로 불렀다. 이 자리에서 홍범섭은 경성의 정세를 설명하고 "우리도 망국의 한을 풀게 되었다"고 밝혔다. 청년들은 함께 독립선언문을 읽어 내려갔고 태극기 10장을 만들었다. 청양에서 가장 큰 규모로 펼쳐진 정산면 서정

리 장날 만세운동의 시작이었다.

4월 5일 오후 3시 청년들은 시장에 모인 사람들에게 태극기를 나눠 주면서 "대한 독립 만세"를 외쳤다. 만세운동이 전국적으로 확산하자 일제는 조기 진압 방침을 세우고 장이 서는 곳마다 경찰이나 헌병을 파견했다. 정산시장에도 일제 헌병들이 경계를 서고 있었다. 홍범섭 등 주도 인사 10여 명이 서로 손을 잡고 만세를 외치면서 시장으로 들어서자 일제 헌병들은 즉시 제압에 나섰다.

하지만 청년들은 포기하지 않았다. 15분 뒤 태극기를 흔들고 만세를 외치면서 다시 시장 진입을 시도했다. 이번에는 장꾼 100여 명도 호응했다. 헌병들이 또다시 제지에 나섰지만 시위대를 막을 수는 없었다. 진압이 어렵다고 판단한 헌병들은 주도 인사들을 체포해 파견대로 연행했다.(김상기 외,《청양의 독립운동사》) 이때 권홍규(1852~1919)가 앞장서기 시작했다. 독립의군부 청양군 대표로 활동했던 그는 만세운동 당시 정산향교 직원으로 근무하고 있었다. 죽음을 각오한 그는 쌀 한 말을 구해 가족에게 주고 집을 나섰다.(독립운동사편찬위원회,《독립운동사》)

헌병대를 따라가면서 항의하는 과정에서 시위대 규모는 700여 명 수준으로 늘어났다. 정산으로 들어가는 시장 북쪽 길목에 위치한 헌병대 주재소 앞에서 권홍규는 "우리나라는 독립하여 스스로 나라를 다스리니 빨리 물러가라"며 크게 소리쳤다. 구금자 석

정산면사무소 입구에 세워진
기미의사 권홍규 선생 순열비.
(사진 제공: 청양군청)

방 요구가 점차 거세지자 헌병들은 공포탄을 2차례 발사하면서
해산을 종용했다. 이에 67세 노인 권홍규는 앞가슴을 풀어헤치고
헌병들 앞으로 나서며 연행자를 내놓으라고 외쳤다. 헌병이 그를
향해 총격을 가했다. 권홍규는 왼쪽 팔에 총상을 당하고도 계속
앞가슴을 내밀면서 항거했다. 헌병이 다시 권홍규의 앞가슴을 향
해 총을 쏘았고 그는 현장에서 숨졌다. "이날 밤은 유난히도 비가
많이 왔다"고《독립운동사》는 적고 있다.

운구 행렬이 만세 시위가 되다

권홍규의 순국은 정산면 시위가 다음 날까지 이어지는 기폭제가 됐다. 시장 사람들이 권흥규의 시신을 헌병들로부터 인수해 목면 안심리에 있는 고인의 자택으로 운구했다. 권흥규의 친척 권영진이 명정(銘旌)에 다음과 같이 썼다.

배일사권공지구(排日士權公之柩, 일본을 배척했던 선비 '권'공의 관).

대한 독립 만세 깃발과 많은 만장(輓章)들이 운구 행렬을 이뤘다. 헌병 파견대를 떠난 군중 300여 명은 정산시장에서 "대한 독립 만세"를 소리 높여 부르고 자택으로 가는 길목마다 노제(路祭)를 지내고 통곡했다. 집으로 가는 15리 길을 군중들이 뒤따르며 독립 만세를 외치고 태극기를 흔들며 행진했다. 운구 행렬이 만세 시위가 된 것이다.

분위기가 심상치 않다고 여긴 파견대 헌병들은 청양 헌병 분견소와 공주 수비대에 지원을 요청했다. 공주에서 출동한 헌병과 수비대 보병들이 주민들과 맞부딪쳤다. 호곡(號哭) 대신에 독립 만세를 부르는 운구 행렬이었다. 무차별 사격이 가해졌고, 그 자리에서 고인의 조카딸과 상여꾼 등 5명이 숨졌다. 고인의 딸은 적의 칼날을 손으로 막다 손가락이 잘렸고 볼에 총알이 관통했지만 겨우 죽음은 면할 수 있었다.(독립운동사편찬위원회,《독립운동사》)

운구 행렬은 밤이 돼서야 고인의 자택에 닿았다.《청양의 독립운동사》에 따르면 이날 만세를 부르며 운구 행렬에 참여한 인사와 문상객은 1천여 명에 달했다. 곧 대대적인 검거가 시작됐고 권영진이 '배일사권공지구'를 썼다는 이유로 붙들리는 등 166명이 체포됐다. 옷에 황토가 묻은 사람은 시위한 증거로 붙잡힌다는 소문이 나돌아 옷을 갈아입는 주민들도 있었는데, 갈아입은 사람도 수상하다며 검거됐다. 《독립운동사》에서는 정산면 만세운동 때의 순국자와 옥고를 치르고 태형을 받은 사람들의 명단을 2쪽에 걸쳐 소개하고 있다.

신분과 직업을 초월한 만세운동

정산면 장터에서 만세운동이 벌어진 4월 5일 화성면에서도 만세의 함성이 울려 퍼졌다. 화성면 산정리 마을 주민 30여 명이 태극기 2기를 세워놓고 큰 종을 울리면서 "대한 독립 만세"를 외친 게 화성면 시위의 시작이었다.

화성면의 만세운동은 사흘 동안 계속됐다. 이튿날인 4월 6일에는 전날 만세운동을 주도한 인사들이 오전 10시 화성면사무소에 모였다. 면사무소에서는 증축 공사가 한창이었다. 시위대는 작업 인부 20여 명을 향해 "조선은 이미 독립하였으므로 증축하는 것은 필요하지 않다"면서 공사를 중단시켰다. 이어 이미 증설된 부분을 부수면서 독립 만세를 외쳤다.(한국독립운동정보시스템, 〈한국독립운동의 역사〉) 4월 7일에는 화성면 농암리에서 인근 화암리와 수정리 주민 70여 명이 함께 모여 만세운동을 벌였다. 수정리는 물안이마을이 있는 곳이다.

4월 8일 화성면 화강리 김용학의 집에서 열린 결혼식에선 하객으로 참석한 21세 청년 강학남이 구장 이병규에게 만세를 권유하다 다투는 일도 생겼다. 강학남은 인접 마을에서 계속 만세운동이 전개되자 자신의 마을에서도 이를 거행하고자 했다. 젊은 나이였기에 그는 구장 등 지지 세력이 필요했다.

"화성면의 농암리, 산정리에서는 조선 독립 시위운동이 맹렬하고 대한국 독립 만세를 부르고 있는데도 어찌하여 유독 이 마을에서는 행해지지 않는가? 함께 주창자가 되어 독립 만세를 크게 외치자."

하지만 이병규는 "무익한 일을 하지 말라"며 강학남의 요구를 거절했다. 동석한 주민 김학성도 "너 혼자 불러라"라며 그를 질책했다. 분개한 강학남은 귀가하려는 이병규를 붙잡고 "꼭 주창자가 되어 만세를 외치라"면서 옷을 잡아끌고 머리를 붙잡으면서 때렸다. 이병규가 입고 있던 두루마기가 몇 조각으로 찢겼다.

다른 지역보다 늦게 만세운동을 시작했지만 연일 집중적으로 독립만세운동을 펼친 것은 청양 지역의 두드러진 특징 가운데 하나다. 정산면과 화성면뿐만 아니라 비봉면과 운곡면에서도 이틀에 걸쳐 만세 시위가 이어졌다. 더욱이 일제 당시 군 거주 인원이 많지 않던 청양에서 연인원 5,700여 명이 독립만세운동에 참여한 것은 지역민들의 뜨거운 항일정신을 보여주는 증거라는 게 전문가들의 평가다.

김진호 연구원은 "청양 만세운동은 군내 각 면 주요 마을 주민들의 적극적인 참여로 전개됐으며, 참여자들은 양반과 상민, 농민과 백정, 음식점 경영자 등을 아울렀다. 신분과 직업 등을 초월해 독립을 위해 지역민들이 함께 만세를 외쳤던 것"이라고 말했다.

열사(烈士)

피 끓는 함성

강원 홍천군 내촌면 동창로(東倉路)에 위치한 기미만세공원은 100년 전 3·1운동이 펼쳐진 현장이다. 공원 입구에는 순국 8열사(八烈士) 기념비가 세워져 있다. 만세운동에 참가했다 일제의 총탄에 순국한 이순극, 전영균, 전기홍, 이기선, 이여선, 연의진, 김자희, 양도준 등 8열사의 이름이 기념비에 올라 있다.

공원 한쪽에 서 있는 '동창마을의 기미 만세상'에는 문학평론가 윤병노 교수가 지은 글이 새겨져 있다.

1919년 4월 3일 정오, 이 고장이 배출한 천도교인 김덕원 의

사가 선봉에 서서 대한 독립 만세를 절규하여 천지를 진동
시켰으니 이날 이 거사는 온 마을을 태극기의 물결로 뒤덮
이게 했다. 아아 어찌 잊으랴! 이날 동창마을 김덕원 의사와
함께 외친 5개 면민 수천의 피 끓는 함성과 일제 헌병의 총
탄에 희생이 된 8열사의 충혼의 넋을……! 여기 옷깃 여미
며 추모한다.

홍천의 8열사

동창로의 옛 주소는 물걸리(物傑里)다. 이 지역은 조선시대 중
종 때 대동미 창고가 있었던 이유로 물걸리보다는 동창마을로 불
렸다. 물걸리는 강원도 내륙 교통의 중심지로 홍천군의 내촌면,
화촌면, 서석면, 그리고 인제군의 기린면과 내면 등 인근 일대를
연결해주는 사통팔달의 요지였다. 마방(馬房)과 상설시장, 주막
이 들어서 있어 주변 지역 사람들이 모여들었고, 자연스럽게 3·1
운동의 중심지가 됐다.
　홍천군의 만세운동은 조금 늦게 시작됐다. 내륙 깊숙이 위치했
기 때문에 당시 경성의 3·1운동과 이틀 뒤 고종의 인산에 대한
소식이 전달되기까지 시간이 다소 걸린 탓이다. 물걸리의 천도교
도인 김덕원과 전성렬은 같은 교도 전우균과 이문순을 연락책으

로 삼아 인근 5개 면에 연락하며 거사를 준비했다. 그 와중에 홍
천읍에서 1919년 4월 1일 만세운동이 일어나자 이들은 4월 3일
을 거사일로 정했다.

마침내 약속한 날이 밝자 아침부터 사방에서 군중이 모여들었
다. 지금의 팔열각과 그 옆 다리목을 중심으로 마을을 가득 채운
인원은 최소 1천여 명에서 많게는 수천 명에 달할 것으로 추정된
다. 약방과 글방이 있던 전영균의 집에는 큰 태극기가 높이 게양
됐고, 군중은 모두 손에 수기를 쥐고 있었다. 이문순이 독립 만세
를 선창하자 뒤이어 만세 함성이 마을을 뒤흔들었다.

이때 지금의 초등학교 뒷길을 따라 도관리 헌병 주재소의 헌병
7명이 헌병 보조원 홍재호와 박연홍을 앞세우고 들이닥쳤다. 헌
병이 시위대를 향해 일제히 발포하니 시위대는 놀라지 않을 수

강원 홍천군 내촌면 동창로
기미만세공원 입구의 8열사 기념비.

없었다. 현장에서 8명이 사망했고, 20여 명이 다쳤다.

일련의 만세운동이 벌어진 뒤 홍천군 전체에서 일제는 대대적인 검거 활동에 나섰다. 하지만 독립의 열망은 식을 줄 몰랐다. 11일 내촌면 소재지인 도관리에서는 밤중에 수십 명이 산 위에 올라가 봉화를 올리고 독립 만세를 외쳤다.

천도교와 기독교의 연합

물걸리에 앞서 홍천읍과 북방면, 동면에서 만세 시위가 벌어졌다. 특히 홍천읍 만세 시위는 천도교와 기독교가 공동으로 계획하고 추진해 눈길을 끈다. 2017년 작고한 사학자 조동걸 교수는 저서 《태백항일사》에서 "강원도에서 기독교와 천도교가 공동으로 계획을 추진한 것은 횡성과 홍천읍의 경우뿐이다"라고 소개했다.

고종 황제 인산에 참례하러 갔다가 3·1운동을 목격하고 돌아온 감리교인 차봉철과 서상우, 천도교인 오창섭 등 11명은 차봉철의 집에 모여 독립 만세 시위를 결행하기로 했다. 이들은 2차례 모임을 더 갖고 역할을 분담했다. 감리교회는 홍천읍, 천도교회는 북방면을 각각 맡아 홍천읍 장날인 4월 1일에 동시 시위를 벌이기로 했다.

기독교도들은 태극기 수기를 만들고 천도교인들은 큰 태극기를 만들었다. 거사일인 4월 1일, 홍천읍과 북방면에서 주민들이 홍천읍 신장대리의 장터로 모여들었다. 이들은 때마침 인근 지역 농민들이 도로공사 부역 때문에 홍천읍에서 인제로 가는 방향으로 10리 정도 되는 곳에 동원돼 있어 부역 인부를 가장했다. 오후 1시경 기독교인이 준비한 작은 태극기들이 장꾼들에게 배포되었다. 이윽고 천도교인이 만든 커다란 태극기가 높이 솟아오르자 터질 듯한 만세 함성이 산천을 뒤흔들었다.

시위대는 장터에서 군청으로 나아갔다. 군청 앞에 모인 시위대는 군청에 들어가 군수 김동훈을 찾았지만 이미 도주한 뒤였다. 이때 북방면에서 도로 부역을 하고 있던 농민들이 신작로를 따라 읍내로 들어왔다. 이들은 읍내에서 독립만세운동이 시작됐다는 소식을 듣자마자 삽과 괭이를 들고 읍내로 달려왔다. 4개 마을에서 부역 나온 약 200명의 시위대는 읍내에 들어선 뒤 도망 중이던 군수 김동훈을 찾아내 그가 차고 있던 칼을 부러뜨리는 등 위력을 행사했다. 《태백항일사》에 따르면 당시 홍천읍내는 독립 축제의 한마당 같았다.

그날 오후 춘천에서 일제 수비대가 도착하자 숨죽이고 있던 현지 일제 헌병들은 시위대 진압에 나섰다. 시위대는 홍천 헌병 분견소로 밀고 나아갔지만 일제의 총칼 앞에 더 이상 전진하지 못했고, 시위대 일부(33명)가 체포되면서 해산했다.

동면의 만세운동은 민씨 문중이 계획했지만 면민이 대거 참가했다. 4월 2일 만세 시위로 기세가 오른 만세 군중은 3일 홍천읍으로 진행하려고 했지만 일제 헌병과 수비대가 나타나 대치하게 됐다. 이 과정에서 민병숙과 민병태가 일제 헌병의 총을 빼앗으려다 총탄에 희생됐다. 흥분한 군중은 면사무소를 부수며 맞섰지만 일제의 총탄에 밀려 물러나고 만다.

홍천읍 장전평로 무궁화공원에는 또 다른 3·1운동 기념비가 있다. 동아일보가 1979년에 세운 것이다. 조각가 김영중의 작품으로 곧은 대나무의 이미지를 살려 우리 민족의 기개를 표현했다. 홍천향토사료관 향토해설사 허병직 씨는 "홍천은 의병운동과 동학농민전쟁은 물론이고 6·25전쟁의 격전지로 나라를 지키려는 호국(護國) 의식이 치열했다"고 말했다.

동아일보가 홍천군 홍천읍
장전평로 무궁화공원에
건립한 3·1운동 기념비.

만세고개
피로 얼룩진 고갯길

현북면사무소 일부 관리들의 만류로 옥신각신하다가 그 계획을 변경하여 기사문리 주재소를 공격하기로 하고 약 천명의 군중이 관고개(關峴) 길을 따라 넘어 선두는 이미 기사문리 주재소 앞에서 왜경들과 몸싸움을 벌이며 천지가 진동하는 만세를 연호하고 있었다. 이때 언덕 밑 계곡 숲속에서 미리 잠복하고 있던 일제 수비대와 경찰이 무차별 발포하여 현장에서 9명이 피살되고 20여 명이 중경상을 당하였으니 그 참상은 천인이 공노할 만행이었다.

강원 양양군 '만세고개' 한쪽에 서 있는 비에 적힌 글의 일부다. 양양군은 1919년 독립만세운동에 참여한 이들의 애국애족 정신을 기리기 위해 시위의 현장 만세고개에 유적비를 세웠다. 태극기를 새긴 타원형의 주비(主碑)에는 만세를 부르는 주민들의 군상이 조각돼 있다.

9명의 피로 만들어진 만세고개

이 시위는 양양군에서 가장 많은 사상자를 냈다. 양양의 기미만세운동은 4월 4일 양양의 장날부터 결행돼 남녀노소 종파 신분의 구별 없이 일심동체가 되어 진행됐고, 요원의 불길처럼 각 면으로 확산됐다. 4월 9일 현북면에서도 궐기대회가 끝난 뒤 양양읍 장마당에서 군중과 장꾼들이 합세해 만세운동을 벌일 계획이었다. 유학자 박원병 형제와 감리교회 청년 오세옥, 이응렬 등이 손을 잡고 면내의 유지 임병익, 오정현과 합세했다. 각 마을의 구장(이장)들도 큰 역할을 했다. 이날 각 마을 구장들의 인솔 아래 하광정리 면사무소에 모인 1천여 명의 시위대는 소리 높여 만세를 부르고 기사문리에 있는 주재소로 향했다. 일제는 현북면 일대의 치열했던 당시의 시위를 이렇게 기록했다.

4월 9일 양양군 현북면 기사문주재소를 습격한 폭민(暴民)은 면장을 협박하기를 심히 하여 면장은 부득이 일시 사무를 중지하고 피난 중이다.

미리 시위 정보를 입수한 일제 경찰은 언덕에서 군중을 향해 총격을 했다. 사망자 9명, 부상자 20여 명이 발생하고 시위 현장은 피바다가 됐다. 전원거, 임병익, 홍필삼, 고대선, 황응상, 김석희, 문종상, 진원팔, 이학봉 등이 희생됐다.

양양군은 강원도뿐만 아니라 전국으로 범위를 넓혀도 규모나 내용 면에서 3·1운동이 전개된 지역 가운데 가장 치열했던 곳 중하나다. 양양군에 따르면 4월 4일을 시작으로 9일까지 6일 동안 1만 5천 명이 넘게 시위에 참여했다. 당시 군 인구는 3만 6천 명으로 추산된다. 시위 때 집집마다 한 사람은 나온 셈이다. 이 과정에서 13명의 사망자와 50여 명의 부상자가 발생했고 체포자는

강원 양양군 현북면 만세고개의
3·1운동 기념물. 일제의 총탄에
9명이 이곳에서 순국했다.

부지기수였다.

특히 4월 5일 대포항 만세 시위에는 1천여 명이 모여 시위를 한 결과 경찰이 완전히 굴복하고 사죄했다. 군중이 다음 날 양양읍에서 다시 모이기로 다짐하고 해산했을 정도다. 또 4월 6일 시위대가 제지하는 군대를 밀어내고 읍내 경찰서로 몰려가자 경찰서장이 "일본은 물러갈 테니 만세만 부르고 돌아가달라"고 애원해 군중이 시위만 벌이고 저녁때 돌아가기도 했다.

유림의 이석범과 기독교의 조화벽

양양은 동학농민운동 때 반(反)동학군이 결성될 정도로 유림의 영향력이 강하고 보수적인 지역이었다. 보수적인 이곳에 1906년 남궁억이 군수로 있으면서 현산학교를 설립했다. 이 학교는 학생 수가 200명에 이를 정도로 급속히 발전했다. 신문화 바람과 함께

양양의 만세운동을 이끈
유림 이석범 선생과
기독교의 조화벽 지사.
(사진 제공: 양양문화원)

양양읍 성내리와 강현면 물치리, 현북면 상광정리에 교회가 들어왔다. 그중 양양감리교회는 3·1운동 당시 독립선언서를 전달하는 등 큰 역할을 한 조화벽(1895~1975)의 아버지 조영순 전도사가 이끌던 교회로 많은 청년이 모여들었다. 개화 바람이 커지자 반동학군을 주도했던 이석범(1859~1932)은 쌍천학교를 세워 유교적 사상과 문화를 지키고자 했다. 이처럼 양양은 유교와 기독교 세력으로 나뉘었으나 나라를 되찾자는 대의 아래 하나로 뭉쳤다. 두 세력 사이에서 가교 역할을 했던 사람들은 현산학교와 쌍천학교, 양양보통학교의 초기 졸업생들이었다.

이석범은 고종 황제의 인산에 참례하고 돌아올 때 독립선언서를 가져온 뒤 거사를 추진했다. 그는 아들 이능렬과 김영경, 장세환 등 쌍천학교 졸업생들에게 주요 임무를 맡겼다. 이석범은 문중의 큰 부자였던 이교완의 집을 본거지 삼아 최인식 등 30세 전후의 청장년을 모았다.

3월 말경 조화벽은 개성에서 돌아올 때 독립선언서를 버선 속에 숨겨왔다. 개성 호수돈여학교에 다니던 그는 기숙사생으로 구성된 비밀결사대원으로 활동하다 일제의 휴교 조치로 고향으로 향했다. 이 선언서는 면사무소에 근무하던 교회 청년 김필선에게 전해졌다. 김필선은 같은 양양보통학교 졸업생이자 교우(敎友)들인 김재구, 김규용, 김계호 등을 모았다. 이들은 면사무소 등사판을 이용해 독립선언서를 복사하고 교회 인근 상여 보관처에 숨어

태극기를 만들었다. 그러던 중 최인식과 연락이 닿아 합동으로
거사를 추진하게 됐다.

하지만 4월 3일 일제 경찰들이 급습해 태극기를 만들던 사람들
과 총지휘자 이석범을 비롯한 22명을 체포했다. 체포를 피한 최
인식과 김필선 등은 거처를 옮겨 밤새 준비했고, 4월 4일 계획대
로 큰 시위가 벌어졌다.

조화벽은 훗날 유관순 열사의 오빠인 유우석과 부부의 연을 맺
었고, 항일독립운동으로 구금과 석방을 되풀이한 남편의 옥바라
지를 했다. 1932년 양양으로 돌아온 조화벽은 정명학원을 설립
해 가난한 아이들을 가르치는 데 헌신했다. 이 학교는 일제 탄압
으로 1944년 폐교되기 전까지 600여 명의 졸업생을 배출했다.

이철수 양양문화원 부설 향토사연구소 소장은 "양양 만세운동
을 주도한 유림과 기독교 세력은 정서적으로 물과 기름의 관계일
수도 있었지만, 국권 회복을 위해 그 차이를 뛰어넘어 하나로 뭉
쳤다"며 "청년 그룹이 두 세력을 연결하며 핵심 역할을 했다"고
밝혔다.

함흥기 열사, 서장에게 화로 던지려다 순국

4월 4일은 양양 장날이었다. 양양읍에 들어오는 통로 5개를 따

라 인근 각지에서 만세 군중과 장꾼들이 모여들었다. 읍내에서 만세운동이 일어났다는 소식을 듣고 들에 나가 있던 농부들도 모여들었다. 점심때에 이르러 만세 군중은 더욱 불어났고, 특히 경찰서와 군청 주변은 물론이고 뒷산에도 군중이 모여 독립 만세를 외쳤다.

군중은 경찰서와 군청을 에워싸고 임천리에서 체포한 22명을 비롯한 감금자 석방을 요구했다. 몇 사람은 경찰서에 들어가 경찰서장에게 항의하기도 했다. 이 과정에서 손양면 가평리 구장 함홍기는 일본 경찰서장에게 화로를 들어 던지려다 일본 경찰 2명에게 양팔이 잘린 뒤 목이 찔려 죽었다. 그의 시신은 경찰서 내 복도에 가마니로 덮여 있다가 10여 일 뒤 가족에게 인계됐다. 마을 주민이 모인 뒤 장례를 치렀으나 일본 경찰은 동네 주민이 모여 울었다는 이유로 관을 깨버리는 만행을 저질렀다.

당시 양양의 만세운동에는 유림과 기독교 세력뿐 아니라 천도교와 불교도 가세했다. 일제의 기록과 당시 증언 등에 따르면 4월 7일 오후 2시 반 천도교도를 중심으로 약 300명의 군중이 운동을 개시해 양양읍내에 들어오자 일제 경찰은 주모자 4명을 체포했고, 시위대는 해산됐다. 낙산사 승려들도 이날 오후 7시 바라 소리와 더불어 전 승려들이 등불을 들고 만세운동을 펼쳤다.

양양 만세운동의 발상지,
양양감리교회

조화벽 지사가 활동한 곳으로 유명한 양양감리교회는 기독교계에서 민족구국제단을 표방하는 대표적 교회다. 이 교회 입구 표지석에는 "이곳은 1901년 10월 5일 하디 선교사가 설립한 교회로서 한국의 초대교회를 계승한 민족구국제단이며 1919년 양양 만세운동의 발상지입니다"라고 새겨져 있다.

설립 당시 이곳은 강원도 최초의 교회로, 70제곱미터(약 20평) 남짓한 기와집으로 시작했다가 여러 번 개축을 거쳐 2011년 지금의 6층 건물로 바뀌었다. 내부에서는 이 교회가 겪어온 역사를 엿볼 수 있다. 1층에는 조화벽 기도실, 2층에는 3·1운동 당시 담임 목사의 이름을 딴 김영학홀, 3층에는 본당인 하디 예배실이 있다.

이 교회 이재풍 장로는 "본당 제대 앞에는 옛 교회당의 돌들을 가져다놓았다"라며 "교회가 신앙뿐 아니라 구국을 위한 제단이었음을 기억하기 위한 것"이라고 설명했다.

격문(檄文)

원수의 노예 되어 한 하늘을 일 것인가

원주는 서울에 인접한 강원도의 주요 거점 도시로 1919년 3·1운동이 지방으로 확산될 때 일제의 집중적인 감시와 견제를 받았다. 일제가 경계를 더욱 강화하는 계기가 된 사건도 일어났다. 고종의 서거 소식을 들은 원주공립보통학교 학생들이 조의를 밝히고자 삼베로 만든 상장(喪章)을 달고 다니다가 제지를 당한 것이다. 이어 4학년 김정열 학생이 태극기를 만들어 만세운동을 일으키려고 계획하다가 하시구치 류타로 교장에게 발각됐다. 이로 인해 3월 16일 춘천 79연대 소속 보병 20명이 원주에 증파되었다. 자연히 원주에서 만세운동을 하기란 쉽지 않았다.

노림의숙 졸업생들이 외친 독립 만세의 함성

원주시 부론면 노림리는 문막읍과 흥호리를 동서로 10리 정도에 두고 중간쯤에 있다. 일제 초기까지 노림리에 부론면사무소가 있었지만 3·1운동 당시의 면사무소 소재지는 흥호리였다. 1930년대에는 현재의 법천리로 면사무소가 옮겨졌다.

노림리에 있는 노림초등학교 건물은 옛 노림의숙 자리다. 노림리에 노림의숙이 세워진 것은 일제강점기 초기인 1915년이었다. 멀지 않은 문막읍에 보통학교가 있었지만 노림리에 사립학교를 세운 것은 민족교육에 대한 기대 때문이다. 당연히 노림의숙에서 채용한 교사는 항일사상가들이었다.(독립운동사편찬위원회,《한국독립운동사: 3·1운동사》)

노림의숙 교사 홍남표와 어수갑은 1919년 3월 3일 고종 인산에 참석하기 위해 서울에 갔다가 돌아오면서 독립선언서를 가져왔다. 두 선생은 노림의숙의 제1회 졸업식이 열리던 3월 22일 졸업생 40여 명에게 독립선언서를 나눠 주었다. 신교육의 세례를 받은 학생들의 가슴에 곧장 불이 댕겨졌고, 이는 원주 최초의 만세운동으로 이어졌다.

졸업식이 있고 닷새 뒤인 3월 27일 원주 군수 오유영이 부론면사무소에서 시국 강연회를 열었다. 일제가 민심의 동요를 막기 위해 말단 관리들에게 지시한 일이었다. 강연을 듣던 노림의숙 졸업생들은 그 자리에서 항거하려 했지만 부론면 면서기 유필준에게 저지당했다.

이에 노림의숙 졸업생들은 곧바로 노림리로 돌아와 다시 항거 준비에 들어갔다. 한범우, 한돈우, 정현기, 김성수 등 졸업생들은 '대한 독립 만세'라고 쓴 깃발을 만든 뒤 길목에서 군수 오유영을 기다렸다. 당나귀를 탄 군수가 보이자 졸업생들은 목청껏 만세를 부르기 시작했다. 이들은 철원에서 군수가 군중과 함께 만세를 불렀다는 사실을 밝힌 뒤 "당신은 어찌하여 만세를 부르지 않느냐. 함께 '조선 독립 만세'를 부르자"라고 외쳤다.(오영교·왕현종, 《원주독립운동사》)

졸업생들은 독립운동의 정당성을 놓고 군수와 논쟁을 벌였다. 급히 문막읍으로 돌아온 군수 오윤수는 일제 헌병을 출동시켰다. 이로 인해 시위를 주도한 한범우가 체포돼 징역 10개월의 옥고를 치렀다.

"겨레 위해 굴하지 않을 때는 죽음도 가볍다"

3·1운동 당시 원주읍에는 헌병부대가 주둔하고 있었고, 헌병 파견소가 신림면 문막읍 호저면에, 헌병 출장소가 부론면에 각각 설치돼 있었다. 원주 지역에 설치된 경찰기관은 5개, 헌병 인력은

65명 정도였다. 그만큼 경비가 삼엄했다는 뜻이다.

원주읍은 만세운동이 일어나기 어려운 구조였다. 하지만 이 때문에 원주 지역의 3·1운동은 다른 곳과 차별화된 모습을 띤다. 원주는 구한말 치열한 의병투쟁이 전개됐던 곳으로 일제에 대한 저항정신이 뿌리 깊은 곳이었다. 지방으로 확산된 만세 시위에 대한 열기가 원주 지역에도 달아오르지 않을 리 없었다.

1919년 3월 30일 조선총독부 내무부에 "원주읍내 시장은 본일 개시일인데 3천, 4천 명의 집합을 예상하며 형세 불온하므로 경계 중"이라는 보고가 올라온다. 만세운동이 폭발 직전이라는 의미였다. 하지만 일제가 경계수위를 높이자 읍내에서 시위는 일어나지 않았다. 그 대신 마을 단위 봉기가 이어지기 시작했다.

그중 소초면은 규모가 커 눈길을 끈다. 이곳의 시위는 강원 횡성군에서 일어난 만세운동의 직접적인 영향을 받았다. 소초면은 지리적으로 횡성과 가까웠고 왕래도 잦았다. 3월 27일과 4월 1일 횡성에서 만세운동이 일어났을 때 소초면 주민들은 장을 보러 갔다가 자연스럽게 시위에 참여했다. 이 과정에서 일본 수비대의 발포로 소초면 둔둔리 주민인 강달회와 하영현이 사망했다. 소초면에서 만세운동이 일어나게 된 촉발제였다.

4월 3일 두 사람의 장례식 때 둔둔리의 서당 훈도로 있던 의병 출신 박영하가 평장리 주민 신현철에게 만세운동 계획을 담은 서신을 보낸 뒤 면내에 격문을 뿌렸다. "각자가 분발하고 마음과 뜻을 다하여 나라를 내 몸 사랑하듯 하라. 노예로 사는 것이 죽음보다 좋을쏘냐? 모든 사람의 마음을 하나로 뭉치면 죽음 속에서도 삶의 길을 찾느니라"라는 내용이었다. 그는 이후에도 주민들의 참여를 이끌어내기 위한 격문을 지어 곳곳에 붙였다.

> 나라 위해 소중히 쓰일 때는 내 목숨 또한 크고, 겨레 위해 굴하지 않을 때는 죽음 또한 가볍도다. 원수의 노예 되어 한 하늘을 일 것인가. 유사무생하게 된 기막힌 운명 민족정기 가다듬어 자주독립 외쳐보세. (황주익, 《내 고장 내 겨레》)

박영하의 편지를 받은 신현철도 지인들을 동원해 인근 의관리와 장양리, 평장리 교항리에 만세운동 계획을 알렸다. 소초면 마을 중 수암리는 제외됐다. 소초면 관할 헌병 주재소가 있는 곳이었기 때문이다.

4월 5일 군중이 면사무소로 향하는 부채고개에 모였다. 《한국독립운동사》에선 "교항리 주민들은 때마침 마을에 장례식이 있어 오후에 도착했고 술도 약간 취하였다"고 기록하고 있다. 300여 명의 군중은 만세를 외친 뒤 면사무소에 가 면장을 끌어내 만세를 부르게 했다. 과격한 농민 일부가 면장에게 덤벼들어 험악한 분위기가 조성됐으나 박영하의 선창으로 만세 소리가 폭발하니 "대한 독립 만세"의 외침에 마음을 모았다.

소초면행정복지센터에 건립된
소초면 독립만세 기념비.

이날 시위 참가자들은 오후 5시에 해산했지만 뒤늦게 소식을 들은 수암리 헌병 주재소에서 각 마을을 다니면서 만세 가담자들을 찾기 시작했고, 박영하와 신현철을 비롯한 17명이 체포됐다. 2006년 소초면행정복지센터에 세워진 독립만세기념비는 이날의 만세운동을 기린 것이다.

그해 4월 소초면의 시위를 비롯해 건등면(현재 문막읍), 지정면, 부론면, 귀래면, 호저면 등지에서 만세 시위나 봉화 시위가 전개됐다. 농민들의 자발적인 독립운동이었다. 이처럼 마을 단위 봉기는 원주 지역 만세운동의 특징이었다. 오영교 연세대 교수는 "중앙으로부터의 연계나 조직의 도움 없이 주민들이 자발적으로 참여한 모습은 독립에 대한 일반 민중의 간절한 염원을 잘 보여준다"고 설명했다.

출판물로 독립항쟁을 펼치다

원주 3·1운동사에서 가장 먼저 언급되는 인물은 장용하(1900~1978)다. 원주군 하동리(현재 원주시 학성동) 출신인 그가 전개한 독립운동은 비밀 출판이었다. 경성에서 배재고등보통학교 3학년에 재학 중이던 그는 1919년 3월 7일 "조선은 독립할 수 있으니 모두 분기하라"는 내용의 격문 20여 장을 탄산지에 등사해 시내에 뿌렸다. 3월 15일에는 '조선 민족은 자신(自信)을 먼저 세워라'라는 제목의 문서 20여 장을 배포했다.

이어 〈조선독립신문〉 제16호(3월 28일), 〈반도의 목탁〉 제1호(4월 1일), 〈반도의 목탁〉 제2호 '8면에서 관찰한 조선의 참상'(4월 13일), 〈반도의 목탁〉 제3호(4월 22일), 〈반도의 목탁〉 특별호(4월 25일) 등의 유인물을 인쇄해 경성의 가정에 배포하며 조선 독립의 당위성을 알렸다.

1974년 동아일보가 각계 원로들의 회고를 연재한 '편편야화'에서 소설가이자 평론가인 김기진은 3·1운동 때 배재고보 동급생이었던 장용하의 활약상을 소개했다. "나는 장용하 반장의 지시대로 3월 1일에 탑골공원에 가서 모든 학생들과 함께 독립 만세를 불렀다. 그리고는 그날 밤부터 재동에 있는 장용하 반장의 하숙집으로 가서 다른 동지들과 함께 〈독립신문〉을 만들고 그 방에서 동지들과 함께 새우잠을 자고는 식전에 일어나는 길로 〈독립신문〉을 한 뭉치 품속에 감추어가지고 우리 집으로 오면서 집집마다 대문 안으로 〈독립신문〉을 집어넣었다."(〈동아일보〉 1974년 5월 23일자)

이 일로 장용하는 징역 3년형을 선고받아 옥고를 치렀고, 이후 배재학교 교사와 교장을 역임하는 등 교육 활동에 헌신했다.

강원 원주시
소초면에서
열린 3·1운동
기념행사.
(사진 제공: 원주시)

집결

꼬리에 꼬리를 무는 백의민족의 행진

3·1운동의 주요 유적지에 기념비를 세워 그 거룩한 정신을 만대의 후세까지 길이 받들어 드높이려 한(이희승 박사의 비문) 것은……

〈동아일보〉 1972년 8월 17일자 5면에 게재된 기사의 한 구절로 강원 횡성에 세워진 3·1운동 기념비의 의미를 소개하고 있다. 이 기념비는 동아일보사가 3·1운동유적보존사업으로 전북 이리(현재 익산), 충북 영동에 이어 세 번째로 건립한 것이다. 〈동아일보〉에 따르면 당시 강원도 내에서도 가장 격렬한 시위를 벌였다고

1972년 동아일보사가
강원 횡성에 건립한
3·1운동 기념비.

평가받을 만큼 횡성의 3·1운동은 뜨겁게 진행됐다.

"지난 장날의 실패를 생각하여…"

독립운동사편찬위원회는《한국독립운동사: 3·1운동사》에서 3
월 27일 횡성에서 처음 일어난 만세운동에 대해 "만족할 만한 것
이 못 되었다"고 적고 있다. 사정은 이랬다. 영영포리의 주민 신
재근과 장도훈은 서울에서 3·1운동이 일어나자 횡성에서도 만세
시위를 벌이기로 논의했다. 장도훈이 경성에 가서 독립선언서 40
장과 태극기 20장을 가져왔고, 강만형이 함께해 시위 준비에 나
섰다. 영영포리에 횡성 천도교 본부가 있었고, 이들을 비롯한 주
민 다수가 천도교인이었다. 횡성의 만세운동을 천도교인이 주도
한 이유다.

3월 27일 장날, 주도 인물들은 일단 상점 폐쇄부터 요구했다. 이윽고 시장에 모인 사람들이 만세를 부르기 시작했다. 하지만 일제 관헌들이 이런 움직임을 먼저 알아챘다. 상점들이 문을 닫고 준비에 들어갈 때 헌병 분견소에서 원주에 연락을 취해 헌병과 보병들을 불러들인 것이다. 신재근이 독립선언서를 낭독하려고 할 때 일제 헌병들이 들이닥쳤다. 시위 지도자들은 붙잡혔고 만세운동 경험이 없던 군중은 해산할 수밖에 없었다.

이런 양상으로만 보면 실패로 여겨질 수 있지만 횡성의 첫 만세운동의 의의는 크다. 2017년 작고한 조동걸 교수는 "이것이 횡성군 각 마을에 전해져서 만세운동이 더욱 발전하게 됐고, 또 이것을 주동하던 천도교인도 보다 치밀한 계획에 의해 추진해 감리교인과도 연합해 4월 1일 큰 규모로 치열한 운동을 하게 됐다"고 설명했다. 《독립운동사》에서는 "천도교회에서도 지난 장날의 실패를 생각하여 조직적으로 연락을 취하여 횡성읍(당시 횡성면)으로 출입하는 통로에 교인을 배치하고 마을에서는 교인이 장꾼을 인솔하였다"고 기록했다.

장터가 만세 소리로 진동하다

3월 27일 만세운동 때 붙잡힌 8명이 고문을 받는다는 사실을 알게 된 천도교인들은 분개했다. 횡성 천도교 대교구장 최종하가 4월 1일 장날을 앞두고 본격적인 시위 계획을 추진했고 우천면 법주리의 강승문, 안흥리의 김인경, 횡성면 읍상리의 전성수 등이 죽음을 각오하고 만세 군중을 동원하기 위해 밤낮으로 산을 넘으면서 활동했다. 3월 27일 장사를 하러 횡성장에 왔던 인제 주민 김윤신과 영월 주민 김성서도 맹활약했다. 천도교인이었던 이들은 4월 1일의 만세운동을 위해 장수로 가장하고 마을을 다니면서 인력 동원에 애썼다. 어떤 곳에서는 "이번 장날 구경거리가 많다"고 사람들에게 호기심을 불어넣기도 하고, 어떤 곳에서는 "만세운동에 참가하지 않으면 집에 불을 놓을 것"이라고 협박하기도 했다.

이 과정에서 만세운동은 천도교의 범위를 넘어 확대되기 시작했다. 횡성청년회에 소속된 윤태환과 감리교회의 지도자 정해경, 탁영재가 시위 준비에 합류한 것이다. 당시 횡성면에 있던 감리교회는 활동이 크진 않았지만 청년층의 호응을 얻고 있었고, 횡성보통학교 졸업생을 중심으로 한 청년들이 횡성청년회를 조직해 문화운동을 추진하고 있었다. 《독립운동사》는 "이런 형편에 감리교회의 정해경과 청년회의 윤태환이 힘을 모았다는 것은 횡성 3·1운동을 천도교인만의 시위가 아닌 대중운동으로 발전시키는 데 중요한 몫이 되었을 것"이라고 평가했다.

강원도 장관의 보고에 따르면 4월 1일 만세 군중은 1,300명으로 추산된다. 조동걸 교수는 "당시의 보고에 나타난 인원은 국제적 체면 관계로 인원을 줄여 보고 처리하는 것이 보통이니 수천명의 장꾼이 모였을 것"이라고 추정한다. 《독립운동사》에서도 1,300명이라는 보고서의 수치는 "온 장터가 만세 소리로 덮였고 상점을 철폐하고 온 장꾼이 가담했는데 그 정도뿐이랴?"라며 의문을 표시했다. 4월 1일 군중이 시장에 모여드는 장면을 두고 〈횡성의 3·1운동〉에서는 다음과 같이 묘사한다.

> 아침부터 심상치 않은 표정으로 모여드는 나라 잃은 백성, 일본의 말굽에 밟힌 지 10년 그동안 갖은 고생을 겪으며 참아왔던 백의민족의 행진이 횡성 장터로 아침부터 모이기 시작했다. 일본 군대에 끌려가기 위함이 아니요, 징용이나 징발에 끌려가기 위해서가 아니라 잃었던 나라를 되찾기 위함이요, 횡성에 주둔하여 행패를 부리는 일제 헌병을 몰아내기 위해서 모였다.

장터로 들어오는 길목과 장터 곳곳에서 주로 천도교인들이 나서서 군중에게 이날의 계획을 설명했다. 심상치 않은 분위기를 파악한 일본 관헌도 준비에 나섰다. 군청과 면사무소의 주요 서류를 감추고 군수와 면장이 관리에게 비상대기령을 내렸다. 군수가 직접 면사무소로 와서는 "오늘 총소리가 나도 놀라지 말고 폭

황성군에서 열린 3·1운동 100주년 기념행사. (사진 제공: 황성문화원)

동에 대비하라"고 훈시하기도 했다. 이날 오전은 마치 전쟁을 앞에 둔 사람들의 움직임이었다.(독립운동사편찬위원회,《한국독립운동사: 3·1운동사》)

날이 저물기를 기다린 건 군중의 심리나 일제 헌병의 심리나 같았다. 군중은 총을 피하기 좋다는 생각에 저녁 시위를 기대했지만, 헌병들은 무차별 총격을 하기 좋다고 판단했다. 헌병들은 조선군 사령관으로부터 "강력히 무기를 사용해서 폭동을 조속히 진압하라"는 특별 명령을 받은 상태였다.

'황소아줌마'의 활약

만세 소리가 터진 시점은 오후 3시였다. 천도교 교구실에 태극기가 높이 솟자 시위 군중은 태극기와 몽둥이, 장작 등을 들고 관공서 앞 게시판, 군청 건물, 문을 닫지 않은 상점 등을 부수기 시작했다. 일제 관헌들은 도망해 몸을 숨겼고 횡성 헌병 분견소의 헌병들이 총을 겨눈 채 분견소를 지키고 있었다. 이때 '코지마'라는 헌병이 말을 타고 거리에 나타나자 군중은 "저놈 죽여라!"라고 소리쳤다. 시위대에 있던 최동수가 뛰쳐나와 헌병을 끌어내렸고, 밟고 때렸다. 동시에 총소리가 울리기 시작했다.(한국독립운동 정보시스템, 〈한국독립운동의 역사〉)

총성이 들리자 시위대는 일순간 멈칫했지만 해산하지는 않았다. 다시 만세 소리가 읍내를 뒤흔들고 시위대는 헌병 분견소를 향해 이동했다. 수비대 총구에서 불이 뿜어졌고, 총성이 이어지는 가운데 밤은 깊어갔다. 총격으로 5명이 현장에서 숨졌다. 이날 시위 현장에서 붙잡힌 주도자 강만형은 모진 고문 끝에 서대문 감옥에서 옥사했다. 그는 전 횡성 천도교 대교구장 강도영의 아들로, 강도영이 구한말 의병장으로 독립운동을 하다가 전사한 뒤 부친의 뒤를 이어 천도교 지도자로 활동했던 인물이다.

'황소아줌마'의 활약도 빼놓을 수 없다. 〈횡성의 3·1운동〉에서 4월 1일 횡성 만세운동 때 "횡성면 옥동리 한치고개에서 주막을 운영하던 여자 '황소아짐마'도 술판에 어울려 만세운동을 역설한다"고 소개된 여성이다. 〈동아일보〉 1990년 2월 28일자 14면에 그와 관련한 일대기가 실렸다. 김순이라는 이름의 이 여성은 30

대에 남편과 사별하고 남매를 키우면서 한치고개에서 주막을 차리고 생계를 꾸려갔다. 그는 6척 거구에 웬만한 장정보다 힘이 세 주민들 사이에서 황소아줌마로 불렸다. 천도교인들이 만세 시위 계획을 세울 때 황소아줌마가 주막 뒷방을 모임 장소로 내주면서 3·1운동에 가담하게 됐다.

그는 4월 1일 만세운동 때 일제 경찰의 총격에 놀란 사람들이 술집으로 몰려와 숨자 부엌칼을 들고 이들을 위협해 시위 현장으로 내몰 정도로 담력도 셌다. 일제 경찰에 체포돼 3개월간 옥고를 치르고 주막에서 번 돈을 독립운동 자금으로 헌납하기도 했던 그의 삶은 뒤늦게 조명받았다. 당시 〈동아일보〉는 "이름 없는 한 주모에 대한 이 같은 새로운 평가는 민중 주도의 항일운동을 본격 조명하는 데 큰 의의가 있다"고 소개하기도 했다.

해일

제주에 물결친 독립의 횃불

제주시 제주읍 조천리 일주도로 인근에 위치한 미밋동산은 제주 첫 만세운동이 펼쳐진 곳이다. 제주 올레길 18코스의 종점이자 19코스의 시작점인 미밋동산에 '만세동산'이란 별칭이 붙은 이유다. 이곳 정상에는 3·1독립운동 기념탑이 세워져 있다. 탑에는 만세운동에 참여한 이들을 묘사한 조각상도 새겨져 있다. 또 제주도 160인의 순국선열 위패를 모신 창렬사와 애국선열 추모탑, 제주항일기념관 등도 자리 잡고 있다.

미밋동산의 14인 결사

천혜의 포구를 갖춘 조천리는 조선 후기 때부터 애월 화북포와 함께 제주의 관문 역할을 해왔다. 일제강점기에도 뱃길로 목포와 연결되는 해상 교통 요지였다. 3·1운동 당시 경성에서 제작한 독립선언서도 이 루트를 통해 제주도에 전달됐다.

이를 주도한 사람은 당시 16세 휘문고보생 김장환이었다. 조천리 출신인 그는 3·1운동에 참가한 뒤 일제 경찰의 시위자 색출 작업이 강화되자 3월 16일 귀향했다. 김장환은 항일운동가 김시학의 아들이다. 김시학은 일본 유학생 출신으로 독립운동가 송진우, 신익희(일본 조선유학생학우회 회장 역임) 등과 함께 활발하게 항일운동을 펼쳤던 인물이다.(국사편찬위원회,《한국독립운동사》)

아버지의 영향을 받은 김장환은 고향에 도착하자마자 숙부 김시범과 당숙 김시은을 찾아가 독립선언서를 보여주고 3·1운동 관련 정보들을 전달한 뒤 만세운동을 펼칠 것을 제안했다. 유림(儒林)이자 제주 특산물인 망건과 탕건 등을 육지로 판매하며 경제력까지 갖춘 지역 유지였던 김시범과 김시은은 함께하기로 뜻을 모았다. 이들도 이미 인편 등을 통해 육지에서 진행되고 있는 만세운동 상황을 파악하고 있었다.

여기에는 이들의 척사(斥邪) 의식도 영향을 미쳤다. 특히 '시(時)' 자 돌림 중 맏형 격인 김시우는 척사론을 펼친 면암 최익현의 문인인 김희정으로부터 직접 가르침을 받아 척사론을 신봉했고, 그의 영향으로 김씨 집안 대부분이 척사론을 따랐다.

이들은 한일강제병탄 이후 일제를 척사의 대상으로 삼고 항일 활동에 나섰다. 제주학연구센터 박찬식 센터장은 "김씨 일가는 일제가 조선의 황국화 정책의 일환으로 펼친 신정(新正, 양력 1월 1일)을 거부하고 음력설을 고집해 지역 사회에서 유명했다"고 전했다.

3월 17일 김장환 등 3인은 미밋동산에서 거사 발의를 한 뒤 동지 규합에 나섰고, 이틀 뒤인 19일 김용찬, 고재륜, 김형배, 황진식, 김경희, 김필원, 김희수, 이문천, 박두규, 김연배, 백응선 등 11명을 끌어모아 '14인의 동지'를 만들었다.(제주도지편찬위원회, 《제주항일독립운동사》)

거사일은 3월 21일로 정했다. 이날은 제주 유림계에서 명망이 높던 김시우의 기일(忌日)이었다. 유림이 자연스럽게 모일 명분이 있고 일제의 감시망을 피하기에 좋은 날이었다. 거사 준비는 치밀하게 진행됐다. 김형배가 대형 태극기 4본의 제작을 담당했고, 김시범과 백응선 등은 소형 태극기 300여 장을 만들기로 했다.

4차례 이어진 연속 시위

거사일이 밝자 150여 명이 미밋동산에 모였다. 14인의 동지 중 한 사람인 김필원은 더 많은 사람의 참여를 유도하기 위해 창호지에 혈서로 쓴 '대한 독립 만세'를 들고 제주경찰서 조천주재소(현재 연북정 자리) 서쪽에서 동쪽에 위치한 미밋동산까지 행진했다. 혈서와 독립 만세 함성에 고무된 사람들이 속속 합류하면서 그가 미밋동산에 도착했을 때에는 군중이 500여 명에 달했다.

오후 3시경 대형 태극기가 휘날리는 가운데 김시범이 독립선언서를 큰 소리로 낭독했다. 이어 김장환이 "대한 독립 만세"를 선창하자 군중들은 일제히 만세 함성을 지른 뒤 행진을 시작했다. 미밋동산에서 시작해 조천 비석거리를 지나 제주성내(제주 시내)까지 가는 게 목표였지만 미밋동산에서 2킬로미터 정도 떨어진 신촌리에서 행진은 끝났다. 일경이 막은 데다, 급파된 일본 무장대에 14인의 주동자 가운데 9명이 잡히고 시위대 4명이 체포됐기 때문이다.

하지만 만세운동은 멈추지 않았다. 이튿날인 22일 조천장터에서 2차 시위가 진행됐다. 김필원, 백응선, 박두규 등의 주도로 200여 명이 모여 구속자 석방 등을 요구하며 행진을 펼쳤다. 이날 시위로 박두규와 김필원이 체포됐다.

사흘째인 23일 다시 시위(3차)가 전개됐다. 백응선, 이문천, 김

일본 순사 주재소로
사용됐던 연북정.

연배 등이 조천장터에서 100명의 시위대를 이끌고 행진을 시작
했다. 시위대가 장터 인근에 위치한 함덕리에 도착했을 때 지역
청년들과 주민들이 합세해 시위대 규모는 800여 명으로 불어났
다. 이날 시위에서는 백응선 등 8명이 체포됐다.

나흘째인 24일은 마침 조천 지역 5일장이 열리는 날이었다. 14
인의 동지 가운데 일경의 손을 피했던 김연배가 중심이 돼 무려
1,500여 명에 달하는 군중이 구속자 석방을 요구하며 4차 시위를
펼쳤다. 이날 시위에는 장을 보러 나왔던 부녀자들이 상당수 합
세했다. 이날 김연배 등 4명이 체포되면서 조천 만세운동은 일단
락됐다. 14인의 동지 전원이 검거돼 동력을 잃었기 때문이다.

조천 만세운동으로 검거된 이들 중 23명은 1919년 4월 26일 제
주지청에서 형을 선고받았다. 14인의 동지는 이에 불복해 항고했
지만 5월 29일에 열린 2심에서도 모두 실형을 선고받아 옥고를
치러야 했다.

선상 등불 시위로 확대

이후 만세운동의 열기는 제주 남쪽으로 퍼져나갔다. 서귀포에서는 4월 1일 오후 8시경 어선 수십 척이 등불과 태극기를 선두(船頭) 돛대에 높이 달고 북을 울리면서 만세를 불렀다. 서귀포 삼매봉에서는 불을 피워 만세를 부르다 주모자 10여 명이 일경에 체포되기도 했다.(이병헌,《3·1운동비사》)

박찬식 제주학연구센터장은 "구전으로 전해지는 서귀포 선상 시위는 조천 만세운동이 지역적으로 확산된 결과로 보이며, 이 시위가 훗날의 제주 해녀 항일운동으로 계승됐을 것"이라고 말했다.

옥고를 치른 14인의 동지는 항일투쟁을 멈추지 않았다. 이들은 1921년 동미회(同味會)를 조직했다. 동미회 조직원들은 감옥에

해녀 항일운동(1932년)을 상징하는 제주 해녀들이 '독립의 횃불'을 들고 있다. (사진 제공: 제주항일기념관)

서 새끼를 꼬아 번 돈을 모아 공동 관리하면서 제주에서 펼쳐진 항일운동의 중추적인 역할을 했다. 1920년 3월 일경의 혹독한 고문으로 사망한 백응선의 묘소에 기념비를 몰래 세우는 등 끈끈한 동지애도 발휘했다. 이들의 항일운동 이후 제주에서는 민족교육운동이 활발하게 전개됐고, 청년들을 중심으로 한 각종 사회단체가 조직돼 1920~1930년대 제주 항일운동을 이끌어갔다.

항일운동에 뛰어든 조천 김씨 가문

"할아버지의 8촌 이내 형제 중 모두 8분이 현재 독립유공자
로 인정받았습니다. 그러나 아직도 인정받지 못한 어른이
남아 있어 안타깝습니다."

항일독립운동 가문 중에서도 보기 드물게 유공자 수가 많은 조
천 김해 김씨 후손인 김용욱 씨는 "조천 김씨들은 각기 다른 위치
에서 다른 역할로 독립운동에 헌신했다"며 이같이 말했다. 그는
2018년 광복절에 건국훈장 애족장에 추서된 김시범(1890~1948)
선생의 손자다.

실제로 이들의 항일 활동은 한국 독립운동사와 맥을 같이한다.
먼저 김명식(1890~1943)은 일본 와세다(早稲田)대 유학 중 재일
조선인유학생학우회의 간사부장으로 활동했고, 3·1운동의 도화
선이 된 도쿄 2·8독립선언에 참여했다. 김시은(1887~1957)과 김
시범은 조천 3·1만세운동을 주도했다.

3·1만세운동 10년 후인 1929년 11월 제주에서 광주로 유학을
간 김시성(1910~1943)과 김시황(1909~1956)은 광주 공립고등보

통학교 재학 당시 3·1운동 이래 가장 큰 규모로 발생한 광주학생 운동에 참여했다. 김시곤(1901~1983)은 일제의 식민지 수탈 정책으로 생존권을 위협받던 해녀 보호에 앞장섰다. 그의 노력으로 1932년 국내 최대 규모의 여성운동인 제주 해녀 항일운동이 일어났다. 김시용(1906~1945)은 소비조합운동 등을 펴며 항일운동을 펼쳤고, 김시추(1901~1945)는 일제의 황민화 식민지 교육에 맞서 야학을 통해 소년 소녀들에게 글을 가르쳤다.

김씨 가문 중에는 당시 항일운동을 주도한 대표 언론사였던 동아일보와 인연을 맺은 이들도 있다. 김명식은 동아일보 창간에 참여하여 논설반(論說班) 기자로 맹활약했다. 그의 조카뻘이자 조천 만세운동을 제안했던 김장환(1902~?)은 3·1만세운동으로 옥고를 치른 후 1923년 3월부터 동아일보 기자로 활약했다.

제 5 부

북한

자유와 공화

대한제국은 오늘로 독립하였고 우리는 자유민이 됐다

1920년 7월 22일 오전 8시 40분경 경성 정동의 경성지방법원 특별법정. 며칠 전 3·1운동 민족대표 48인에 대한 공판이 열려 세상을 떠들썩하게 만들었던 그 법정에서 불빛에 번득이는 금테 안경을 두른 일본인 검사가 심리를 시작했다.

"조선 독립 만세를 고창하여 치안을 방해하고 피고 이영철, 홍석정 등은 번갈아가며 (수안 헌병 분대) 분대원에 대해 다수(多數)한 위력을 빌려 '우리들은 이미 조선 독립의 선언을 하였으니 속히 이 분대를 내놓고 나가라. 만일 듣지 않으면 계

속하여 다방(多方)으로부터 몰려오는 천도교도가 더욱 증가
하여 어떻게든지 이 요구를 하리라' 협박하고……." (《동아일보》,
1920년 7월 23일자)

북한의 황해도 수안군 지역에서 만세운동을 하다 잡힌 70여 명
의 독립운동가들에 대한 공소심리였다. 당시 재판을 참관한 동아
일보 기자는 "세상의 주목을 끌지 아니한 까닭인지 방청석에는
겨우 20여 명의 방청자가 있는데, 그중에 수삼 인의 상투 있는 사
람이 있음을 보건대 아마 이번 공판이 열린다는 말을 듣고 멀고
먼 시골에서 일부러 방청을 하러 온 사람인 듯하다"고 보도했다.
1920년 당시 일제는 3·1운동의 진상이 세상에 알려지는 것을
결사적으로 막았다. 언론은 검열을 통해 보도통제를 했다. 하지만
동아일보는 일본인 검사의 공소와 심리를 자세하게 보도하는 '합

〈동아일보〉 1920년 7월
23일자에 게재된
수안 독립만세운동가들의
재판 장면.

법적인' 방식으로 수안 지역 만세운동의 전모를 세상에 공개했다.

〈동아일보〉보도를 통해 알려지게 된 수안군의 만세운동은 평안북도 의주군, 경기도 안성군과 함께 '3대 실력 항쟁지'로 꼽힌다. 실력 항쟁지는 대규모 유혈 충돌이 벌어진 지역들이다. 일제가 3·1운동의 폭력성을 부각시키기 위해 3곳을 대표적인 '폭동지역'으로 지목했을 정도다.

자유와 공화의 시대

수안군 만세운동은 천도교인들의 주도로 진행됐다. 경성의 천도교 총부 지시에 따라 수안의 천도교구는 1919년 3월 3일을 거사일로 정했다. 고종의 장례일인 이날은 일제가 제2차 만세운동이 발생할 것을 우려해 '경성 행사'에 온 신경을 집중하던 때였다.

수안군 지역의 천도교 지도자들은 거사 전날인 3월 2일 수안읍내 천도교구실에 모여 구체적인 실행 방법을 논의했다. 이미 경성에서 도착한 독립선언서는 수안군 각 지역에 비밀리에 배포한 뒤였다.

이 과정에서 거사 계획이 누설됐다. 이날 오후 3시경 "독립선언서가 경성에서 수안에 전달됐다"는 황해도 경무부장의 전보를 받은 수안 헌병 분대가 천도교구에 기습적으로 들이닥쳤다. 수안 천도교구장 안봉하 등은 독립선언서가 없다고 잡아떼며 저항했지만, 교구 소사실 돗자리 밑에 숨겨두었던 독립선언서가 발각됐다. 안봉하, 김영만 등 11명의 천도교 교직자가 현장에서 붙잡혔다.

다행히 그 자리를 피한 한청일(전교사)과 홍석정(전 천도교구장)은 이날 밤 각 지역의 주요 인사들을 다시 모은 뒤 3월 3일로 예정됐던 거사를 차질 없이 치르기로 다짐했다. 3월 3일 오전 6시, 140여 명의 교인들이 천도교구실에 다시 모였다. 부족한 시간 탓에 참석자가 1,500명가량의 수안군 천도교인 중 10퍼센트에도 미치지 못했지만 한밤중에 수십 리 길을 걸어 모일 정도로 비장한 결의를 다진 정예 교인들이었다.(수안교구의 만세운동, 〈신인간〉 1989년 3월호)

이들은 모이자마자 곧장 시위에 돌입했다. 한청일과 홍석정은 시위대 중앙에서 2개의 큰 태극기를 높이 세우고 행진했고, 이영철(천도교구실 소사)은 선두에 서서 만세를 부르며 시위대를 이끌었다. 이영철은 수안금융조합사무소 앞에 도착한 뒤 "조선은 독립하였다. 자유와 공화 정치는 세계의 대세다. 속히 헌병 분대를 명도(明渡)하라"고 외쳤다. 시위대는 헌병 분대 앞뜰까지 진출한 뒤 다시 "대한제국은 오늘로 독립하였고 우리는 자유민이 됐다"고 외쳤다.(《독립운동사 자료집》 제5권)

시간이 흐를수록 시위대 규모는 커져갔다. 고함 소리와 만세 소리로 천지가 진동했고, 사람들은 당장 독립이 될 것 같은 분위기에 휩싸였다. 이영철 등 지휘부는 헌병 분대 사무실로 몰려가 일본인 헌병 분대장에게 분대를 인도하라고 강력하게 요구했다. 일본 헌병과 보조원들은 벌벌 떨며 허둥대다 경성 본부에서 연락이 오는 대로 물러가겠다는 약속을 했다. 일종의 '항복 선언'이었다. 시위대는 승리의 환성을 올리며 돌아갔다. 수안읍내는 헌병대까지 접수했다는 소식이 퍼져나가 온통 독립 만세 함성으로 뒤덮였다.(수안군지편찬위원회,《수안군지》)

9명이 현장에서 즉사

오전 11시, 교구실에는 100여 명의 천도교인들이 모여든 가운데 시위 열기가 식을 줄 몰랐다. 시위대는 헌병 분대로 몰려가 재차 "분대를 명도하라"고 촉구했다. 이동욱과 오관옥 등 일부 천도교인들은 헌병들을 쫓아내겠다며 사무실로 뛰어들었다. 그런데 그때까지 시위대의 기세에 눌려 당황하던 헌병들이 갑자기 태도를 바꿔 사격을 시작했다. 헌병의 무차별 총격에 다수의 교인들이 쓰러지고 시위 대열은 무너졌다.

오후 1시경, 흩어졌던 시위대는 전열을 가다듬고 다시 모였다. 150여 명의 천도교인들이 헌병 분대로 몰려갔다. 한청일이 선두에 서서 헌병의 만행을 규탄하고, 체포된 이들의 석방을 요구했다. 오관옥은 "나는 총알을 맞지 않는다"면서 가슴을 풀어헤친 채 헌병 분대 사무실로 다가갔다. 시위대 역시 헌병 분대가 설치한 장애물을 제거한 뒤, 독립 만세 함성과 함께 사무실로 뛰어들었다. 또다시 일본 헌병 분대의 총격이 시작됐다. 한청일과 오관옥 이외에 4명이 현장에서 즉사했다. 일본 헌병들은 여기서 멈추지 않았다. 남녀노소 가리지 않고 닥치는 대로 폭행을 가했다. 일본에서 발간된 《현대사자료》는 당시 수안에서 벌어진 학살 행위를 이렇게 기록했다.

헌병들의 발포에 5명이 즉사하고 또 다른 몇 명이 쓰러졌다. 한 노인이 총격을 항의하자 역시 사살했다. 그 노인의 아내가 달려와 시신을 부둥켜안고 통곡하자 헌병은 조용히 하라고 소리치다 사살해버렸다. 그다음 날 아침 노부부의 딸이 달려왔는데 이번엔 전신을 칼로 난자했다.

황해도 장관 보고서(1919년 8월 18일자)는 이날 현장에서 즉사한 이가 9명, 중상자는 18명에 달한다고 기록했다.

다수의 사상자가 발생하자 시위대는 분노하기 시작했다. 읍내의 관청과 일본인 주거지를 불태워버린다는 풍설까지 나돌았다. 이에 일본인들이 살상될 것을 우려한 수안 헌병 분대는 민간인 야경단을 만들고, 일본인 남자에게는 헌병복을 입혀 경계임무를 수행하게 하는 등 비상조치를 취했다. 한편으로는 상급 부대에 병력 파견을 요청했다. 이에 따라 3월 4일 평양 주둔 보병부대 20여 명이 수안에 파견됐다.(한국인문과학원,《한국민족운동사료: 3·1운동편》)

증파된 일본 헌병들의 진압과 감시 활동으로 수많은 이들이 붙잡혔다. 하지만 수안군 만세운동의 기세는 꺾일 줄 몰랐다. 시위를 주도했던 천도교인들은 수안군내 면소재지에서 독립만세운동을 이어갔다. 3월 7일 수구면 석달리의 천도교 전교사 이승필 등은 40여 명의 교인을 이끌고 장날에 만세를 부르고 헌병 주재소를 습격하는 등 저항을 멈추지 않았다. 또 수안군의 시위 소식은 이웃한 곡산, 신계, 서흥, 재령 등 황해도 전 지역으로 퍼져나갔다.

한 장소에서 벌어진 시위로 수십 명의 사상자가 발생하고, 구금자만 71명에 달했던 수안 만세운동은 지방에서 취급할 사안이 아

이종일(앞줄 가운데) 등
〈조선독립신문〉 발행의
주역들. (사진 제공: 천도교
중앙도서관)

니라는 일제의 판단에 따라 경성지방법원으로 송치됐다. 이후 1년 가까이 재판이 진행되는 동안 최석구는 서대문감옥에서 순국했다. 나머지 사람들은 최고 2년 6개월에서 최저 금고 6개월의 형을 받았다.

이들 대부분은 농민이었다. 그 외에 대장장이, 짚신장수, 마부 등 소규모 자영업자와 일용직 노동자, 영세상인 등이 운동에 참여했다. 수안의 만세운동은 3·1운동이 계층과 계급에 구애받지 않은 거족적 민족운동이었음을 보여주는 또 다른 주요 사례였다.(조규태, 〈황해도 수안 지역 천도교인의 3·1운동〉)

'근대적 국가' 설립을 꿈꾼 독립운동

수안 지역에서 독립만세운동을 주도한 홍석정, 한청일, 이영철 등 천도교 지도부는 "우리는 이미 조선 독립을 선언하였고, 현재는 자유주의와 공화주의의 시대이니 헌병 분대의 관할권을 즉시 인도하라"고 요구했다. 독립된 국가이니 일본 제국주의 무단통치의 상징인 헌병대 권력을 넘겨받겠다는 뜻이었다. 천도교인들은 만세운동을 진행할 때에도 "조선이 독립됐다"는 말을 주민들에게 자주 했다.

수안 만세운동을 연구한 조규태 한성대 교수는 "수안 천도교인들은 교리강습소를 통해 문명개화론, 계몽주의 등 근대적 지식을 수용하였고, 그 결과 공화와 자유사상에 입각해 조선 독립을 주장했던 것으로 추정된다"고 설명했다.

당시 한반도 서북 지역의 천도교인들은 동학의 평등 이념과 '개벽'이라는 새로운 세계 질서를 현실화하려는 욕구가 매우 컸다. 이는 일제에 대한 저항뿐만 아니라 서북 지방 출신이 집권층으로부터 받아온 차별에 대한 반발이기도 했다.

수안의 만세운동은 고종의 장례일인 3월 3일에 거행됐다. 전국

대부분의 지역에서는 이날 만세운동을 자제했다. 국사편찬위원회가 구축한 삼일운동 데이터베이스에 따르면 현재의 남한 지역에서는 충남 예산군에서 5명이 음주 후 산에 올라가 독립 만세를 부른 것 외에 만세운동은 전혀 진행되지 않았다. 하지만 북한 지역은 달랐다. 황해도만 해도 수안을 비롯해 옹진, 황주, 봉산 등지에서 만세 시위가 펼쳐졌고 평안남·북도와 함경남도에서도 만세운동이 진행됐다.

이 지역들은 대체로 천도교 세력이 강한 곳이었다. 이는 천도교가 3·1운동 주도 이후 나라가 일제에서 독립했을 때, 왕조 국가로 복귀하는 대신 근대적인 국가 설립을 추구한 사실과도 연관이 있다. 천도교가 펴낸 지하신문 〈조선독립신문〉 제2호(1919년 3월 2일자)는 "근일(近日) 중에 가정부(假政府, 임시정부)를 조직하고 가대통령(임시대통령) 선거를 할 것"이라고 보도했다. 3·1운동 이틀 뒤에 민주, 자유, 공화 등의 사상에 입각한 새로운 형태의 정부 출현을 선언한 셈이다. 이런 움직임은 1919년 4월 중국 상하이에서 출범한 임시정부 입법기관인 임시의정원이 임시헌장 제1조에 '대한민국은 민주공화제로 함'을 명시하고, 평등주의와 자유주의를 천명하는 것으로 이어졌다.

독립 창가

너와 내가 함께 독립 만세를 환영하자

1919년 3월 1일 오후 2시 30분경 평안북도 의주군 의주읍내 서부야소교(의주서교회) 인근 공터. 의주서교회와 의주 지역 유지들이 후원해 설립한 양실학교의 교사와 학생, 학부형 등 의주군민 700~800여 명이 모여들었다. 이들 대부분이 기독교인이어서 모임은 교회 대부흥회처럼 보였지만, 실은 한반도 최북단에서 맨 처음으로 진행된 독립선언식이었다.

행사를 주관한 유여대 목사는 당초 경성에서 작성한 3·1독립선언서를 받아 경성과 동시에 독립선언식을 진행할 계획이었다. 하지만 문서 도착이 늦어지자 더 이상 지체할 수 없다는 판단에 따라 행사를 결행하기로 했다. 이날 사전 배포된 독립선언서는 만일의 경우를 대비해 은밀하게 수집한 도쿄의 2·8독립선언서였다.(안석응 외 6인 판결문, 유여대 신문조서)

2·8독립선언서의 등장

모임 장소는 순식간에 독립선언식 무대로 꾸며졌다. 운천교회 장로 허상련이 준비한 대형 팔괘국기(八卦國旗, 태극기) 2장이 임시로 만든 단상에 세워졌고, 종이로 만든 소형 태극기 100여 장이 참석자들에게 나누어졌다. 유 목사의 지시를 받은 안석응 등은 미리 등사해둔 200~300여 장의 2·8독립선언서를 의주군내 평안북도 도청과 경무부, 기타 관청, 지역 주민들에게 배포했다. 도쿄 유학생들이 일본에서 사용했던 2·8독립선언서가 국내에서 처음으로 공식선언서로 선보이는 순간이었다.

행사는 '찬미가-기도-식사(式辭)-독립선언서 낭독-독립창가 합창-만세-의주성 행진'의 순으로 진행됐다. 기도는 중국에서 활동하던 '특별한 손님'이 맡았다. 압록강을 경계로 의주군과 마주하는 중국 안동현(현 단둥)에서 목회 활동을 하던 김병농 목사였다. 그는 같은 해 2월 중국 상하이를 거점으로 국내외 연계 독립선언 운동을 도모하던 동제사(同濟社) 요원 선우혁을 만나 만세운동에 동참할 것을 약속했다. 압록강 철교 건너 안동역(단둥역) 부근에 있던 그의 집은 독립운동가들이 국내외 연락과 통신 거점으로 활용하고 있었다.

김병농 목사가 독립의 염원을 담아 기도하는 동안 기적처럼 3·1독립선언서가 식장에 도착했다. 이에 유여대 목사는 2·8독립선언서 대신 민족대표 33인 중 14번째로 자신의 이름이 쓰여 있는 독립선언서를 소리 높이 낭독했다. 황대벽과 김이순이 독립선언서의 의미를 소개하는 연설을 하자 이에 호응한 "조선 독립 만세" 함성이 압록강변까지 퍼져나갔다.

33인 민족대표 중 한 명인 김병조 목사는 1920년 상하이에서 출판한 《한국독립운동사》에 당시 상황을 이같이 소개했다.

공중에 펄럭이는 팔괘국기는 선명한 색채가 찬란하고 벽력과 방불한 만세 부르짖음 소리는 뜨거운 피가 비등하매 통군정(統軍亭, 의주군 의주읍에 있는 조선시대 누정) 숙운(宿雲)에 놀란 학(鶴)이 화답하여 울고, 압록강의 오열(嗚咽)하는 파도에 물고기와 자라가 고개를 내밀고 듣더라.

마침내 행사의 마지막인 의주성 일대를 도는 시위행진이 시작됐다. 학생들을 선두로 한 시위대는 태극기와 함께 '독립 창가'를 부르며 주민들의 참여를 유도했다.

독립선언을 함은 3월 1일 오늘이라/ 반도의 강산 너와 내가 함께 독립 만세를 환영하자/ 충의를 다하여 흘리는 피는 우리 반도의 독립의 준비라/ 4천 년을 다스려온 우리 강산을 누가 강탈하고/ 누가 우리의 정신을 바꿀 수 있으랴/ 만국 평화회의의 민족자결주의는 천제(天帝)의 명령이요/ 자유와 평등은 현시(現時)의 주의(主義)인데/ 누가 우리의 권리를 방해할쏘냐.

놀란 일제 헌병들이 달려와 시위대에 해산을 요구했지만 규모는 오히려 늘어나 2천여 명으로 커졌다. 행사 직후 유여대 목사와 안석응, 김창건, 김두칠, 장창식, 강용상, 정명채 등 주동자 7명은 일제 헌병에 구속됐지만 시위는 늦은 밤까지 이어졌다.

경성의 3·1운동과 같은 날 같은 시각에 전개된 의주 독립만세운동은 33인 민족대표가 현장에서 민중을 직접 지도하며 만세운동을 벌인 유일한 사례. 유여대 목사는 처음부터 경성이 아닌 의주 지역 일대에서 독립선언식을 이끌겠다고 다짐했고, 그 약속을 지켰다.(김승태, 〈의주에서의 3·1운동과 유여대 목사〉)

일제는 국경도시인 의주에서 독립선언서가 뿌려진 사실에 경악했다. 독립선언서의 해외 유출을 극도로 경계하던 일제는 선만(鮮滿, 조선과 만주) 국경선 경계를 더욱 강화했다. 그러나 만세운동이 벌어진 3월 1일 이미 경성에서 작성된 3·1독립선언서는 압록강 철교를 건너 중국으로 가는 기차에 실려 있었다. 그 도착지는 김병농 목사의 집이었다. 김 목사가 의주 3·1운동에 참석하는 동안 독립선언서는 그의 아들(김태규, 후에 의열단원으로 활동)을 통해 상하이의 현순 목사에게 전달되었다.

농민과 천도교인까지 가세

의주 만세운동은 이후 일제가 황해도 수안군, 경기도 안성군과 함께 '대표적 폭동 사건'으로 지목할 정도로 치열하고 끈질기게 전개됐다.

만세운동은 3월 1일부터 6일까지 계속됐다. 2일에는 읍내 시위와는 별개로 남대문(남문) 밖 광장에서 최동오, 최안국 등 천도교인들이 지역 농민 등 3천여 명과 함께 태극기를 들고 만세를 불렀다.

일제 헌병대는 무장을 풀지 못한 채 철야로 경계했지만 3일에도 1,200여 명이 읍내에 모여 시위를 벌였다. 같은 날 의주 공립농업학교와 보통학교에서도 훈도(교사)와 학생들이 교정에서 모여 독립선포식을 거행했다. 이들은 "당신들(일본인 교직원)이 조속히 물러나지 않으면 우리는 결코 등교하지 않겠다"고 선언하고 수업 거부와 동맹 휴학에 들어갔다. 4일과 6일에는 의주 만세운동의 진원지였던 양실학교 학생들이 단독으로 시위를 벌였다. 5일에도 의주군 수진면 수구진과 의주읍 서쪽 소관관(所串舘)에서 시위가 펼쳐졌다.(이용철, 〈평안북도 의주지역의 3·1운동〉)

계속되는 시위에 일본 군경은 더욱 강압적인 자세로 나왔다. 시가지에 네다섯 명이 모이는 일도 허락하지 않았고, 통군정의 높은 곳에 기관총을 설치하며 시가지 경계를 강화했다. 하지만 지역 주민들의 독립에 대한 열망은 식을 줄 몰랐다. 상인들은 철시로, 직공들은 파업으로, 학생들은 휴학으로, 농민들은 양곡과 땔감의 반출 매매 중단으로 일제를 괴롭혔다. 일제 경찰은 고시문을 발표하며 상점을 열도록 유도했지만 소용이 없었다. 오히려 조선인 관리들도 동맹 퇴직을 결의하고 사직서를 제출한 뒤 상하이로 탈출하는 일까지 벌어졌다.

평안북도 의주군 의주읍에 있는 조선시대의 누정인 통군정. 일제는 이곳에 기관총을 설치하고 의주읍의 독립만세운동을 감시했다. (사진 출처: 《의주군지》)

3·1운동 100년 - 역사의 현장 2

상황이 악화하자 일제는 무자비한 대응을 시작했다. 특히 군인들은 노약자와 어린이들을 살해하거나 부녀자들을 겁탈했다. 재물을 약탈하고, 교회당과 민가도 불태웠다.(박은식,《한국독립운동지혈사》)

10여 일간의 주민 자치

의주읍 시위는 3월 6일을 고비로 한풀 꺾이지만 주변 지역의 만세운동은 4월 초까지 격렬하게 이어졌다. 그 과정에서 유혈 충돌로 인한 참극도 발생했다. 3월 30일 의주군 고령삭면 영산시장에서 펼쳐진 시위가 대표적이다. 천도교인과 기독교인 등 3천~4천여 명이 대규모 연합 시위를 벌이다 일제 헌병의 발포로 사상자가 발생했다. 흥분한 시위대는 투석전으로 맞서며 일제 헌병의 총 2정을 빼앗고, 헌병대 건물 일부를 파괴했다. 이에 군인 11명이 출동해 시위대 5~7명을 총격해 사망하게 하는 일이 발생했다. 사망자 친족들이 시신을 메고 헌병 주재소를 찾아 통곡하며 "독립이 성취되기 전에는 절대로 장례를 치르고 땅에 묻을 수 없다"고 하자 헌병들이 이들을 마구 때리며 쫓아내기도 했다.(박은식,《한국독립운동지혈사》)

이때 옥상면에서 옥상면민 약 3천 명이 4월 2일 옥상면사무소로 몰려가 "우리는 이미 독립을 선언하였으니, 금일 이후 면사무소는 마땅히 폐지하고 우리가 새로 조직할 자치민단에 면사무소 청사와 비품 재산 등 일체를 넘겨라" 하고 요구했다. 이후 면사무소를 접수해 비품과 공부(公簿) 7책, 현금 193원 45전을 압수하고 10여 일간 자치업무를 집행했다. 이 일로 주동자 일부는 일제에 붙잡혀 징역형을 살기도 했다.

국사편찬위원회의 삼일운동 데이터베이스에 따르면 의주군에서 4월 초까지 만세운동 중 총격에 사망한 사람은 최소 20~22명에 달한다. 《독립운동지혈사》의 독립운동일람표에선 의주군의 경우 31명의 사망자, 350명의 부상자, 1,385명의 투옥자가 발생했다고 기록하고 있다. 의주군의 독립만세운동이 그만큼 치열했음을 증명하는 수치다.

의주읍의 의주공립농업학교 본관.
한국인 교사와 학생들이 수업 거부와 동맹휴학 등을 통해 독립만세운동을 벌였다.
(사진 출처: 《의주군지》)

폭발

한시도 지체할 수 없다

"머지않아 중앙에서 경천동지할 민족적 거사가 있을 것이다."

3·1운동이 일어나기 전인 1919년 2월 중순. 함흥의 학생단체가 파견한 박승봉은 함경북도 성진의 기독교 지도자들에게 이렇게 말한 뒤 거사 준비를 당부했다. 이후 강학린 목사를 비롯해 김상필, 강희원, 김영배 등은 기독교계 병원에 모여 만세운동 계획을 논의했다. 하지만 병원을 드나드는 사람들이 많아 깊은 논의가 불가능했다.

이들은 캐나다 선교사로 한국에 파견돼 성진에서 활동 중인 로

버트 그리어슨(한국명 구례선) 목사의 사택을 회동 장소로 이용하기로 했다. 외국인이어서 일제 경찰의 감시를 피하기 쉬울 것으로 여긴 것이다. 신학과 의학을 전공한 그리어슨 목사는 1901년 성진에 정착한 뒤 제동병원, 욱정교회, 보신학교, 협신학교 등을 세워 주민들에게 신망이 두터웠다.

캐나다 선교사의 도움을 받아 기독교계가 주도한 성진 만세운동은 3월 10일 거행되었다. 함북 지역 최초의 만세 시위였다. 1919년 당시 일제는 러시아, 중국, 만주 등과 국경을 접한 함북에 전국 최고 수준의 헌병 병력을 배치하며 강도 높은 경계 활동을 펼쳤다. 당시 일제 헌병 1명이 책임지는 조선인 수는 함북이 598명으로 전국 평균(1,874명)을 크게 밑돌았다. 그만큼 삼엄한 감시가 이뤄졌다는 뜻이다.

철통같은 경계를 뚫고 거행된 성진의 만세운동은 이후 길주,

성진 시위 주동자들이
비밀리에
거사 계획을 논의한
그리어슨 목사 사택.
(사진 출처: 《성진시사》)

명천, 경성, 청진 등 인근 지역의 시위로 이어졌다. 특히 명천에선 5천 명 이상이 참가한 대규모 시위로 발전했다. 성진 시위가 함북 지역의 독립에 대한 열기를 폭발시키는 뇌관이 된 것이다.(독립운동사편찬위원회,《독립운동사》)

푸른 눈의 선교사가 도와준 독립운동

강학린 목사가 욱정교회 신도들과 함께 그리어슨 목사의 사택을 찾아간 것은 3월 7일 저녁이었다. 모임을 위해 방을 빌려달라는 부탁에 그리어슨 목사는 "친구가 친구를 찾아와 이야기하는데 새삼스럽게 무슨 승낙이 필요하냐"며 흔쾌히 허락했다. 평소 한국 독립운동에 관심이 많았던 그리어슨 목사는 이후 거사 논의에도 참여했다.

김상필 등 교회 청년들은 이날부터 목사관 내 고용인 주택에 보신학교 등사판을 가져다놓고 함흥 영생학교 졸업생 허용필이 서울에서 가져온 독립선언서와 격문을 베껴 3만 장 인쇄했다.

3월 9일 열린 일요 예배 때 그리어슨 목사는 성경을 인용하며 교인들에게 희망과 용기를 불어넣어주었다. 이날 예배에는 정세 파악을 위해 경성에 다녀온 2명이 참석하고 있었다. 이들은 "한 시도 지체할 수 없다"며 서둘렀다. 이에 다음 날이 거사일로 정해

지고 비상 연락망이 가동됐다.

이튿날 오전 10시, 그리어슨 목사가 원장으로 있는 제동병원 앞 광장에 욱정교회 교인 등 수천 명이 모였다. 강학린 목사 등이 선언서를 낭독한 뒤 단체로 만세를 부르며 거리를 행진했다. 일제 경찰은 기세에 눌려 어쩔 줄 몰랐다.(독립운동사편찬위원회,《독립운동사》)

이날 오후에는 기독교계 보신학교 학생 40여 명과 교인 200여 명이 일본인 상가와 경찰서 앞에서 시위를 벌였다. 일경의 검거 시도에 맞서 투석전이 펼쳐졌지만 강학린 목사 등 주동자들은 결국 체포되고 말았다.

폭압적인 진압 과정에 인명 피해 발생

시위대에 혼쭐이 난 일제는 나남에 주둔 중인 기병대 일부를 성진에 파견했다. 일제 군경과 소방대 등은 10일 밤 도착한 기병대 장교, 하사 14명과 함께 11일 아침부터 무차별 보복에 나섰다. 이로 인해 1명이 숨지고 중경상자들이 속출했다. 그리어슨 목사가 쓴 선교 수기에는 당시 처참했던 상황이 생생하게 소개돼 있다.

3월 11일 이른 아침부터 일본인 소방대들은 도끼를 들고, 경찰들은 총을 들고 일본인 거리에서 한국인 거리로 들어와 한 가로이 쉬고 있는 한국인들을 닥치는 대로 치고 도끼질하고 총을 쏘았다. 죄 없이 (도끼에) 찍히고 총에 맞은, 그 수를 헤아릴 수 없는 숱한 부상자들이 속속 병원으로 들이닥쳤다.

습격 소식에 분노한 지역 주민들은 다시 제동병원 앞에 모였다. 사전 계획이 없었지만 11일 오전 10시경에 이미 그 수가 700여 명에 달했다. 시위대가 만세를 외치며 시가행진을 시작하자 일제는 기병대, 재향군인, 소방대 등 100여 명을 출동시켜 진압에 나섰다. 이 과정에서 일제 군경이 쏜 총탄에 1명이 숨지고 9명이 부상했다. 같은 날 오후엔 보신학교 학생 45명과 주민 200여 명이 군청까지 행진하며 시위를 벌였다.

명천에서 폭발한 분노

─────────

성진 시위로 촉발된 독립에 대한 열기는 길주군을 거쳐 명천군
까지 번져갔다. 길주에서 진행된 만세운동 소식은 명천군의 최남
단인 하가면 화대동에 가장 먼저 전해졌다. 주민들은 일제에 눌
려 숨도 제대로 쉬지 못하면서 쌓인 울분을 이 기회에 풀어보자
고 다짐했다.

3월 14일 만세 시위가 진행된다는 소식에 사람들이 몰려들었
다. 거사 당일 "관을 사(辭)하고 운동에 참가하라"는 내용의 협박
장이 명천군수에게 전달되었다. '대한독립협회' 이름으로 보내진
이 협박장은 명천 만세운동의 시작을 알리는 봉화(烽火)가 됐다.

14일 오전 11시 하가면 화대시장에는 5천 명 이상이 모여들었
다. 5천 명은 일제의 공식 문서인 〈조선소요사건 경과개람표〉에
수록된 수치로 함북에서 발생한 만세 시위 가운데 최대 규모다.
시위대는 일제히 만세를 외치며 헌병 분견소를 향해 행진했다.
분견소 앞에 도착하자 만세 함성은 더 커졌고 놀란 일제 헌병들
이 총을 마구 쏘면서 5명이 현장에서 숨졌다.(한국독립운동사연구
소,《한국독립운동의 역사》)

분노한 시위대는 이튿날 다시 면사무소로 몰려가 일제 앞잡이 노릇을 하며 주민들을 괴롭혀온 면장 동필한을 끌어냈다. 이날 시위는 박승룡과 김성련 등이 주도했다. "너도 조선 사람이니 우리 대열에 참가해 같이 만세를 부르자"는 시위대의 요구에 동필한은 "나는 조선총독이 임명한 면장이니 총독의 지시가 없이는 만세를 부를 수 없다"고 버텼다. 말로 설득하기 어렵다고 판단한 시위대가 위력을 행사하자 면장은 헌병 분견소로 달아났다. 그를 쫓던 시위대는 헌병 분견소 앞에서 만세를 부르며 면장을 내놓으라고 고함을 질렀다. 이때 길주에서 지원 나온 기마헌병과 경찰이 시위대를 향해 무차별 사격을 퍼부었고, 4명이 숨지고 11명이 다쳤다.

'명천군의 잔 다르크' 동풍신의 희생

15일 시위 때 숨진 4명 중 한 사람은 하가면 지명동에 살던 농부 동민수였다. 몸이 불편해 병상에 누워 있던 그는 14일 시위에서 참가자 5명이 일제의 총격에 숨졌다는 소식을 듣고 분노했다. 15일에도 시위가 있다는 말을 듣고 3킬로미터 떨어진 화대로 달려갔고, 시위대 선두에 섰다 총탄에 쓰러졌다.

효성이 지극했던 그의 둘째 딸 동풍신은 아버지가 돌아가셨다는 비보에 대성통곡한 뒤 원수를 갚겠다고 다짐하며 화대로 향했다. 소복 차림에 머리를 풀어헤치고 나타난 동풍신은 아버지 시신을 부둥켜안고 목 놓아 울었다. 그는 일군이 겨누는 총구에도 아랑곳하지 않고 미친 사람처럼 거리를 누비면서 만세를 소리 높이 외쳤다. 16세 소녀의 용기에 골목에 숨어 있던 군중이 다시 시위 대열을 정돈했다.(명천군지편찬위원회,《명천군지》)

이때 면장이 일군을 불러들였다는 얘기가 시위대 사이에 퍼졌다. 동풍신이 앞장선 시위대는 면사무소와 면장 집에 불을 질렀다. 기마헌병들에게 체포된 동풍신은 함흥감옥을 거쳐 서대문감옥으로 이감됐다.

일제는 동풍신의 마음을 돌리려고 화대가 고향인 화류계 출신 여성을 같은 감방에 넣었다. 이 여성은 일제가 시키는 대로 "네 어머니는 네가 잡혀간 뒤 혼자서 외롭게 지내면서 밤낮으로 애태우다가 너무 상심한 끝에 실신해 너의 이름을 부르며 세상을 떠났다"는 거짓말을 했다. 동풍신은 이 거짓 정보에 정신을 잃고 쓰러졌고, 의식을 회복한 뒤에도 식음을 끊고 버티다 옥중에서 숨졌다.

이정은 3·1운동기념사업회 회장은 "어린 소녀가 만세운동에서 큰 역할을 했고 감옥에서 옥사했다는 점에서 유관순 열사에 비견되긴 하지만 안타깝게도 판결문 등 자료가 거의 남아 있지 않다"고 말했다.

로버트 그리어슨

캐나다 선교사 로버트 그리어슨은 다양한 방식으로 독립운동을 지원했다. 그는 1898년 서울을 거쳐 1901년 성진에 정착한 뒤 병원, 교회, 학교를 세웠다. 목사이자 의사였고 또한 교육자였던 셈이다.

그는 또 3·1운동이 일어났을 때 조선인을 보호하려고 노력했고, 독립운동가들이 치외법권 공간인 제동병원을 적극 활용하게 하는 등 독립운동 지원에도 노력을 아끼지 않았다.(허윤정 외,〈일제하 캐나다 장로회의 선교의료와 조선인 의사〉)

필요하면 자신의 사택을 시위 준비 장소로 제공하고, 거사 계획 논의에 참여하기도 했다. 총칼에 부상을 입은 주민들은 그리어슨의 제동병원에서 치료받았다. 그는 교인들이 체포돼 감옥에 갇혔을 때 용기를 잃지 말라고 교회 종을 치기도 했다.

그리어슨은 독립운동가 이동휘 선생과도 인연이 있다. 일제의 집중 감시를 받았던 이동휘는 1912년 그리어슨을 찾아가 전도사로 일하다 북간도로 망명했다. 그리어슨은 이동휘를 안전하게 피신시키기 위해 부흥회를 이끌어야 한다는 구실을 만들어 국경까지 배웅했다. 독립운동을 적극적으로 보도했던 동아일보가 1차 정간 뒤 1921년 3월 속간되자 축하 광고를 신문에 게재하기도 했다. 정부는 그에게 건국훈장 독립장을 추서했다.

1993년에 발간된 《성진시사》에 따르면 동해가 바라보이는 해안가에 위치했던 그리어슨의 사택은 일제강점 말기 화재로 사라졌다. 일제는 1941년 12월 태평양전쟁을 일으킨 뒤 외국인과 선교사를 감금하고 건물 등을 적산으로 몰수했다. 그리어슨 사택은 일제에 동조하는 인물에게 넘겨졌는데 한국식 온돌방으로 개조하는 공사를 하다 발생한 불에 소실됐다.

함성

지축을 뒤흔든 거대한 독립의 만세성

1919년 경성에서 3·1운동이 시작된 날 함경남도 원산(현 강원도)에서도 대규모 만세 시위가 일어났다. 조선헌병사령부와 조선총독부 경무총감부가 작성한 〈조선소요사건 경과개람표〉에 따르면 이날 원산은 경성(4천 명) 다음으로 많은 인원인 2,500명이 시위에 참가했다. 같은 북한 지역인 평양(1,800명)이나 의주(1,200명)보다 많은 수치다. 일제는 3월 1일에 전국적으로 9,930명이 시위에 참가했다고 축소 보고했지만 경성과 원산 등 각지의 시위 참가자 수는 훨씬 많았던 것으로 확인된다.

거사 하루 전 날아든 '청어 상' 전보

동북 지역 제일의 무역항이던 원산은 항일의식이 남다른 곳이었다. 이를 주도한 이들은 원산 남촌동 교회 정춘수 목사를 비롯한 기독교계 인사들이었다. 3·1운동 당시 민족대표 33인 중 한 명이었던 정춘수는 1919년 1월 경성에서 기독교 목사 오화영, 신석구 등을 만나 독립운동에 관해 논의했다. 이어 2월 20일 서대문의 영신학교에서 이승훈, 박희도, 오화영 등과 구체적인 실행방안을 검토했다. 오화영이 거사 계획이 확정되는 대로 통지해주기로 하자, 정춘수는 원산으로 돌아갔다.

2월 23일, 오화영의 편지가 정춘수에게 전달됐다. "거사일은 3월 1일이며 주동은 기독교, 천도교, 불교가 함께 맡기로 했다"는 내용이었다. 정춘수는 시일이 촉박한 데다 다른 종교단체와 손잡는 것이 마음에 걸리자 사정을 알아보도록 전도사 곽명리를 경성으로 보냈다. 그러나 거사 하루 전인 2월 28일 아침까지도 경성에서 아무런 연락이 없고 독립선언서도 도착하지 않자 정춘수는 장로 차준승을 다시 경성으로 보냈다. 이때 일제가 눈치채지 못하도록 암호를 정해 소식을 주고받기로 했다. 3월 1일의 거사가 확실하면 청어 값이 올랐다는 뜻인 '청어 상(上)'을, 거사가 예정대로 진행되지 않으면 청어 값이 떨어졌다는 뜻의 '청어 하(下)'를 전보로 보내기로 한 것이다. 독립선언서가 늦게 도착할 것에 대비해 스스로 제작한 독립선언서 2천여 장도 따로 인쇄했다.

다행히 이날 오후 경성에서 소식이 날아들었다. 오화영을 만나고 원산에 돌아온 곽명리가 "원산의 거사는 3월 1일 오후 2시에 하라"는 내용을 보고한 것이다. 그는 독립선언서 300여 장도 함께 가지고 왔다. 비슷한 시각 차준승도 '청어 상'이라는 전보를 보냈다. 이에 정춘수는 당초 계획대로 3월 1일 만세 시위를 하기로 정하고 동지들과 함께 밤을 새워가며 태극기 제작에 돌입했다.(독립운동사편찬위원회,《독립운동사》)

학생들이 선두에서 북 치고 나팔 불고

3월 1일은 원산 장날이었다. 오후 2시, 여러 교회에서 일제히 종소리가 울렸다. 주동자 13명이 독립선언서를 낭독했고 학생들이 북을 치고 나팔을 불며 시위대를 이끌었다. 수천 명의 시위대가 일본인 거주촌을 거쳐 원산경찰서로 향했다. 시위대 규모에 놀란 일제는 경찰과 헌병, 소방대를 동원했지만, 시위대는 공포탄을 쏴도 잠시 흩어졌다가 다시 모이기를 반복했다. 당시 시위 주동자 중 한 명이었던 이진구는 〈신동아〉 1965년 3월호 기고에서 "시장에서 장군과 합세한 1만여 명은 목이 터져라 독립 만세를 부르며 시가행진에 나섰다"고 밝혔다. 이후 원산에선 3월 18

일 1천여 명이 참가한 대규모 시위와 4월 5일 김진수와 황종성이 주도한 철시 시위 등이 이어졌다.

기독교계와 학생 두 갈래로 계획된 함흥 시위

원산 만세운동 지도부는 거사 논의 초기 단계부터 함남의 중심 도시인 함흥을 동참시키는 방안을 염두에 두고 있었다. '청어 상' 전보가 원산에 날아든 2월 28일, 원산 광석동교회 장로 이순영은 한밤중에 자전거를 타고 함흥으로 떠났다. 그의 소식을 접한 함흥 지역 시위 계획자들은 장날인 3월 3일 만세운동을 펼치기로 하고, 태극기 제작과 독립선언서 인쇄 등 만반의 준비를 해나갔다. 이와 별도로 함흥고등보통학교와 함흥농업학교, 영생중학교 3·4학년 학생으로 구성된 함산학우회도 보성전문학교 학생 대표가 보낸 독립선언서를 받은 뒤 3월 3일 거사하기로 결정했다.

그런데 변수가 생겼다. 산발적인 시위가 3월 2일 함흥시내에서 일어난 것이다. 《함흥시지》에 따르면 이 시위로 300여 명을 체포한 일제 경찰은 3월 3일 새벽 함흥의 모든 시내에서 대규모 예비 검속을 벌여 기독교계와 학생 시위 주동자들까지도 체포했다.

함흥경찰서에 갇힌 조영신, 이근재, 한태연 등은 경찰에 얻어 맞으면서도 "대한 독립 만세"를 외쳤다. 특히 조영신은 가장 먼

만세를 부르다 입을 찢긴 조영신은 1920년 가출옥 일주일 만에 숨졌다. 영생학교에서 열린 장례식 모습. (사진 출처: 《팔룡산 호랑이》)

저, 가장 크게 만세를 불렀다. 일제 경찰은 그에게 중단하라고 제지해도 말을 듣지 않자 칼로 그의 입을 찢어버렸다. 하지만 조영신은 피를 흘리면서도 만세를 멈추지 않았다. 이를 본 많은 수감자들은 경찰서 유치장이 떠나갈 듯이 큰 소리로 만세를 불렀다.(독립운동사편찬위원회,《독립운동사》)

이를 계기로 무산될 뻔한 함흥 시위는 다시 살아났다. 장로 이명봉이 서문거리 모퉁이 집 지붕 위에 올라가 큰 태극기를 흔들며 만세를 외쳤고, 김치선이 독립선언서를 나눠 줬다. 함흥 시위에 참가했던 목사 김중석은 〈신동아〉 1965년 3월호 기고에서 "애초에 계획하기로는 낙민루재에서 나팔소리가 나면 시장 복판인 서문거리 모퉁이 집 지붕 위에 올라가 만세를 선창하기로 약속돼 있었다"고 소개했다.

시장 부근에 나와 있던 영생중학교, 함흥농업학교, 함흥고등보통학교, 영생여학교 학생과 시민 1천여 명도 만세를 부르며 거리 행진에 나섰다. 일제 경찰은 헌병과 소방대의 지원을 받아 총칼과 (화재 진압용) 쇠갈고리를 휘두르며 시위를 진압했다. 이를 목격한 캐나다 북장로파 선교사 덩컨 맥레는 일경에게 "학생들의 머리에 불이 붙었느냐. 왜 쇠갈고리를 학생들 머리에 휘두르느냐"고 고함을 질렀다. 맥레는 경찰서장에게 항의했고, 함흥에서 자행된 일제의 잔학상을 경성의 영국 총영사에게 알리기도 했다.

"미 의원단에 독립 의지 보여주자"

원산 애국지사들은 1919년 3·1운동 이후에도 독립이 이뤄질 때까지 노력하기로 약속했다. 1920년 9월 원산 2차 의거의 주역 중 한 명으로 당시 동아일보 원산 주재 통신원이었던 김상익은 〈신동아〉 1965년 3월호에서 이렇게 회고했다.

> "원산에서는 3·1만세운동을 당년(그해)에 끝내지 않고 나라가 독립될 때까지 해마다 계속하기로 3·1운동 당시 동지 간에 묵계가 있었다."

원산 2차 의거는 3·1운동으로 징역형을 선고받은 김장석이

1920년 4월 함흥감옥에서 풀려나면서 본격화된다. 주동자들은 1920년 여름에 만세 시위를 벌이기로 뜻을 모았다. 그러던 중 기회가 찾아왔다. 일제가 조선인들이 자신들의 식민통치에 승복하고 있음을 알리기 위해 미국 의원단을 한국에 초청한 것이다.(독립운동사편찬위원회,《독립운동사》)

일제 판결문과《원산시사》에 따르면 주동자들은 미국 의원단이 경성을 방문하는 8월 24일에 시위를 벌이기로 했다. 조선 민족이 총독부에 반항하고 독립에 대한 희망이 맹렬하다는 것을 미국 의원단에 보여주자는 취지였다. 시위 주동자들은 동아일보 원산지국을 회합 장소로 활용했다. 먼저 김상익과 이용훤 등은 '상해 임시정부 결사대 일행' 명의로 전단을 작성했다. "한국의 자주독립을 위해 미국 국회의원을 환영하라. 전 시가는 철시하고 친일파는 살육하라. 친일파의 재산은 몰수·소각하며 일본 상품의 판매를 금지하고 관공서는 파괴하라"는 내용이었다. 주동자들은 이를 대량 인쇄한 뒤 원산시내에 배포했다. 김상익은 아예 경성으로 가서 각계 주요 인사에게 전단을 전달했다.

원산 시위 준비는 착실하게 진행됐지만 강화된 일제의 감시 탓에 거사일은 9월 23일로 늦춰졌다. 거사 당일 오후까지도 원산은 조용했다. 그날 밤 최종현 등 주동자들은 시위 준비가 뜻대로 되지 않아 속을 태우며 남산교 부근을 걸었다.

그때 저녁 달빛을 감상하러 나온 많은 시민들이 눈에 띄자 최

◇미국의원단일행=이십사일발남대문역에서=

미국 의원단의 방한은 1920년 9월 원산 2차 의거의 명분이 됐다. (사진 출처: 〈동아일보〉 DB)

종현 등은 "독립 만세"를 외치기 시작했다. 이어 시민 수백 명이 만세 행진에 동참했고, 원산보광학교와 원산공립보통학교 학생 600여 명도 가세했다. 기세가 살아난 시위대는 시내로 진출해 조선식산은행과 동양척식회사, 우체국, 파출소 등을 습격하고 일본인 집에 돌을 던졌다. 뒤늦게 시위 진압에 나선 일제 경찰의 발포로 학생 2명이 현장에서 숨지고, 40명이 체포돼 33명이 유죄판결을 받았다.

참사
시위운동은 당연한 주장이요, 누구도 제압할 권리가 없다

"(1919년) 3월 초순 이 지역 사람들이 독립을 외치고 난 후 56명이 헌병대에 출두하라는 명령을 받고 그곳으로 갔다. 그들이 헌병대 안으로 들어서자 대문이 굳게 닫혔다. 헌병들이 담 위로 올라가더니 들어왔던 사람들 모두를 쏘아 죽였다. 그러고는 내려와서 죽은 사람들 사이를 걸어 다니며 아직 숨이 끊어지지 않은 사람들을 총검으로 다시 찔러 죽였다. 53명이 그곳에서 학살당했고, 나머지 3명은 나중에 그 주검의 더미에서 기어 나와 탈출하였다. 그들이 계속 살아 있는지 여부는 알려진 바 없다. 우리가 신뢰할 수 있는 한

여성 기독교인이 며칠에 걸쳐 여행한 끝에 그의 외국인 친
구에게 위의 사실을 전해주었다. 의심의 여지 없이 그녀의
말은 사실이었다."

미국인 선교사 모펫 등이 본국에 보고한 이 문건은 현장에 있
던 여러 목격자의 증언을 토대로 작성된 것이다. 문제의 사건은
1919년 3월 10일 대동강이 발원(發源)하는 산간 지역인 평안남
도 맹산군에서 발생했다.

만세운동이 활발했던 시기에 일제가 저지른 집단 학살 만행 중
대표적인 게 '제암리 사건'이다. 1919년 4월 15일 일제는 경기 수
원군 제암리 예배당에 23명을 가둬놓은 뒤 건물에 불을 지르고,
밖으로 나오는 사람들에게 총을 쏘아 몰살했다. 이 사건은 스코
필드 등 외국인 선교사들에 의해 외부세계에 알려졌다. 그런데
이보다 한 달여 앞선 시점에 일제는 맹산에서 비슷한 집단 학살
을 자행한 셈이다.

'북한판 제암리 사건'이라 불릴 맹산 학살의 피해 규모는 제암
리보다 컸다. 사망자도 제암리의 배가 넘는 54명이나 된다. 선교
사의 보고보다 1명이 더 많은데, 51명은 현장에서 죽고, 3명은 부
상을 입고 도망하던 중 사망했다. 이 과정에서 당시 38식 보병총
과 권총 등으로 무장한 일제 군인과 헌병들은 모두 66발의 실탄
을 쏴댔다.(〈조선소요사건의 사상수 건보고〉, 1919년 9월 29일)

맹산 사건은 일제가 3·1운동 초기부터 만세운동 참여자들에게 조준 사격을 가했음을 보여준다. 또 3·1운동 당시 단일 사건으로는 가장 인명 피해가 컸던 사건이다. 하지만 남북이 분단되면서 그동안 실체가 잘 알려지지 않은 '아픈' 역사이기도 하다.

천도교 맹산 교구

맹산의 만세운동은 천도교인들이 주도했다. 천도교 맹산교구의 원로 지도자 방기창은 경성의 천도교 중앙총부를 왕래하다가 천도교가 주축이 돼 만세운동을 벌일 것이라는 사실을 접했다. 방기창은 맹산 지역 천도교인으로는 유일하게 천도교 교주 손병희가 직접 챙기는 '봉황각 수련'에 참여할 정도로 두터운 신임을 받던 인물이다.

경성의 천도교 지도부는 3월 1일 낮 12시에 전국 각지에서 만세운동을 펼치기로 하고 이 사실을 각 교구에 통보했다. 당시 경성에 있던 방기창은 소식을 접하자마자 맹산으로 귀향한 뒤 맹산 교구 내 각 전교실에 이를 알렸다. 천도교가 운영하는 보성사에서 미리 인쇄된 독립선언서(최종 완성본은 아닌 것으로 추정)도 그해 2월 24일 맹산 교구에 전달됐다.(박연수 증언, 맹산교구의 만세운동, 〈신인간〉 1989년 3월호)

맹산의 만세운동은 공식적으로는 3월 6일에 발생한 것으로 기록돼 있다. 하지만 실제로는 천도교 중앙총부의 지령에 따라 3월 1일 낮 12시에 시작됐다. 당시 보통학교 2학년생 김득홍은 "(3월 1일에) 55명의 천도교도가 박창도를 앞세우고 만세를 불렀다"면서 "학교 수업 중에 시장 쪽에서 만세 소리가 들려오더니 시위대가 학교 앞을 지나갔다"고 증언했다. 또 "이튿날인 2일 낮 12시에도 천도교 청년들로 구성된 55명이 또다시 만세 시위를 벌였는데, 헌병과 경찰의 제지로 해산했다"고 덧붙였다.(《신인간》 1989년 3월호)

이렇게 시작된 맹산의 만세운동은 장날인 3월 6일 규모를 대대적으로 키웠다. 맹산교구장 문병로, 방기창, 정덕화, 김치송, 박창도, 이관국, 방진항 등 천도교 간부들이 50여 명의 시위대를 이끌고 맹산면 소재지에서 독립선언서를 공식 배포하고 만세를 외쳤다. 이에 수백 명의 군중이 합세했다.

이날 시위는 출동한 일제 헌병들에 의해 강제 중단됐지만 만세운동의 열기는 꺾이지 않았다. 밤이 되자 시위대는 산에 올라 봉화를 올리고 만세를 불렀다. 맹산군수와 맹산 헌병 분견소가 해산을 종용했지만 시위는 이튿날에도 계속됐고, 인근 지역으로 들불처럼 퍼져나갔다. 3월 9일에는 지방 촌락의 교인들도 맹산읍내에 모여 만세를 외쳤다. 기독교인들이 가세하면서 시위대의 규모는 더 커지고 조직화하기 시작했다.

의도된 학살

진압에 한계를 느낀 맹산 헌병 분견소장은 인근 덕천 수비대에 지원을 요청했다. 맹산·덕천 등 평남 지역을 관할하는 일본군 보병 제77연대는 이노우에 중위와 10명의 병력을 긴급히 파견했다. 이들은 3월 9일, 맹산 바로 북쪽에 위치한 영원군에서 만세운동을 벌인 천도교인들을 총으로 쏘아 이미 15명의 사망자와 38명의 부상자를 낼 정도로 성품이 포악했다.

3월 10일 오전 9시 20분, 이들이 맹산에 들이닥쳤다. 맹산 헌병 분견소는 천도교인 100여 명이 이날 오후 3시 시장에서 만세운동을 벌인다는 정보를 입수한 뒤 사전에 진압하기 위해 주동자 검거에 나섰다. 오후 2시, 일제는 천도교인 100여 명을 맹산공립보통학교 앞에 집합시킨 뒤 해산을 명하고 주동자 4명을 헌병 분견소로 잡아가려 했다. 교인들은 완강히 저항했지만 결국 5명이 분견소로 끌려가고 말았다.

증언에 따르면, 맹산 헌병 분견소에 구인된 박창도가 증파된 완전무장 군인들의 철수를 요구하자 맹산 헌병 분견소장 사다케가 욕설을 퍼부었고, 이에 박창도가 의자로 헌병을 내려쳤다.(《신인간》 1989년 3월호) 또 《맹산군지》에는 시위 주동자로 지목된 박창도를 헌병 분견소로 구인해 시위 중지를 강요하며 고문하려 하니, 박창도는 분연히 "시위운동은 우리 민족의 자결권을 주장하는 자주독립 의사이므로 당연한 주장이요, 누구도 제압할 권리가 없다"고 항변을 토하며 옆에 있던 의자를 들어 심문하는 헌병에게 던졌다는 기록이 있다. 이 과정에서 카이저수염이 난 잘생긴 외모에 힘이 장사였던 박창도는 죽임을 당한다. "옆에 있던 사토 상등병이 권총으로 박창도를 쏘았다. 복부에 총탄을 맞은 박창도는 고통을 참으며 사토에게 달려들어 그의 멱살을 거머쥐었다. 억센 힘에 의해 목이 졸린 사토도, 총에 맞은 박창도도 같이 죽었다."(《신인간》 1989년 3월호)

이 사실에 격분한 시위대는 헌병 분견소로 진입을 시도했다. 이때 이노우에 중위가 군인과 헌병을 건물 밖으로 나오게 한 뒤 건물 안에 들어간 시위대를 향해 조준 사격을 가하도록 명령했다.

맹산 3·1운동 시위대에 집단 학살을 명령한 보병 제77연대 본부 건물(평양 소재)과 일본 헌병대.
(사진 출처: 《일본통치시대의 조선》, 일본에서 간행)

조작된 기록

일제는 이날 상황에 대해 폭도(시위대)가 시위 주모자를 탈취하기 위해 먼저 돌을 던지고 건물 안까지 들어가 헌병을 구타했다는 사실만 기록하고 있다.(조선총독부, 평남기밀 제118호) 조선총독부 기관지 역할을 하던 〈매일신보〉도 거들었다.

> 군중이 (헌병 분견소) 사무실에 돌입하여 폭행하였으므로 헌병 및 보조원은 방어코자 하여 대격투가 시작되었는데, 마침내 헌병 상등병 좌등연 씨는 다수의 군중과 용감히 격투하다가 죽고, 박 보조원 감독은 중상을 당하였고, 사무실 안은 수라장이 되었다. 다른 헌병과 보조원 등은 마침 응원하러 온 보병과 뒤뜰에서 협력해 발포해 격퇴했다.(《매일신보》 1919년 3월 13일자)

박창도에 대한 사격 사실은 쏙 뺀 채 시위대가 헌병 분견소에 들이닥쳐 먼저 폭행을 행사해 방어 차원에서 군경이 시위대에 총격하게 됐다는 것이다. 하지만 외국인 선교사 모펫의 보고는 정반대다. 그는 "아무런 무장을 하지 않았으며 폭력을 행사하려고도 하지 않았던 시위대에 군인들은 총을 쏘았다"고 밝혔다. 북한 지역 3·1운동을 연구해온 이정은 대한민국역사문화원 원장은

만세운동을 하다가 일본 군경의 총격에 살해된 한국인들의 장례식. (사진 제공: 박환)

"일제의 기록은 자신들의 인명 살상 행위를 정당화하기 위해 거
짓으로 작성했을 가능성이 매우 크다"고 설명했다.

　당시 순국한 이들은 일제 군경에 의해 산골짜기에 버려졌다.
이후 만세운동의 진원지였던 천도교 맹산교구는 1년 넘게 헌병
대와 경찰에 강점당했다. 일제는 배일 의식이 강한 천도교인들
에게 신앙을 포기하도록 강요하고 협박하기도 했다.《한국독립
운동사략》은 맹산군의 만세 시위를 '천도교인의 참사'로 소개하
고 있다.

정점
거침없이 퍼져나간 독립의 의지

정주 지역 출신들의 항일과 독립 정신은 남달랐다. 1900년대 초부터 일본 제국주의의 침탈에 대항해 의병 활동과 국채보상운동 등을 활발히 전개했고, 일제가 대한제국을 강제 병합한 직후인 1911년 발생한 '105인 사건'(데라우치 총독 암살 사건)에서도 선천 다음으로 많은 34명의 기소자(전체 123명)를 냈다. 정주의 만세운동은 그 정점을 보여주는 사건이었다.

만세운동의 점화

정주의 만세운동은 3·1운동 첫날에 시작되지 못했다. 바로 이웃한 평북 의주와 선천 등지에서는 3월 1일 만세운동이 펼쳐졌지만 정주는 일제 군경의 사전 단속에 막혔기 때문이다.(《조선소요사건일람표》, 1919년 4월 30일 작성) 하지만 늦게 점화된 정주의 만세운동은 다른 지역들보다 훨씬 치열했다. 3, 4월에 모두 14차례에 걸쳐 만세운동이 일어났고, 많은 희생자를 냈다.

공식적인 정주의 첫 만세운동은 3월 5일 정주읍에서 일어났다. 이날 오후 1시 30분 기독교인과 천도교인이 연합해 태극기를 앞세우고 만세를 부르며 읍내를 돌다가 해산했다. 아쉽게도 이날 시위와 관련한 자세한 내용은 알려지지 않고 있다.(한국인문과학원,《한국민족운동사료: 3·1운동편》)

만세운동이 점화된 뒤 이를 확산시키려는 민족운동 세력과 진압하려는 일제 관헌들 간에 치열한 '공방전'이 이어졌다. 3월 6일 오산학교 학생들이 만세운동에 사용할 독립선언서를 만들어 보관하다 일본 군경에 발각돼 구속됐고, 곽산면의 미곡상(米穀商) 김성근이 '불온문서'(독립선언서) 70장을 곽산면 시장 점포들에 배포했다가 체포되기도 했다.

대규모 만세운동이 꽃을 피운 곳은 곽산면 곽산읍이었다. 3월 6일 오후 2시 강훈채(사립 영창학교 교사) 등이 이끄는 254명의 영창학교 학생과 100여 명의 주민이 태극기를 들고 '대한 독립 만세'라고 쓴 기를 앞세우며 곽산읍 읍내로 진출했다. 기다렸다는 듯이 천도교인과 기독교인 등이 가세했고, 시위대 규모는 삽시간에 1천여 명으로 불어났다. 천도교 곽산교구장인 김경함이 독립에 관한 연설을 한 뒤 시위대는 독립 만세를 부르면서 읍내를 누비고 다녔다. 이에 자극받은 공립보통학교 학생들도 만세운동에 가세했다. 이들은 일제 관사나 학교 담장, 처마 등에 태극기를 꽂았다.

이날 시위는 오후 4시까지 계속됐다. 시간이 갈수록 시위대 규모가 커지고 열기가 뜨거워지자 일제는 진압을 위한 총력전을 펼쳤다. 이 과정에서 수십 명의 부상자가 발생했고, 남녀 14명이 체포됐다. 경찰 보조원이 당시 50세가 넘은 박지협을 때려 숨지게 하는 일도 벌어졌다.

정주읍 시가지.
오른쪽에 보이는
큰 건물이 3·1운동을
탄압한 정주경찰서.
(사진 출처: 《정주군지》)

이후 정주 지역의 만세운동은 한동안 소강상태에 빠진 것처럼 보였다. 하지만 물밑 작업은 계속되고 있었다. 정주에서 동학 대접주를 지냈던 천도교인 김진팔과 정주 교구장 최석일, 곽산 만세운동을 주도했던 곽산 교구장 김경함 등은 3월 31일 정주 장날을 이용해 대대적인 만세운동을 전개하기로 결의했다. 이들은 일제의 감시를 피하기 위해 교구직원 대신 일반 신자였던 김석보, 김공선, 방열경 등 세 사람에게 연락과 군중 동원 책임을 맡기며 거사 준비를 진행했다.

'굴목대장' 김석보

김석보는 이 과정에서 '굴목대장(掘目大將)'이라는 별명을 얻게 된다. 당시 40대로 기골이 장대했던 김석보는 서면과 해산면 교인들에게 거사 계획을 알려준 뒤 읍내로 돌아오던 중 일제 헌병의 검문에 걸렸다. 조선인 헌병 보조원이 김석보의 솜바지 속에서 독립선언서 1장을 발견하고 그를 체포하려 했다. 김석보는 "같은 동포끼리 왜 이러느냐"며 풀어줄 것을 사정했지만 통하지 않자 주먹으로 보조원의 얼굴을 휘갈긴 뒤 눈알을 뽑았다. 그는 이어 "너는 일본의 사냥개가 아니냐. 나는 사람의 눈알을 뽑은 것이 아니고 개의 눈알을 뽑은 것이다"라고 호통쳤다. 나중에 이 소식을 접한 사람들은 눈알을 뽑은 대장부라는 뜻에서 그를 '굴목대장'으로 불렀다.(정주군지편찬위원회,《정주군지》)

거사일인 3월 31일 정주읍 장날이 되자 인근 지역 주민들이 정주읍성 동·서·남문 등을 이용해 몰려들었다. 한곳에 모인 시위대는 오후 1시 30분부터 읍내 진출을 시도했다. 이들의 만세 함성은 양고(洋鼓), 나팔소리 등과 어울려 천지를 진동시켰다. 읍내의 주민 100여 명도 이에 호응했다. 이때 모여든 군중 수는 무려 2만 5천 명이 넘었다. 하지만 일제는 3,500여 명으로 축소해 기록했다.

당시는 일제가 보병 77연대 소속 군인들을 앞세워 평안도 곳곳에서 민간인들을 상대로 잔인한 살육을 감행했다는 흉흉한 소식이 전해진 뒤였다. 이에 시위대는 '대한국독립단' 기를 앞세우고 도끼와 낫 등을 들고서 만세를 외치며 정주읍내로 진입했다. 목숨을 내건 셈이었다.

시위는 격렬하게 진행됐다. 일본인 거리이던 정주우편국 앞에 독립선언서가 뿌려지고 독립 만세 함성이 여기저기서 터져 나왔다. 일제 헌병의 저지에 맞서 군중은 투석으로 저항했다. 충돌은 군청에서도 발생했다. 헌병대는 일본인 민간 소방대의 지원을 받으며 실탄 사격까지 감행해 진압에 나섰다.

이 과정에서 일제 헌병은 선두에서 태극기를 높이 흔들고 만세를 외치던 최석일을 향해 칼을 휘둘렀다. 태극기를 쥐고 있던 그의 오른팔이 잘려나갔다. 최석일은 떨어진 태극기를 왼손으로 주워 들고 다시 만세를 불렀다. 헌병은 왼팔마저 칼로 내리쳤다. 최석일은 양팔을 다 잃었지만 아랑곳하지 않고 독립 만세를 외쳤다. 이에 일제 헌병은 그의 목을 향해 칼날을 드밀었고, 최석일은 현장에서 숨을 거뒀다. 그의 바로 뒤에 서서 행진하던 김사걸이 이 광경을 목격했다. 김사걸은 최석일이 떨어뜨린 태극기를 주워 들고 다시 앞장서 나아갔다. 헌병 보조원이 쇠갈고리를 들고 달려들어 그의 배를 찌른 뒤 끌고 다녔고, 일제 헌병은 그를 향해 총탄을 발사했다. 김사걸도 그 자리에서 순국했다.

무차별 진압에 정주읍 시가는 붉은 피로 물들었고, 이 과정에서 28명이 사망하고 99명이 부상을 입었다. 모씨 일가족(모신녀, 모원봉, 모원빈) 3명도 현장에서 숨졌다. 당시 정주 사람들은 시산혈해(屍山血海, 시신이 산을 이루고 피가 바다를 이루다) 광경을 보고, 조선 시대 '홍경래의 난' 이후 가장 많은 인명이 희생됐다고 말했다.

비슷한 시각 동주면 삼리에서도 시위가 있었다. 천도교인 박일경 등의 주도로 600여 명의 군중이 면사무소를 습격했다. 시위대는 면서기와 직원 2명에게 만세를 부르게 하고, 면사무소에 비치된 각종 문서와 기구를 불태워버렸다. 이후 출동한 일본군 수비대는 총격을 앞세워 시위를 탄압했다. 이때 동원된 일제 소방대원들은 들개를 때려잡을 때 사용하는 쇠갈고리를 휘둘러 수많은 사람들을 다치게 했고, 일제 엽총 사냥꾼들은 정주읍을 향해 오

3·1만세운동의 집결지였던
정주읍 영정거리의
우편국(오른쪽).
(사진 제공: 역사공간)

는 시위대를 향해 짐승을 사냥하듯 사격을 했다. 거리가 피바다를 이룰 정도로 시위대의 피해는 막심했다. 일제의 발포로 모두 12명이 현장에서 순국했다.(〈독립신문〉, 1921년 3월 26일자)

격렬한 만세운동 이후 일제는 학교, 교회 등을 불태우며 보복을 단행했다. 일제 헌병들은 4월 2일 새벽 천도교 정주교구 24칸 건물에 불을 질러 전소시켰다. 그날 밤에는 용동 오산학교와 기숙사, 용동교회 등에도 불을 놓았다. 4월 10일 오전 6시경에는 읍내 기독교 정주교회당을, 25일에는 곽산교회당을 불태워버렸다. 일제는 방화 사건이 모두 3·1운동을 반대하는 조선인이 저지른 일로 보인다는 거짓 보고와 함께 사건 자체를 덮어버렸다.

가평군사편찬위원회,《가평군지》,
　　가평군사편찬위원회, 2006.

강만길,《밀양의 독립운동사》,
　　밀양문화원, 2003.

강화사편찬위원회,《강화사》, 강화문화원,
　　1983.

경기도사편찬위원회,《경기도
　　항일독립운동사》, 경기도, 1995.

경상남도향토사연구협의회,《경상남도
　　각 시군의 3·1독립운동》,
　　경상남도향토사연구협의회, 1999.

국사편찬위원회,《한국독립운동사》,
　　정음문화사, 1983.

권대웅 외,《영덕의 독립운동사》(증보판),
　　영덕군·영덕문화원, 2019.

김삼웅,《서대문형무소 근현대사》,
　　나남출판, 2000.

김상기 외,《청양의 독립운동사》,
　　청양군·충청남도역사문화연구원,
　　2016.

김재영,《한국민족운동사와 정읍》,
　　정읍역사문화연구소, 2019.

김정인 외,《국내 3·1운동: 중부·북부》,
　　독립기념관 한국독립운동사연구소,
　　2009.

김준영 외,《전북인물지》, 탐진, 1991.

김진수,《김포항일독립운동사》,
　　김포문화원, 2005.

김진호 외,《국내 3·1운동: 남부》,
　　독립기념관 한국독립운동사연구소,
　　2009.

김형목,《여주 독립운동사 개관》,
　　여주시·여주박물관, 2014.

김희곤 외,《경북독립운동사 3: 3·1운동》,
　　경상북도, 2013.

김희곤,《안동사람들의 항일투쟁》,
　　지식산업사, 2007.

김희곤,《안동의 독립운동사》, 안동시,
　　1999.

당진문화원,《당진지역 항일독립운동사》,
　　당진문화원, 1991.

도진순,《군북 3·1 독립운동사》, 선인,
　　2004.

독립운동사편찬위원회,《독립운동사
　　자료집: 3·1운동 재판 기록》,
　　고려서림, 1973.

독립운동사편찬위원회,《독립운동사:
　　3·1운동사》, 독립운동사편찬위원회,
　　1972.

독립운동사편찬위원회,
　　《독립운동사자료집》, 고려서림, 1984.

명천군지편찬위원회,《명천군지》,

명천군지편찬위원회, 1981.

박용옥, 《여성운동》, 독립기념관
한국독립운동사연구소, 2009.

박용옥, 《한국 여성항일운동사 연구》,
지식산업사, 1996.

박은식, 《한국독립운동지혈사》, 서문당,
1975.

박환, 《경기지역 3·1독립운동사》, 선인,
2007.

부산일보 특별취재팀, 《백산의 동지들》,
부산일보, 1998.

사천문화원, 《사천 항일독립 운동사》,
사천문화원, 2018.

삼일동지회, 《3·1독립운동실록》,
삼일동지회, 1985.

삼혁당 김영원 선생 추모회, 《영춘》,
삼혁당 김영원 선생 추모회, 2019.

수안군지편찬위원회, 《수안군지》,
수안군중앙군민회, 1992.

신배섭, 《이천독립운동사》,
이천시·이천문화원, 1996.

신현정, 《가평독립운동사》,
가평향토문화추진협의회, 1984.

양평문화원, 《양평 3·1운동사》,
양평문화원, 2014.

오영교·왕현종, 《원주독립운동사》,
원주시, 2005.

완도군항일운동기념사업회,
《완도군 항일운동사》,
완도군항일운동기념사업회, 2000.

울산광역시사편찬위원회,
《울산광역시사》,
울산광역시사편찬위원회, 2002.

유림독립운동기념관, 《파리장서와 유림의
독립운동》, 유림독립운동기념관, 2013.

유승광, 《서천, 서천 사람들》, 분지출판사,
1997.

윤영근 외, 《남원항일운동사》, 친우, 1985.

윤우, 《안성 4·1독립항쟁》, 백산서당,
2018.

의령문화원, 《의령의 항일독립운동》,
의령문화원, 2017.

이규석, 《함안 항일독립 운동사》,
함안군·함안문화원, 1998.

이동언, 《독립운동 자금의 젖줄 안희제》,
역사공간, 2010.

이병헌, 《3·1운동비사》,
시사시보사출판국, 2002.

이용락, 《삼일운동실록》, 삼일동지회,
1969.

이정은, 《3·1운동의 지방시위에 관한

연구》, 국학자료원, 2009.

이정은,《고양독립운동사》, 광복회
　고양시지회, 2013.

이제재,《수원의 옛문화》, 효원문화, 1995.

자와할랄 네루,《세계사 편력》, 일빛,
　2004.

전북지역독립운동추념탑건립추진위원회,
　《전북지역독립운동사》, 탐진, 1994.

정읍군,《태인지》, 정읍군, 1965.

정재상,《하동의 독립운동사》,
　악양면청년회, 2000.

정주군지편찬위원회,《정주군지》,
　정주군지편찬위원회, 1975.

정해룡 외,《고성독립운동사》,
　고성문화원, 2015.

제주도지편찬위원회,
　《제주항일독립운동사》, 제주도, 1996.

조동걸,《태백항일사》, 강원일보사, 1977.

지바 료,《조선독립운동비화》,
　제국지방행정학회, 1925.

최은희,《조국을 찾기까지》, 탐구당, 1973.

충청남도,《충남의 독립운동가》,
　충청남도역사문화연구원, 2011.

파주문화원,《파주전투사지》, 파주문화원,
　1995.

파주시,《파주독립운동사》, 파주시, 2019.

평택시독립운동사편찬위원회,
　《평택시항일독립운동사》,
　평택시독립운동사편찬위원회, 2004.

하봉주 외,《봉화》, 영산 3 ·
　1독립운동유족회, 1979.

한국독립운동사연구소,
　《한국독립운동의 역사》, 독립기념관
　한국독립운동사연구소, 2013.

한국문화원연합회 경상남도지회,
　《경남지역 3 · 1독립운동사》,
　한국문화원연합회 경상남도지회,
　2007.

한국역사연구회 역사문제연구소 편,《3 · 1
　민족해방운동 연구》, 청년사, 1989.

한국인문과학원,《한국민족운동사료 :
　3 · 1운동편》, 한국인문과학원, 1998.

홍면옥 외,《나의 독립운동가 아버지를
　말하다》, 화성시, 2018.

황주익,《내 고장 내 겨레》, 원주문화원,
　1970.